O SILÊNCIO
DAS ÁGUAS

Obras da autora publicadas pela Editora Record

ABC do amor
Um amor desastroso
Arte & alma
As cartas que escrevemos
Um encontro com Holly
Depois daquele inverno
Eleanor & Grey
Landon & Shay (vol. 1)
Landon & Shay (vol. 2)
No ritmo do amor
A playlist
Sr. Daniels
Vergonha

Série Elementos
O ar que ele respira
A chama dentro de nós
O silêncio das águas
A força que nos atrai

Série Bússola
Tempestades do Sul
Luzes do Leste
Ondas do Oeste
Estrelas do Norte

Com Kandi Steiner
Uma carta de amor escrita por mulheres sensíveis

BRITTAINY C. CHERRY

O SILÊNCIO
DAS ÁGUAS

Tradução de
Natalie Gerhardt

10ª edição

EDITORA RECORD
RIO DE JANEIRO • SÃO PAULO
2025

CIP-BRASIL. CATALOGAÇÃO NA PUBLICAÇÃO
SINDICATO NACIONAL DOS EDITORES DE LIVROS, RJ

C392s
10ª ed.
Cherry, Brittainy C. O silêncio das águas / Brittainy C. Cherry; tradução de Natalie Gerhardt. – 10ª ed. – Rio de Janeiro: Record, 2025.

Tradução de: The Silent Waters
ISBN 978-85-01-10964-4

1. Romance americano. 2. Ficção americana. I. Gerhardt, Natalie. II. Título.

17-43369

CDD: 813
CDU: 821.111(73)-3

Título original:
THE SILENT WATERS

Silent Waters © Brittainy C. Cherry 2016

Esta obra foi negociada pela Bookcase Literary Agency.

Texto revisado segundo o novo Acordo Ortográfico da Língua Portuguesa.

Todos os direitos reservados. Proibida a reprodução, no todo ou em parte, através de quaisquer meios. Os direitos morais da autora foram assegurados.

Direitos exclusivos de publicação em língua portuguesa somente para o Brasil adquiridos pela
EDITORA RECORD LTDA.
Rua Argentina, 171 – Rio de Janeiro, RJ – 20921-380 – Tel.: (21) 2585-2000, que se reserva a propriedade literária desta tradução.

Impresso no Brasil

ISBN 978-85-01-10964-4

Seja um leitor preferencial Record.
Cadastre-se no site www.record.com.br e receba informações sobre nossos lançamentos e nossas promoções.

Atendimento e venda direta ao leitor:
sa@record.com.br

Nota da autora

Tudo bem, tudo bem, sei que você deve estar querendo ir direto para a história, mas antes eu gostaria de contar uma coisa. Não se preocupe, vai ser rápido. Não chega nem perto de oitenta mil palavras. É um relato um pouco mais real e pessoal. Então, lá vai. Escrever *O silêncio das águas* foi difícil para mim. Diferentemente de Maggie May, não fiquei muda quando era criança, mas eu raramente falava. No primeiro ano do ensino fundamental, era superfalante. No terceiro, era simpática e alegre. Eu amava as pessoas, e elas pareciam gostar de mim também. A não ser por uma garota — vamos chamá-la de Kelly. Nós duas íamos para a escola no mesmo ônibus, e um dia ela me disse que teria dois metros e meio de altura.

Dois metros e meio! Dá para imaginar?

"Mas você vai ser alta demais", respondi. "Você vai ser mais alta do que uma palmeira!"

Os olhos de Kelly se estreitaram. "O que você disse?"

"Que você vai ser mais alta do que uma palmeira!"

"Você acabou de me chamar de rameira?", perguntou ela, zangada.

Sua raiva me deixou sem saber o que fazer. O que eu tinha dito? O que eu tinha feito de errado?

Eu tinha um problema de fala. Havia algumas letras que eu não conseguia pronunciar direito e, quando eu as dizia, elas soavam de forma diferente do que eu tinha em mente. Até hoje, existem palavras que não consigo pronunciar corretamente quando fico nervosa.

É constrangedor como uma mulher de vinte e nove anos pode voltar a se sentir uma garotinha do terceiro ano em um piscar de olhos.

Eu disse *palmeira* — ela entendeu *rameira*.

E ela nunca me deixou esquecer disso.

Eu nem sabia o que era uma rameira. Estava no terceiro ano do ensino fundamental. Só sabia o que os programas infantis ensinavam, e essa palavra nunca foi dita em nenhum deles.

Mas Kelly não se esqueceu disso. Ela transformou minha vida em um inferno, debochando do meu jeito de falar, fazendo bullying no transporte escolar, beliscando as minhas orelhas e dizendo "quero ver a orelha da Cherry ficar vermelha". Foi triste ver como as outras crianças foram rápidas em se juntar a ela, zombando das minhas palavras. Eu chegava em casa chorando, e a minha mãe não sabia como melhorar as coisas a não ser indo à escola, entrando no modo mãezona e exigindo que as coisas mudassem. P.S.: funcionou. (Valeu, mãe!)

Mas, àquela altura, eu já tinha mudado.

Perdi a minha voz.

Tornei-me superconsciente das palavras que usava e, por isso, quase não usava nenhuma. Eu era uma aberração, uma estranha que não conseguia falar direito. A minha voz não merecia ser ouvida.

No ensino médio, fui eleita a garota mais quieta. Quando tínhamos que ler em voz alta na aula, eu me lembro de ter ataques de pânico e tremores. Quando eu sabia previamente que haveria leitura em voz alta na aula, ficava em casa, doente. Se isso não fosse possível, ia para a enfermaria depois de jogar água quente na testa para forjar uma febre. Quando nada disso adiantava e eu tinha que ler em voz alta, ficava pensando naquilo durante dias, semanas, imaginando todas as palavras que eu tinha pronunciado errado e que os meus colegas provavelmente riram de mim.

Eu era tão tímida que os professores passaram a questionar se eu tinha algum distúrbio de aprendizagem. Disseram para minha mãe que eu nunca conseguiria me comunicar de maneira normal por causa da minha timidez e do meu problema de fala, mas ela disse que não acreditava naquilo. Veja bem, eu era tagarela em casa. A minha casa era o meu porto seguro. Protegida por aquelas paredes, eu podia ser ouvida. Era o único lugar em que eu conseguia ser eu mesma depois de passar oito horas na escola me esforçando para *não* ser eu.

Minha irmã mais velha, Tiffani, não sabe disso, mas ela me ajudou a encontrar a minha voz. Ela era uma animadora de torcida incrível, popular e divertida, e eu a admirava muito. Um dia, ela disse que eu deveria tentar entrar para a equipe de animadoras de torcida de luta — sim, isso existe.

Entrei para a equipe.

Eu ficava no meio de outras pessoas e, mesmo que me sentisse aterrorizada imaginando o que os outros pensavam de mim, eu dava o meu melhor nas apresentações. Comecei a falar mais na escola. Comecei a rir mais também. Ser capaz de me expressar era a melhor coisa do mundo. Um dia, no último ano do ensino médio, um garoto se virou na cadeira e disse: "Eu gostava mais quando você não falava." Por um instante, eu quis me retrair e voltar para a minha caverna de mudez, mas, em vez disso, eu pensei *"seja forte como a Tiffani"*. Então, respondi: "Que engraçado, porque eu nunca gostei de você."

Insolência. Eu tinha descoberto como ser insolente.

A minha voz era insolente às vezes! O que, mais tarde na vida, me causaria problemas, mas essa é outra história.

É por isso que *O silêncio das águas* é tão querido para mim.

Eu fui a Maggie May, e ela, de certa forma, ainda sou eu. Às vezes, ainda tenho ataques de pânico, principalmente antes de publicar um romance, quando sinto que vou me apaixonar ou antes de tomar alguma decisão importante na vida, porque, na minha cabeça, ainda sou aquela garotinha do terceiro ano que sente que está sendo julgada. E se eu fizer tudo errado? E se não for merecedora do amor, do sucesso ou de viver os meus sonhos?

Mas então respiro fundo e procuro me lembrar de que tudo bem ser eu mesma. Tudo bem me sentir amedrontada em alguns dias e destemida em outros. Tudo bem sentir medo de ter uma voz e ainda assim usá-la todos os dias. Tudo bem se eu não sou perfeita, mas, mesmo assim, inteira.

Então, escrevi este livro para mim, mas não só para mim. Eu o escrevi para todas as Maggies do mundo que, às vezes, se sentem perdidas e sozinhas. Para quem se sente invisível. Para quem tem ataques de pânico à noite, na escuridão do quarto. Para quem chora até dormir e acorda com o travesseiro manchado de lágrimas. Este livro é para você. É a sua âncora. A prova de que você também vai encontrar a sua voz. Você merece amor, sucesso e que os seus sonhos se tornem realidade. Nunca pare de falar, mesmo que a sua voz comece a ficar trêmula, está bem? Nunca desista de si mesmo. Você é importante, é amado, e a sua linda voz importa.

Para os que, como eu, estão à deriva, flutuando por aí.
Para as âncoras que sempre nos trazem de volta para casa.

Prólogo

Maggie

8 de julho de 2004 — Seis anos de idade.

— Dessa vez vai ser diferente, Maggie, eu juro. Dessa vez é para sempre — prometeu papai enquanto estacionava em frente à casa de tijolos amarelos na esquina da Jacobson Street. A futura esposa dele, Katie, estava na varanda, observando nossa velha perua parar na entrada da garagem.
Mágico.
Foi mágico subir os degraus até a casa. Eu estava me mudando de uma casinha para um palácio. Papai e eu moramos a vida toda em um apartamento de dois quartos e, agora, estávamos nos mudando para uma casa de dois andares, com cinco quartos, sala de estar e uma cozinha do tamanho da Flórida, dois banheiros e lavabo e uma sala de jantar de verdade — não uma sala de estar onde papai armava uma mesa dobrável todas as noites. Ele me disse que tinha até piscina no quintal. Uma *piscina*! No *quintal*!
Até então, eu morava só com uma pessoa; agora, estava me tornando parte de uma família.
Mas isso não era novidade para mim. Desde que me entendo por gente, papai e eu fizemos parte de muitas famílias. A primeira, não conheci de verdade, pois minha mãe nos abandonou antes mesmo que eu aprendesse a falar. Ela conheceu alguém que a fazia se sentir mais amada, o que era difícil de acreditar. Papai dava a ela todo o

seu amor, não importava o quanto isso custasse a ele. Depois que minha mãe foi embora, ele me deu uma caixa com fotos para que eu pudesse me lembrar dela, mas achei isso muito estranho. Como eu poderia me lembrar de uma mulher que nunca esteve ao meu lado? Depois dela, ele se apaixonou por algumas mulheres e, em geral, elas também se apaixonavam por ele. Entravam no nosso mundinho com todos os seus pertences, e papai me dizia que elas ficariam para sempre, mas o "para sempre" era mais curto do que ele esperava.

Dessa vez, era diferente.

Ele conheceu o amor da sua vida em uma sala de bate-papo da AOL. Papai teve sua cota de relacionamentos ruins depois que mamãe nos deixou, então achou que seria melhor tentar conhecer alguém pela internet. E funcionou. Katie tinha perdido o marido anos antes e não havia namorado ninguém até entrar na internet e conhecer o papai.

Diferentemente das outras vezes, papai e eu nos mudaríamos para a casa da Katie e dos filhos dela, não o contrário.

— Dessa vez é para sempre — sussurrei para ele.

Katie era bonita como as mulheres da TV. Papai e eu assistíamos à televisão enquanto jantávamos juntos, e eu sempre notava a beleza das pessoas. Katie parecia uma estrela de cinema. O cabelo dela era loiro e comprido, e os olhos eram azuis cristalinos, parecidos com os meus. As unhas estavam pintadas de vermelho vivo, combinando com o batom, e os cílios eram longos, espessos e fartos. Quando estacionamos na entrada da casa dela — da *nossa* casa —, ela nos aguardava ali, usando um lindo vestido branco e sapatos de salto amarelos.

— Ah, Maggie! — exclamou ela, correndo na minha direção e abrindo a porta do carro para poder me abraçar. — É tão bom finalmente conhecer você.

Ergui a sobrancelha, desconfiada, sem saber se deveria abraçar Katie, mesmo que ela tivesse cheiro de coco e morango. Nunca soube que coco e morango combinavam até conhecê-la.

Olhei para o papai, que estava sorrindo para mim; ele assentiu, me incentivando a retribuir o gesto.

Ela me abraçou bem apertado e me levantou, me tirando do carro, tirando todo o ar dos meus pulmões, mas não reclamei. Fazia muito tempo que eu não era abraçada daquele jeito. A última vez provavelmente foi quando o vovô veio nos visitar.

— Vem. Vou te apresentar aos meus filhos. Primeiro vamos ao quarto do Calvin. Vocês dois têm a mesma idade, então vão para a escola juntos. Ele está lá dentro com um amigo.

Katie não me pôs no chão; em vez disso, subiu a escada da varanda me carregando no colo, enquanto papai pegava algumas das nossas malas. Quando entramos na casa, arregalei os olhos. *Uau.* Era linda, parecia o palácio da Cinderela, eu tinha certeza disso. Ela me levou ao segundo andar, até o último quarto à esquerda, e abriu a porta. Vi dois garotos jogando Nintendo e gritando um com o outro. Katie me colocou no chão.

— Meninos, uma pausa — pediu Katie.

Eles não deram ouvidos.

Continuaram discutindo.

— *Meninos* — repetiu Katie com mais firmeza. — *Uma pausa.*

Nada.

Ela bufou e colocou a mão na cintura.

Eu bufei e imitei sua pose.

— MENINOS! — gritou, desligando o videogame na tomada.

— MÃE!

— SRA. FRANKS!

Eu ri. Os meninos se viraram para nos olhar com uma expressão chocada no rosto, e Katie sorriu.

— Agora que tenho a atenção de vocês, quero que digam olá para a Maggie. Calvin, a Maggie vai morar com a gente, junto com o pai dela. Lembra que eu disse que você ia ganhar uma irmã?

Os meninos me dirigiram um olhar vago. Calvin claramente era o loiro idêntico a Katie. O garoto sentado ao lado dele tinha o cabelo despenteado e olhos castanhos, um furo na camiseta amarela e migalhas de batata chips na calça jeans.

— Eu não sabia que você tinha outra irmã, Cal — disse o garoto, olhando para mim. Quanto mais ele olhava, mais o meu estômago doía. Eu me escondi atrás de Katie, sentindo o rosto queimar.

— Nem eu — respondeu Calvin.

— Maggie, esse é o Brooks. Ele mora do outro lado da rua, mas esta noite vai dormir aqui.

Espiei Brooks de trás da perna de Katie, e ele sorriu antes de comer as migalhas que tirou da calça.

— A gente pode jogar mais? — pediu Brooks, voltando a atenção para o controle do videogame e para a tela preta da televisão.

Katie riu, fazendo que não com a cabeça.

— Garotos... — sussurrou ela ao ligar o videogame na tomada.

Balancei a cabeça e ri, exatamente como ela.

— É, garotos...

Depois, entramos em outro quarto. O mais rosa que já tinha visto. Uma menina com orelhas de coelho e vestido de princesa estava sentada no chão, desenhando e comendo Doritos de uma tigela cor-de-rosa.

— Cheryl — chamou Katie, entrando no quarto. Eu me escondi atrás dela de novo. — Essa é a Maggie. Ela e o pai vão morar com a gente. Você lembra que conversamos sobre isso?

Cheryl ergueu os olhos, sorriu e enfiou mais Doritos na boca.

— Tudo bem, mamãe. — Ela voltou a desenhar, e seus cachos ruivos balançavam enquanto ela cantarolava uma música bem baixinho. Então, ela parou e olhou para mim. — Ei, quantos anos você tem?

— Seis — respondi.

Ela sorriu

— Eu tenho cinco! Você gosta de brincar de boneca?

Fiz que sim com a cabeça.

Ela sorriu de novo e voltou a desenhar.

— Tá bom. Tchau.

Katie riu de novo e me levou para fora do quarto.

— Acho que vocês duas vão ser muito amigas — sussurrou.

Em seguida, ela mostrou o meu quarto. Papai estava lá, colocando as minhas malas. Meus olhos se arregalaram diante do tamanho do lugar... E tudo aquilo era para mim.

— Uau... — Respirei fundo. — Esse quarto é meu?

— É, sim.

Uau.

— Eu sei que vocês dois devem estar muito cansados da viagem, então vou deixar você arrumar a Maggie para dormir. — Katie sorriu para o papai e deu um beijo no rosto dele.

Enquanto ele pegava meu pijama, perguntei:

— Será que a Katie pode me colocar na cama?

Ela não hesitou.

Enquanto Katie me colocava para dormir, sorri para ela, e ela sorriu para mim. Conversamos muito.

— Sabe de uma coisa? Sempre quis ter outra filha — confessou ela, acariciando meu cabelo.

Eu não disse nada, mas também sempre quis ter uma mãe.

— A gente vai se divertir muito, Maggie. Você, Cheryl e eu. Vamos à manicure, vamos nos sentar na beira da piscina, tomar limonada e ficar folheando revistas. Podemos fazer tudo que os garotos não gostam de fazer.

Ela me deu um abraço de boa-noite, apagou a luz e saiu.

Não consegui dormir.

Virei de um lado para o outro e chorei por muito tempo, mas papai não conseguia me ouvir, porque estava no andar de baixo, dormindo no quarto de Katie. Mesmo que eu quisesse sair para procurá-lo, não conseguiria, pois o corredor estava escuro, e eu odiava lugares escuros mais que tudo. Funguei e tentei contar carneirinhos, mas nada parecia funcionar.

— Qual é o seu problema? — perguntou uma figura nas sombras, parada bem na porta do meu quarto.

Ofeguei e me sentei na cama, abraçando o travesseiro.

A silhueta se aproximou, e eu soltei um suspiro quando vi que era Brooks. O cabelo dele estava todo desgrenhado, e ele tinha marcas do travesseiro no rosto.

— Você tem que parar de chorar. Fica me acordando toda hora.

Funguei.

— Desculpa.

— Qual é o problema? Está com saudade de casa ou algo assim?

— Não.

— Então o que é?

Abaixei a cabeça, envergonhada.

— Tenho medo do escuro.

— Ah! — Ele estreitou os olhos por um segundo antes de sair do quarto.

Continuei agarrada ao meu travesseiro e fiquei surpresa quando Brooks voltou. Ele tinha algo nas mãos e foi até a parede para ligar o objeto na tomada.

— Calvin não precisa mais de abajur. A mãe dele o deixa no quarto. — Ele ergueu uma sobrancelha. — Está melhor assim?

Assenti. *Melhor.*

Ele bocejou.

— Bem, boa noite então... hum... Qual é o seu nome mesmo?

— Maggie.

— Boa noite, Maggie. Você não precisa se preocupar com nada aqui na nossa cidade. Ela é muito segura. Você está segura aqui. E, se não estiver se sentindo bem, pode vir dormir no chão do quarto do Calvin. Ele não vai se importar. — Brooks saiu, coçando o cabelo bagunçado e bocejando.

Meus olhos pousaram no abajur em formato de foguete um pouco antes de minhas pálpebras começarem a se fechar. Eu me sentia cansada. Segura. Protegida por um foguete que ganhei de um menino que eu havia acabado de conhecer.

Antes eu não tinha certeza, mas agora eu sabia.

Papai estava certo.

— Para sempre — sussurrei para mim mesma, mergulhando em meus sonhos. — Dessa vez é para sempre.

Parte um

Capítulo 1

Maggie

25 de julho de 2008 — Dez anos de idade.

Para o garoto que está apaixonado por mim
De: Maggie May Riley

Querido Brooks Tyler,

Fiquei muito tempo chateada com você outro dia, depois que me xingou e me empurrou em uma poça d'água. Você estragou o meu vestido preferido e as minhas sandálias amarelas. Fiquei muito ~~xateada~~ chateada por ter me empurrado.

Seu irmão Jamie me disse que você só é malvado comigo porque me ama. Você me xinga porque é isso que os meninos fazem quando estão apaixonados. Você me empurrou porque quer ficar perto de mim. Acho que isso é ~~burrisse~~ burrice, mas minha mãe diz que todos os homens são burros, então a culpa não é sua. Está no seu DNA.

Eu aceito o seu amor, Brooks. Vou deixar você me amar para todo o sempre.

Já comecei a planejar o casamento.

Vai ser em alguns dias, no bosque. Lá tem um rio onde os meninos sempre vão pescar. Sempre quis me casar perto da água, como o meu pai e a minha mãe.

É melhor você usar uma gravata — e não aquela cor de lama que você usou para ir à missa no domingo passado. Passe o perfume do seu pai. Sei que você é um garoto, mas não precisa ficar fedido.

Eu te amo, Brooks Tyler Griffin.

Para sempre e sempre.

Sua futura esposa,

Maggie May

P.S.: Aceito o pedido de desculpas que você não fez. Jamie disse que você se arrependeu, então não precisa se preocupar que eu ainda esteja com raiva.

* * *

Para a garota que é lelé da cuca
De: Brooks Tyler Griffin

Maggie May,

Eu. Não. Gosto. De. Você! Desapareça para todo o sempre e sempre.

Do seu futuro marido, SÓ QUE NÃO,

Brooks Tyler

* * *

Para o garoto engraçadinho
De: Maggie May Riley

Querido Brooks Tyler,

Você me faz rir. Jamie disse que você iria me responder desse jeito.

O que você acha de roxo e rosa para o casamento? Provavelmente a gente deveria morar junto, mas sou nova demais para comprar uma casa. Então podemos morar com seus pais até você conseguir um emprego ~~ficso~~ fixo para sustentar a gente e nossos bichinhos de estimação.

Vamos ter um cachorro chamado Skippy e um gato chamado Jam.

Sua

Maggie May

* * *

Para a garota que continua lelé da cuca
De: Brooks Tyler Griffin

Maggie,

Nós não vamos nos casar. Não vamos ter animais de estimação. A gente nem é amigo. EU TE ODEIO, MAGGIE MAY! Se o seu irmão não fosse meu melhor amigo, eu NUNCA falaria com você! Acho que você é maluca.

Skippy e Jam? Você quer dar o nome de uma manteiga de amendoim ao cachorro? Que coisa idiota. É a coisa mais idiota que já ouvi na vida. Além disso, todo mundo sabe que Jif é a melhor manteiga de amendoim.

Do seu, SÓ QUE NÃO,

Brooks

* * *

Para o garoto que tem mau gosto
De: Maggie May Riley

Brooks Tyler,

Minha mãe sempre diz que um bom relacionamento precisa de duas coisas importantes: o casal tem que amar as ~~semelhanssas~~,

~~semelhãssas, semelhansas~~ coisas que têm em comum e também respeitar as diferenças.

Eu amo o fato de que nós dois gostamos de manteiga de amendoim e respeito a sua opinião sobre a marca Jif.

Mesmo que a sua opinião esteja errada.

Sempre sua,

                                                          Maggie May

P.S. Você encontrou uma gravata?

* * *

Para a garota que continua MUITO lelé da cuca
De: Brooks Tyler Griffin

Maggie May,

Eu não preciso de uma gravata porque a gente nunca vai se casar.
    E se escreve "semelhanças", sua burra.

                                                                     Brooks

* * *

Para o garoto que me fez chorar
De: Maggie May Riley

Brooks,

Isso foi cruel.

                                                                     Maggie

* * *

Para a garota que ainda é MUITO lelé da cuca, mas nunca deve chorar
De: Brooks Tyler Griffin

Maggie May,

Sinto muito. Às vezes eu sou idiota.

Brooks

* * *

Para o garoto que me fez sorrir
De: Maggie May Riley

Brooks Tyler Griffin,

Eu te perdoo.
    Pode usar a gravata cor de lama, se quiser. Não importa que você se vista mal, eu ainda vou adorar ser sua esposa.
    Vejo você no próximo fim de semana, às cinco da tarde, entre as duas árvores com tronco retorcido.

Para todo o sempre e sempre,

Maggie May Riley

Capítulo 2

Brooks

Eu odiava Maggie May.

Gostaria que houvesse uma palavra melhor para descrever o que eu sentia pela garota irritante e tagarela que ficava me seguindo por aí, mas ódio era a única coisa que vinha à minha cabeça quando ela aparecia. Eu não deveria ter dado aquele abajur para ela anos atrás. Deveria simplesmente ter fingido que ela não existia.

— Por que ela tem que ir? — resmunguei, guardando a linha, as boias, as chumbadas para pesca e os anzóis na minha caixa de equipamentos.

Nos últimos dois anos, meu pai, meu irmão mais velho, Jamie, Calvin e o novo pai dele, Eric — ou Sr. Riley, como eu o chamava — viajamos muitas vezes para pescar. A gente fazia uma caminhada de uns quinze minutos até o lago Harper e ficava no barco do Sr. Riley, rindo e contando piadas. O lago é tão grande que, mesmo forçando a vista, é difícil ver a outra margem, onde ficam as lojas da cidade. Calvin e eu tínhamos o hábito de tentar distinguir os prédios, tipo a biblioteca, a mercearia e o shopping. Depois disso, a gente se esforçava para pegar algum peixe. Era um dia só para os homens, e a gente comia um monte de besteira e não se importava se ia passar mal. Era a nossa tradição, mas aquilo estava sendo arruinado por uma garota idiota de dez anos que vivia cantando e rodopiando por aí. Maggie May era a definição de irritante. É sério. Quando procurei seu nome no dicionário, encontrei a seguinte definição: "A meia-irmã irritante do Calvin."

Eu mesmo devo ter escrito aquilo, e minha mãe brigou comigo por ter feito isso em um livro, mas, ainda assim, era a verdade.

— Meus pais disseram que ela tem que vir — explicou Calvin, levantando sua vara de pescar. — Minha mãe vai levar a Cheryl ao médico, então não tem ninguém para ficar com ela.

— Ela não pode ficar trancada em casa? Seus pais poderiam deixar um sanduíche de pasta de amendoim e geleia e uma caixa de suco ou algo assim.

Calvin riu.

— Quem dera. Isso é tão idiota.

— Ela é idiota! — exclamei. — Enfiou na cabeça que vai se casar comigo no bosque. Ela é maluca.

Jamie riu baixinho.

— Você só está dizendo isso porque gosta dela.

— Eu não! — gritei. — Que nojo. A Maggie May me deixa enjoado. Só de pensar nela tenho pesadelos.

— Você só está dizendo isso porque gosta dela — repetiu Jamie.

— É melhor você calar a boca antes que eu mesmo faça isso, imbecil. Ela disse que é você que está espalhando que eu gosto dela! É por sua causa que ela está achando que a gente vai se casar.

Ele riu.

— É, eu sei.

— Por que você está fazendo isso?

Jamie deu um tapinha no meu ombro.

— Porque sou seu irmão mais velho, e os irmãos mais velhos devem atormentar os caçulas. Está no contrato entre irmãos.

— Eu nunca vi esse contrato. Nem assinei nada.

— Você é menor de idade, então a mamãe assinou por você, dã.

Revirei os olhos.

— Não importa. Só sei que a Maggie vai estragar o dia. Ela sempre estraga tudo. E ela *nem sabe pescar!*

— Sei, sim! — exclamou Maggie, saindo de casa com um vestido, sandálias amarelas e segurando uma vara de pescar da Barbie.

Argh! Quem sai para pescar de vestido e com uma vara da Barbie?

Ela passou os dedos pelo cabelo louro fino, e suas narinas enormes se dilataram.

— Aposto que vou pescar muito mais que o Calvin e o Brooks! Não mais que você, Jamie. Aposto que você pesca bem.

Ela sorriu para o meu irmão, e isso quase me fez vomitar. Ela tinha o sorriso mais feio do mundo.

Jamie retribuiu.

— Aposto que você também não é ruim, Maggie.

Insira um revirar de olhos aqui. Jamie sempre fazia isso, sempre era superlegal com Maggie só para me irritar. Eu sabia que era impossível que ele gostasse dela, porque ela era detestável.

— Vocês vão ficar sentados aí o dia todo ou a gente vai caminhar até o lago? — perguntou o Sr. Riley, saindo de casa com sua caixa de equipamentos e a vara de pescar. — Vamos logo.

Começamos a andar pela estrada — bem, os homens andaram. Maggie saltitou, rodopiou e cantou mais músicas que qualquer pessoa aguentaria. Juro, se eu tivesse que vê-la dançar Macarena mais uma vez, ficaria maluco. Quando chegamos ao bosque, imaginei a gente subindo no barco do Sr. Riley e Maggie, de alguma forma, ficando para trás.

Era um sonho perfeito.

— Vamos precisar de iscas — avisou o Sr. Riley, pegando uma pazinha e um balde de metal. — De quem é a vez?

— Brooks — respondeu Calvin, apontando para mim.

Cada vez que íamos pescar, uma pessoa ficava responsável por pegar minhocas. Peguei o balde e a pá sem reclamar. Na verdade, cavar buracos para encontrar minhocas era uma das minhas partes favoritas da pescaria.

— Acho que a Maggie deveria ir com ele. — Jamie abriu um sorriso falso, piscando para a garota.

O rosto dela se iluminou, e ela se encheu de esperança. Eu estava prestes a dar um soco no meu irmão.

— Não. Tá tranquilo. Posso fazer isso sozinho.

— Mas eu posso ir. — Maggie abriu um sorriso enorme.

Que sorriso feio!

— Papai, posso ir com o Brooks?

Olhei para o Sr. Riley, e eu soube que estava perdido, porque ele tinha uma doença grave chamada SF — Síndrome de Filha. Nunca ouvi o Sr. Riley dizer não para Maggie, e duvidava muito que isso fosse começar naquela tarde.

— Claro, querida. Divirtam-se. — Ele sorriu. — Vamos preparar o barco e partiremos assim que vocês voltarem.

Antes de seguirmos para o bosque, fiz questão de dar um esbarrão forte no braço do Jamie. Ele revidou com mais força, e Maggie riu. Enquanto caminhávamos, coloquei os fones de ouvido do MP3 e acelerei o passo, esperando que ela se perdesse. Mas ela saltitava e rodopiava com uma velocidade surpreendente.

— E aí, você já achou uma gravata? — perguntou.

Revirei os olhos. Mesmo com a música, ainda conseguia ouvi-la falando sem parar.

— Não vou me casar com você.

Ela riu.

— A gente vai se casar em dois dias, Brooks. Não seja bobo. Acho que o Calvin vai ser seu padrinho. Ou prefere o Jamie? A Cheryl vai ser minha dama de honra. Ei, posso ouvir música também? Calvin disse que você tem as melhores músicas, e acho que eu deveria conhecer seu gosto musical, já que vamos nos casar.

— Nós não vamos nos casar, e você nunca vai colocar as mãos no meu MP3.

Ela riu, como se eu tivesse contado uma piada engraçada.

Comecei a cavar na lama, e ela se balançou nos galhos de uma árvore.

— Você não vai me ajudar?

— Não vou colocar a mão numa minhoca.

— Por que veio comigo então?

— Pra gente terminar de planejar o casamento. Dã. Além disso, achei que a gente poderia ver uma cabana aqui por perto. Poderia ser a nossa casa, se você quisesse. A gente poderia arrumá-la para morar com Skippy e Jam. Não tem ninguém lá mesmo... E é grande o suficiente para a nossa família.

A garota era doidinha.

Continuei cavando, e ela continuou falando. Quanto mais rápido eu cavava, mais rápido ela falava, aqueles papos de menina para os quais eu não estava nem aí — sapato, maquiagem, primeira dança, bolo de casamento, decoração. Ela até falou que a cabana abandonada poderia ser usada na festa. A lista só ia aumentando. Pensei em largar as coisas ali e sair correndo para salvar minha própria vida — estava muito claro que Maggie queria me matar. Quando ela começou a falar do nome do nosso primeiro filho, percebi que as coisas estavam indo longe demais.

— Escuta aqui! — gritei, largando a pá com algumas minhocas que eu tinha encontrado. Elas se contorciam, tentando voltar para a terra, mas eu nem liguei. Estufei o peito e caminhei na direção de Maggie. Meus punhos socaram o ar, e eu gritei bem na cara dela:

— A gente não vai se casar! Nem hoje, nem amanhã, nem nunca! Tenho nojo de você e só fui legal na última carta porque Jamie disse que, se eu escrevesse mais alguma coisa grosseira, ele contaria aos nossos pais e eu teria problemas. Tá bom? Então chega desse papo de casamento.

Nossos rostos estavam a centímetros de distância. Ela estava com as mãos cruzadas nas costas, e vi o seu lábio inferior tremer. Maggie semicerrou os olhos, estudando o meu rosto como se estivesse tentando decifrar o que as minhas palavras queriam dizer. Por um instante, ela franziu as sobrancelhas, mas então deu aquele sorriso feio de novo. Antes que eu pudesse me afastar, ela se inclinou para mim, pegou o meu rosto com as duas mãos e me puxou para mais perto.

— O que você está fazendo? — perguntei, enquanto ela espremia minhas bochechas.

— Vou beijar você, Brooks. Precisamos treinar o nosso primeiro beijo antes de fazermos isso na frente dos nossos amigos e da família.

— Não vai mesmo...

Parei de falar, e meu coração disparou. Maggie colou os lábios nos meus e me puxou para ainda mais perto. Sem hesitar, me afastei. Eu queria dizer alguma coisa, mas as palavras não saíam, então, fiquei olhando para ela, me sentindo estranho e desconfortável.

— A gente devia tentar de novo — propôs ela.

— Não! Não me beije...

Ela me beijou mais uma vez. Senti meu corpo todo ferver de... raiva? Talvez confusão? Não. Raiva. Definitivamente raiva. *Ou talvez..*

— Será que você pode parar com isso? — gritei, dando um passo para trás ao me afastar dela. — Você não pode sair por aí beijando pessoas que não querem ser beijadas!

Os olhos dela ficaram tristes, e o rosto, vermelho.

— Você não quer me beijar?

— Não! Não quero. Eu não quero nada com você, Maggie May Riley! Não quero mais ser seu vizinho. Nem seu amigo. Nem me casar com você. E, com certeza, não quero beijar... — Fui interrompido de novo, mas, dessa vez, por mim mesmo. De alguma forma, enquanto falava, fui me aproximando dela, e os meus lábios roubaram um beijo. Coloquei as mãos em seu rosto enquanto a beijava por uns dez segundos. E contei cada um deles. Quando nos afastamos, nós dois ficamos parados.

— Você me beijou — sussurrou ela.

— Foi um erro — respondi.

— Um erro bom?

— Um erro ruim.

— Ah.

— É.

— Brooks?

— Maggie?
— Será que a gente pode cometer mais um erro ruim?
Chutei o mato e passei a mão pela nuca.
— Isso não quer dizer que vou me casar com você.
— Tudo bem.
Arqueei uma sobrancelha.
— É sério. Dez segundos e acabou. A gente nunca mais vai se beijar de novo. *Nunca mais.*
— Tudo bem — disse Maggie, concordando.
Dei um passo na direção dela, e seguramos o rosto um do outro. Quando nos beijamos, fechei os olhos e contei até dez.
Contei devagar, tão devagar quanto o movimento das minhocas.
1...
1,3...
1,5...
2...
— Brooks? — chamou ela, com a boca grudada na minha. Meus olhos se abriram e encontraram Maggie me encarando.
— Hã? — perguntei, nossas mãos ainda no rosto um do outro.
— A gente já pode parar de se beijar agora. Já contei até dez umas cinco vezes.
Dei um passo para trás, envergonhado.
— Tudo bem. A gente precisa mesmo voltar para o barco. — Eu me apressei em tentar pegar as minhocas, fracassando terrivelmente. Com o canto dos olhos, vi Maggie balançando o vestido e cantarolando.
— Olha só, Brooks, sei que eu disse que você poderia usar a gravata cor de lama no casamento, mas acho que você fica mais bonito de verde. Traga a gravata para o ensaio amanhã e me encontre aqui mesmo, às sete horas. — Seus lábios se curvaram em um sorriso, e não pude deixar de me perguntar o que tinha mudado nela naquele momento.
Seu sorriso não era mais tão feio.

Quando ela começou a se afastar, eu me levantei rápido, derrubando as minhocas de novo.

— Ei, Maggie?

Ela se virou para mim.

— O que foi?

— Será que a gente pode se beijar mais uma vez?

Ela enrubesceu e sorriu, e foi lindo.

— Por quanto tempo?

— Sei lá... — Enfiei as mãos nos bolsos e dei de ombros, olhando para o mato enquanto uma minhoca passeava pelo meu cadarço. — Talvez mais uns dez segundos.

Capítulo 3

Maggie

Eu amava Brooks Tyler.

Gostaria que houvesse uma palavra melhor para descrever os meus sentimentos pelo garoto lindo e grosseiro que andava me beijando ultimamente, mas amor é a única palavra que me vinha à cabeça sempre que ele estava ao meu lado.

Deitada na cama, sem conseguir parar de pensar no último beijo de dez segundos, ouvi Cheryl exclamar:

— Você só pode estar brincando!

Não sei o que fazia mais barulho: o vento lá fora ou Cheryl.

— Não sei ser dama de honra! — resmungou ela ao cair do meu lado. Seu cabelo ruivo e cacheado balançava enquanto ela pulava no meu colchão.

Cheryl é a minha melhor amiga desde que vim morar com sua família, além de ser minha meia-irmã. Então, ela tinha que ser a minha dama de honra.

— Você não precisa fazer nada; na verdade, só o que eu não quiser fazer. E quando eu estiver estressada com os planos do casamento, é com você que posso gritar. Ah, e você tem que segurar a cauda do vestido quando eu caminhar até o altar.

— Por que tenho que segurar o seu vestido?

Dei de ombros.

— Sei lá, mas a dama de honra da minha tia segurou o dela, então acho que faz parte.

No chão do meu quarto, simulei a cerimônia com as minhas Barbies, os bichinhos de pelúcia e os Pequenos Pôneis. Ken estava no lugar de Brooks como noivo, e uma Barbie, no meu.

— Como foi que você conseguiu um namorado? — perguntou ela, ainda pulando.

— *Noivo* — corrigi. — Na verdade, foi bem fácil. Você logo arranja um. Só precisa enrolar uma mecha de cabelo no dedo e escrever uma carta dizendo que ele vai se casar com você.

— Sério? — A voz de Cheryl ficou mais alta. — Só isso?

— Só.

— Uau. — Ela suspirou, parecendo um pouco surpresa. Mas não entendi o porquê. Garotos eram muito fáceis de conquistar. Mamãe disse que se livrar deles era o problema. — Como você sabe disso tudo?

— A mamãe falou.

Ela fez bico.

— Por que ela não me disse nada disso? Sou filha dela também. E ela foi *minha* mãe primeiro.

— Deve ser porque você é muito nova. Ela provavelmente vai começar a falar disso ano que vem.

— Não quero esperar um ano. — Cheryl parou de pular e começou a enrolar uma mecha de cabelo no dedo. — Preciso de papel e caneta. Ou, bem... você tem certeza de que Brooks não vai querer se casar comigo também?

Coloquei as mãos na cintura e ergui uma sobrancelha.

— O que você quer dizer com isso?

Ela continuou enrolando o cabelo.

— Só estou perguntando. Ele sorri muito para mim.

Ai. Meu. Deus.

Minha irmã não valia nada. Mamãe disse que eu não podia falar assim das pessoas, mas já a ouvi dizer isso à tia Mary por ela estar saindo com um homem casado, e tia Mary não gostou nem um pouco. Cheryl estava tentando fazer a mesma coisa.

— Ele é simpático. Sorri para todo mundo. Uma vez, eu vi ele sorrir para um esquilo.

— Você está comparando o sorriso que ele me dá com o sorriso que ele dá para os esquilos? — perguntou Cheryl, com voz alterada.

Hesitei, pensando naquilo por um instante. Cheryl e esquilos tinham algumas coisas em comum. Por exemplo, esquilos eram loucos por nozes, e Cheryl era louca de pensar, por um segundo que seja, que Brooks fosse gostar mais dela do que de mim.

Cheryl se levantou e bufou, ainda mexendo no cabelo.

— Você está demorando muito para responder! Vai ver só quando eu contar para mamãe o que você disse! Posso ter o namorado que eu quiser, Maggie May, e você não vai dizer o contrário!

— Não estou nem aí. Você só não pode ter o meu noivo!

— Posso, sim.

— Não pode, não!

— Posso.

— Cala a boca e pare de enrolar esse cabelo idiota no dedo! — berrei.

Cheryl ofegou, seus olhos se encheram de lágrimas, e ela saiu batendo os pés.

— Eu não vou ao seu casamento!

— Você não foi nem convidada! — berrei atrás dela.

Levou apenas alguns minutos até que mamãe entrasse no meu quarto, estreitando os olhos.

— Vocês brigaram de novo?

Dei de ombros.

— Ela só está sendo dramática mais uma vez.

— Para duas melhores amigas, vocês brigam muito.

— É. Bem, é isso que as meninas fazem.

Ela sorriu e concordou.

— Bem, só se lembre de que ela é mais nova, Maggie, e as coisas não são tão fáceis para ela quanto para você. Ela é solitária, excêntrica e não se encaixa em nenhum grupo. Você é a única amiga que ela tem de verdade, e é sua irmã. Ela é da família. E o que a família faz?

— Apoia uns aos outros?

Mamãe assentiu e me deu um beijo na testa.

— Isso mesmo. A gente se apoia, até mesmo nos dias mais difíceis.

Sempre que Cheryl e eu brigamos, mamãe diz isso para mim: *a família sempre se apoia*. Principalmente nos dias difíceis, quando é complicado até *olhar* para a outra pessoa.

Eu me lembrei da primeira vez que ela disse isso. Ela e papai se sentaram na sala comigo, com Calvin e com Cheryl e nos disseram que a gente podia chamá-los de mãe e pai se quiséssemos. Era a noite do casamento deles, e éramos oficialmente uma família. Enquanto estávamos sentados lá, eles fizeram a gente colocar as mãos umas sobre as outras e prometer que sempre nos apoiaríamos. *Porque é isso que as famílias fazem.*

— Vou pedir desculpas — sussurrei para mim mesma. Afinal, Cheryl era a minha melhor amiga.

Passei o resto da tarde planejando o casamento. Eu sonhava com isso desde os sete anos, então já fazia muito tempo. Imaginei o tipo de música que Brooks gostava. Já que ele não me deixou ouvir o MP3, tinha que adivinhar sozinha. Ele e Calvin vinham mexendo nas guitarras do meu pai à noite e sempre diziam que seriam músicos famosos um dia. Não acreditei muito no começo, mas quanto mais eles ensaiavam, melhores ficavam. Talvez eles pudessem tocar no casamento. Além disso, eu poderia escolher a música favorita dele para ir até o altar. Ele e meu irmão estavam ensaiando "Sexy

Back", do Justin Timberlake, na última semana, e essa música não parecia adequada para um casamento.
Talvez para a primeira dança.

* * *

Todas as noites, depois que nossos pais nos colocavam na cama, eu ouvia música tocando lá embaixo. Era sempre a mesma: "You send me", de Sam Cooke — a música da primeira dança deles. Certa vez, fui até a escada na ponta dos pés e olhei lá para baixo. Eles tinham diminuído as luzes, e papai pegou a mão da mamãe e fez a mesma pergunta que fazia todas as noites: "Quer dançar comigo?" Ele a fez rodopiar, e os dois riram como se fossem crianças. Mamãe estava com uma taça de vinho na mão, e, enquanto dançavam, o vinho respingava no tapete branco. Eles riram ainda mais da bagunça e se aproximaram. Ela apoiou a cabeça em seu peito quando ele sussurrou algo no ouvido dela, e os dois prosseguiram num ritmo lento.

Era isso que o amor verdadeiro significava para mim.

Poder rir dos seus erros.

Sussurrar segredos.

Nunca ter que dançar sozinho.

* * *

No dia seguinte, acordei pronta para o dia que teria pela frente.

— Hoje é o ensaio do casamento! — gritei, espreguiçando-me e pulando na cama. — Hoje é o ensaio! É o ensaio do meu casamento!

Calvin cambaleou até o meu quarto, esfregando os olhos sonolentos.

— Nossa, Maggie, você pode calar a boca? São três da manhã — reclamou, bocejando.

Eu ri.

— E daí? Hoje é o dia do ensaio do casamento, Calvin!

Ele resmungou um pouco mais e me chamou de alguma coisa, mas eu não me importei.

Papai cambaleou até o meu quarto, quase como o meu irmão, esfregando os olhos e bocejando. Ele veio até a minha cama, e eu me agarrei ao pescoço dele, obrigando-o a me levantar.

— Pai, adivinha só? Adivinha! — gritei, animada.

— Deixe-me ver, hoje é o ensaio do seu casamento?

Concordei rapidamente e ri enquanto ele me rodopiava.

— Como você sabia?

Ele riu.

— Arrisquei um palpite.

— Você pode fazer ela calar a boca pra gente voltar a dormir? — resmungou Calvin. — Nem é um casamento de verdade.

Respirei fundo e estava prestes a brigar com ele por causa daquela mentira quando papai me impediu.

— Alguém não gosta muito de acordar cedo. Que tal a gente voltar para a cama por algumas horas? Depois eu vou preparar um café da manhã digno de véspera de casamento.

— Waffles com morangos e chantilly?

— E chocolate granulado! — Ele sorriu.

Calvin voltou, rabugento, para o quarto, e papai me colocou na cama, dando-me beijinhos de esquimó.

— Tente dormir por mais algumas horas, está bem, querida? Você tem um grande dia pela frente.

Ele me colocou na cama exatamente como fazia todas as noites.

— Tá bom.

— Maggie May?

— O quê?

— As batidas do seu coração fazem o mundo continuar girando. — Ele dizia isso para mim todos os dias, desde que me entendo por gente.

Quando ele saiu do quarto e apagou a luz, fiquei na cama, olhando para os adesivos de estrelas que brilhavam no teto, com um sorriso no rosto e as mãos no peito. Sentia cada batida do meu coração, e cada uma delas fazia o mundo continuar girando.

Eu sabia que deveria estar dormindo, mas não conseguia, porque era a véspera do meu casamento, e eu ia me casar com um garoto que ainda não sabia, mas seria o meu melhor amigo quando completássemos dez anos de casados.

Provavelmente ele demoraria todo esse tempo para perceber que realmente queria ser meu marido.

E é claro que viveríamos felizes para sempre.

* * *

Quando amanheceu, fui a primeira a levantar e fiquei esperando no andar de baixo pelos waffles. Papai e mamãe ainda estavam dormindo quando entrei no quarto deles.

— Ei, vocês já acordaram? — sussurrei. Nada. Cutuquei o rosto do meu pai e repeti: — Ei, papai, já está acordado?

— Maggie May, ainda não está na hora de acordar — murmurou ele.

— Mas você disse que ia fazer waffles! — choraminguei.

— De manhã.

— Já é de manhã — resmunguei, fui até a janela e puxei a cortina. — Viu? O sol já nasceu.

— O sol é mentiroso. Foi por isso que Deus criou as cortinas. — Mamãe bocejou, virando-se na cama para olhar o relógio na mesinha de cabeceira. — Cinco e meia de um sábado não é de manhã, Maggie May. Volte para a sua cama até a gente subir para te acordar.

Eles só subiram para me acordar às oito horas — mas eu já estava acordada. O dia estava passando muito mais devagar do que eu gostaria, e meus pais ainda me obrigaram a assistir a uma apresentação de dança da Cheryl. Aquilo demorou mais do que deveria, mas, quando chegamos em casa, eu já estava pronta para me encontrar com Brooks.

Mamãe disse que eu só poderia sair para brincar se levasse a Cheryl comigo, mas mesmo depois de ter pedido desculpas, ela não quis ser minha dama de honra. Então saí escondido para me encontrar com o Brooks no bosque. Fui saltitando pelas ruas do bairro, observando os gramados e as flores perfeitas. Harper County era uma cidadezinha onde todo mundo se conhecia, então, não ia demorar muito para alguém telefonar para minha mãe dizendo que me viu perambulando sozinha na rua. Por isso, eu tinha que ser rápida.

Mas não rápida *demais*, porque precisava parar na esquina, olhar para os dois lados da rua antes de atravessá-la e seguir até a casa da Sra. Boone. O jardim dela era totalmente diferente de todos os outros. Flores cresciam por todos os lados, na mais completa desordem. Rosas amarelas, lavandas, papoulas... Pense em uma flor e, provavelmente, a Sra. Boone a tinha em seu jardim.

Ninguém se dava o trabalho de parar na casa dela. Todos diziam que ela era grosseira, mal-humorada e antipática. Costumava ficar na varanda, sentada na cadeira de balanço e resmungando sozinha enquanto sua gata, Muffins, passeava pelo jardim.

A hora favorita do dia, para mim, era quando a Sra. Boone entrava para fazer seu chá. Ela tomava mais chá do que qualquer outra pessoa que eu conhecia. Um dia, Cheryl e eu a observamos do outro lado da rua e ficamos chocadas com o número de vezes que ela se levantou da cadeira de balanço e voltou com uma xícara de chá.

Sempre que ela desaparecia dentro de casa, eu ia até o jardim da frente, que era protegido por uma cerca branca. Cheirava o maior número possível de flores e brincava um pouco com a Muffins.

Naquela noite, corri até o quintal dela porque não tinha muito tempo antes de me encontrar com Brooks.

— Ei, garota! Saia já do meu jardim — ordenou ela, abrindo a porta de tela com uma xícara de chá na mão. Eu já disse meu nome centenas de vezes, mas ela se recusa a usá-lo.

— Maggie — falei, levantando-me e segurando a Muffins, que estava ronronando no meu colo. — Meu nome é Maggie, Sra. Boone. *Maggie.* — Pronunciei devagar e mais alto da segunda vez para me certificar de que ela tinha entendido.

— Ah, sei muito bem quem você é, sua pestinha! Agora saia de perto das minhas flores e da minha gata!

Eu a ignorei.

— Nossa, Sra. B., seu jardim tem as flores mais lindas que já vi. Sabia disso? Meu nome é Maggie, só para o caso de já ter esquecido. Pode me chamar de Maggie May, se quiser. Um monte de gente da minha família me chama assim. Falando em família e flores, achei que poderia pedir uma coisa... A senhora poderia me emprestar algumas flores para o meu casamento amanhã?

— Casamento? — Ela bufou, semicerrando os olhos com maquiagem forte. Minha mãe sempre dizia que menos é mais. A Sra. Boone, obviamente, pensava o contrário. — Você não é nova demais para se casar?

— O amor não tem idade, Sra. B. — Arranquei uma papoula e a coloquei atrás da orelha enquanto Muffins pulava do meu colo.

— Pegue mais uma flor e você não vai conseguir pegar mais nada na vida — alertou ela, franzindo as sobrancelhas.

— Eu até posso conseguir um pouco de sorvete em troca das flores, Sra. B! Posso pegá-las agora, assim a senhora não precisa se preocupar...

— *Fora daqui!* — gritou, sua voz me fazendo gelar por dentro.

Eu me empertiguei, arregalei os olhos, em pânico, e comecei a me afastar.

— Tá bom. Mas, se a senhora mudar de ideia, vou passar aqui antes do casamento. A senhora pode vir se quiser. Vai ser amanhã, entre os dois galhos retorcidos no bosque, às cinco horas. Minha mãe vai fazer o bolo, e meu pai, o ponche. A senhora pode levar a Muffins também. Tchau, Sra. B! A gente se vê amanhã!

Ela resmungou mais um pouco enquanto eu seguia apressada para fora do jardim, pegando duas rosas amarelas no caminho. Saí saltitando e acenei para a velha senhora rabugenta, que nem devia ser rabugenta, só gostava de manter sua reputação junto à vizinhança.

Quanto mais perto eu chegava dos galhos retorcidos, mais o meu coração acelerava. Cada respiração parecia tomada de um senso maior de urgência, de emoção. Cada passo me aproximava mais de Brooks. *Vai acontecer.* Finalmente o meu sonho ia se tornar realidade. Eu ia ter o que meus pais tinham. Eu tinha que ser dele, e ele seria meu.

Dessa vez é para sempre.

❋ ❋ ❋

Ele estava atrasado.

Eu sabia que ele tinha relógio em casa, e ele sabia ver as horas, mas, mesmo assim, Brooks estava atrasado.

Como a gente poderia ser feliz para sempre se ele não chegava na hora?

Meus olhos pousaram no relógio da Barbie, e senti um aperto no peito.

Sete e dezesseis.

Ele estava atrasado. Eu tinha dito sete horas, e ele estava dezesseis minutos atrasado.

Onde Brooks estava? Será que ia me dar bolo? *Não, ele não faria isso.*

Será que ele não me amava como eu o amava? *Não, ele me amava.*

Meu coração doía enquanto eu caminhava pela floresta procurando o garoto idiota com olhos bonitos.

— Ele só está na árvore errada — assegurei a mim mesma, ouvindo o estalar das folhas embaixo dos meus pés. — Ele vai vir — afirmei, olhando o céu claro se tornar mais escuro a cada instante.

Eu não podia ficar fora de casa depois que as luzes da rua se acendiam, mas sabia que tudo ficaria bem, pois ia me casar no dia seguinte e não ficaria sozinha no escuro, já que Brooks estava vindo me encontrar.

Sete e trinta e dois.

De que direção eu vim? E onde estavam as árvores retorcidas? Meu coração batia acelerado, e as palmas das mãos estavam suadas.

— Brooks! — gritei, mais nervosa porque tinha me perdido.

Mas ele ia me encontrar. *Ele está vindo.* Continuei andando. Será que eu estava me embrenhando ainda mais pelo bosque? Será que estava me afastando das árvores retorcidas? Como eu poderia saber? Eu não conseguia encontrar o caminho. Onde estavam as árvores?

Sete e cinquenta e nove.

A água.

Eu poderia encontrar o lago onde os meninos pescavam. Talvez Brooks estivesse lá. Mas ficava em que direção? Comecei a correr. Corri muito, esperando ver o sutil movimento da água, esperando que ela me ajudasse a lembrar de como voltar para casa ou de como encontrar Brooks. Talvez ele estivesse perdido também. Poderia estar sozinho, com medo e suado. Poderia estar procurando por mim. Eu tinha que encontrá-lo, pois sabia que ficaria bem se estivéssemos juntos.

Oito e treze.

A água.

Eu a encontrei.

As ondulações, as pedras e o som calmo.

Eu encontrei a água, e o encontrei.

— Por favor, Julia, não vá embora, me escute.

Brooks?

Não.

Não era ele.

Outra pessoa, que não estava sozinha. Um homem estava ali com outra pessoa. Uma mulher. Ela ficava dizendo que não, que não poderia mais ficar com ele, e ele não gostou nada daquilo.

— Temos uma vida juntos, Julia. Temos uma família.

— Você está me ouvindo? Não quero mais ficar com você.

— É por causa do cara do trabalho?

Ela revirou os olhos.

— Não comece outra vez. É sobre isso que estou falando. Você tem problemas para lidar com a raiva. Não posso deixar o nosso filho no meio disso tudo. A gente não pode continuar assim.

Ele passou as mãos pelo cabelo.

— Você está trepando com ele, não é? Está trepando com o cara do trabalho.

Antes que ela respondesse, ele foi ficando mais nervoso, e o peito, ofegante.

Aquele homem deixava minha respiração mais pesada, meu medo, mais aterrorizante. Eu me sentia menos assustada quando estava sozinha em meio às árvores desconhecidas. Eu deveria ter ficado lá, junto às árvores desconhecidas.

Ele gritava com ela, e sua voz falhava.

— Sua puta! — berrou, dando um tapa na cara da mulher. Ela cambaleou para trás, chorando, com a mão no rosto. — Dei tudo para você. A gente tinha uma vida juntos. Acabei de assumir os negócios. Estamos nos reerguendo. E o nosso filho? E a nossa família?

— Ele bateu nela várias vezes. — A gente tinha uma vida! — Ele a jogou no chão. Seus olhos pareciam saltar do rosto de tão arregalados, como se estivesse louco, perturbado.

Minha garganta se fechou, e eu vi o homem, sombrio como um céu escuro, envolver o pescoço da mulher com as mãos.

— Você não pode me deixar — disse, quase implorando enquanto a sufocava e a sacudia. Ela gritou, agarrando as mãos dele. Ele a sacudia. Ela gritava, tentando respirar. Ele a sacudia. Ela gritava, e eu sentia as mãos dele.

Era como se as mãos dele estivessem no meu pescoço também. Me sufocando. Me sacudindo. Me arrastando.

Levei os dedos ao pescoço, implorando por ar, ciente de que, se eu estava com a sensação de que não conseguia respirar, a mulher devia estar sofrendo ainda mais.

E então o homem mau começou a arrastar o corpo dela até a água. Naquele momento, eu soube quem ele era.

O diabo.

O diabo puxou a mulher até a água e enfiou a cabeça dela lá dentro. E eu parei de respirar.

* * *

Ele afogou a mulher.

Ele afogou a mulher.

O diabo afogou a mulher no lago Harper.

Eu sabia que ela estava morta. Ela lutou com o diabo enquanto ele segurava sua cabeça embaixo d'água. O diabo a agarrou na beira do lago e continuou forçando a cabeça dela para baixo.

No começo a mulher lutou, enterrando as unhas nele, esforçando-se para atacá-lo. Seu corpo empurrava o dele, mas cada vez que ele erguia a cabeça dela, ela engasgava e lutava para respirar. O diabo foi ainda mais para o fundo, espirrando água por todos os lados. A água já chegava ao pescoço dele, e eu não conseguia mais ver a mulher.

— Não me deixe — implorava ele em tom de súplica. — Não me deixe, Julia.

Eu deveria ter desviado o olhar.

Mas eu não conseguia parar de olhar.

Ela estava totalmente submersa, e tudo que vi foi a escuridão do diabo.

Ele puxou a mulher morta até a margem. Não parava de falar com ela.

— Como você pôde? Como pôde fazer isso com a gente? — Ele pegou a mão esquerda da mulher, tirou a aliança do dedo dela e a colocou no dele.

Ele matou a mulher.

Ele matou a mulher.

E eu também vi — a percepção de suas ações, o momento em que se deu conta do que tinha feito. Ele começou a sacudir o corpo inerte.

— Julia — choramingou ele. — Julia, acorde. — Ele tombou no chão ao lado dela e a sacudiu, tentando trazê-la de volta. Ele chorou sobre o corpo dela. — Por favor, volte.

Dei um passo para trás, e um galho se partiu.

Ele ergueu o olhar.

Ele matou aquela mulher, e agora estava olhando para mim.

Não olhe para mim.

Minhas mãos se entrelaçaram com força, minha mente girou. Cambaleei para trás, quebrando cada galho que meus chinelos de dedo encontravam pelo caminho. Minhas costas bateram no tronco de uma árvore próxima, e os olhos cor de chocolate do diabo percorreram meu corpo.

— Ei! — gritou ele, olhando para mim. — Ei, o que você está fazendo aí? — Ele se aproximou mais.

Deu um passo em minha direção, as roupas encharcadas.

Não saia sozinha, Maggie May. Entendeu? Você não deve sair sem a sua irmã.

As palavras da minha mãe voltaram à minha cabeça. Ele se aproximou ainda mais, e eu gritei e me virei. Comecei a correr o mais rápido que conseguia, voando pelos galhos, sentindo o meu coração disparado no peito.

Seus passos foram ficando mais altos, mas eu não conseguia olhar para trás. Ele estava correndo atrás de mim. Mais perto, mais perto, mais perto. *Corra, Maggie.* Mais rápido, mais rápido, mais rápido. *Corra*!

Um forte puxão no meu vestido me lançou para trás, a papoula no meu cabelo caiu no chão do bosque. Os dedos dele agarraram minha roupa, e ele me jogou no chão. Mesmo ofegante, gritei quando ele me atacou, colocando todo seu peso em cima de mim, suas mãos imundas cobrindo minha boca, abafando os meus gritos.

Eu chutei e gritei, gritei e chutei. Ele ia me matar.

Ele ia me matar.

Não, por favor.

Lágrimas rolavam pelo meu rosto enquanto eu lutava.

— Você não deveria estar aqui — sibilou ele, ainda chorando. — Você não deveria ter visto aquilo. Foi um erro. Eu não queria...

Não!

Ele colocou a mão em volta do meu pescoço, me sufocando, fazendo com que ficasse cada vez mais difícil de respirar. Ele chorava. Muito. Chorava e pedia desculpas. Por estar me machucando, por estar apertando o meu pescoço, dificultando cada vez mais a minha respiração. Ele me disse que a amava, que o amor tinha feito isso com eles. Jurou que nunca ia machucá-la. Prometeu que nunca ia machucar a mulher que ele tinha acabado de matar.

— Você não deveria estar aqui, mas está — disse ele, inclinando o rosto na minha direção. — Sinto muito. Sinto muito. — Ele tinha cheiro de cigarro e alcaçuz, e uma tatuagem grande com as mãos em uma prece e o nome de alguém no antebraço. — Como chegou aqui? — perguntou ele.

Seu rosto estava a centímetros do meu, e ele balançou a cabeça quando fiz menção de gritar por Brooks, rezando para que ele me ouvisse e me encontrasse. Sua mão pressionou minha boca, e ele levou um dedo aos lábios para que eu ficasse quieta.

— Shhh — sussurrou. Meus olhos estavam arregalados de medo.

— Por favor, não grite. Foi um acidente. — Ele moveu os lábios até a minha testa, encostando-os na minha pele. — Shhh — sibilou de novo. Levou-os ao meu ouvido, e eu senti a sua boca me tocar antes de ele sibilar novamente. — Shhh...

Eu me perdi.

Ele me roubou de mim mesma naquele momento.

Eu me senti suja.

Usada.

Presa.

— Maggie May! Onde você está? — gritou Brooks, arrancando o diabo de seus pensamentos.

Ele se afastou de mim e fugiu correndo.

Vacilante, eu me levantei, sem me preocupar em tirar a sujeira, as folhas ou os galhos que estavam presos em mim. Eu estava molhada. As roupas encharcadas do diabo me molharam também. Foi difícil, mas eu corri. Corri o mais rápido que consegui em direção à voz de Brooks. Quanto mais alto ela soava, mais forte o meu coração batia.

— Poxa, Maggie May! Coloquei a gravata roxa porque você não gostava da gravata cor de lama e aí você me dá bolo? Não estou acreditando nisso.

Quando meus olhos pousaram nas costas dele, ele estava chutando o mato e resmungando sozinho.

Brooks.

No momento em que ele se virou para me ver, toda a irritação que sentia foi substituída por uma forte preocupação. Corri até ele, tropeçando nos meus pés, e ele estendeu os braços para me abraçar.

— Calma, Maggie! O que está acontecendo?

Abri a boca para falar, mas tudo que eu ouvia na minha cabeça era a voz do diabo me mandando ficar quieta, sua pele encostando na minha, o dedo nos meus lábios. Seus lábios na minha testa. No meu ouvido. Em mim. *Ele ia me matar.*

Abri a boca para falar, mas ouvi um som atrás de nós e tive um sobressalto. Meus olhos se arregalaram e me aninhei ainda mais a Brooks, pedindo sua proteção.

— Maggie, está tudo bem. É só um esquilo. O que te assustou assim? O que aconteceu com você? — Nenhuma palavra saiu de mim. Meus dedos agarraram a camisa de Brooks, puxando-o para mais perto. Ele não fez mais perguntas, mas me abraçou. — Está tudo bem, Maggie. Você está bem.

Meus soluços se perderam em sua camisa, e ele só me abraçou com mais força.

Capítulo 4

Maggie

Pisquei.

As luzes já eram fortes, e a enfermeira ainda ficava passando a lanterna diante dos meus olhos. No nariz. Na boca.

Pisquei.

Meu pai tinha lágrimas nos olhos, mas elas não caíam. Ele estava encostado na parede. Seu punho cerrado pressionava a boca, em silêncio.

Pisquei.

Mamãe chorou quando a enfermeira mencionou um exame de corpo de delito. Eu não sabia o que era.

Pisquei.

A enfermeira me limpou. Meus lábios, meu rosto, minha coxa, minha...

Pisquei.

Ela penteou meu cabelo. Folhas caíram. Ela encontrou sangue. Papai começou a chorar baixinho.

Pisquei.

Ela cortou o meu vestido e o sacudiu. Havia terra. Meu vestido estava sujo. Eu estava suja. Em todos os lugares. Minha papoula tinha sumido. Onde tinha ido parar? Ela cortou minhas unhas. Meu esmalte estava todo descascado. As unhas estavam destruídas. Assim como eu.

Pisquei.

Eles me carregaram até o carro. Eu me encolhi em posição fetal. Os semáforos acendiam luzes vermelhas e verdes. O amarelo ficava borrado. Eu via o rosto dele na minha cabeça.

Pisquei.

Calvin e Cheryl estavam na varanda quando cheguei em casa. Eles não falaram nada. Eu também não.

Pisquei.

Meus pais me levaram para o quarto deles, e eu chorei em meio aos lençóis, tremendo, me sentindo suja, em pedaços, usada. Com medo. Muito medo.

Shhh...

Shhh...

Será que a enfermeira conseguiu? Será que ela conseguiu extrair o gosto dele dos meus lábios? Será que ela conseguiu tirar a pele dele da minha pele? Será que ela...?

Pisquei.

Fechei os olhos. Eu não queria sentir. Eu não queria ser. Eu não queria mais piscar. Mantive os olhos fechados. Eu não queria ver, mas ainda o via. Eu o via. Eu o sentia. Eu sentia o gosto dele.

Tudo ficou sombrio.

Tudo virou sombras.

Tudo virou escuridão.

Capítulo 5

Maggie

Minha mãe andava de um lado para o outro do quarto, retorcendo as mãos. Eu estava na beirada do colchão, ouvindo seus saltos batendo no piso de madeira. A cama era macia, como se eu estivesse sentada em um milhão de plumas, e era quase impossível não relaxar diante de tamanha maciez. Eu também estava cansada, então, foi uma péssima combinação. Meus olhos lutavam para permanecerem abertos, embora, ultimamente, fosse melhor sonhar do que continuar acordada. O único problema era que, às vezes, os sonhos se transformavam em pesadelos, e neles eu estava sempre me afogando.

— Você não fala há dias, Maggie May — repreendeu-me mamãe. — Nenhuma palavra sequer. Seu pai e eu estamos assustados.

Seu cabelo cor de mel passava dos ombros, e ela continuava penteando-os para trás da orelha. Quando não estava mexendo neles, suas unhas esmaltadas dançavam pelos braços, enterrando-se na pele. A preocupação atormentava seu espírito, e ela continuava andando de um lado para o outro com rapidez. Eu queria que o papai estivesse em casa, não no trabalho. Normalmente, ele conseguia evitar que a mamãe tivesse ataques de pânico.

— O que aconteceu lá, Maggie? — perguntou ela. — O que você estava fazendo no bosque? Seu pai e eu falamos para você... pedimos que não saísse por aí.

Meus dedos se enterraram na lateral do colchão, e eu continuei com a cabeça abaixada.

— Já tinha passado da hora de você chegar em casa — sussurrou ela com a voz trêmula. — Eu implorei a você que voltasse antes que as luzes dos postes se acendessem, não é? — Ela começou a gaguejar, o que era estranho, porque mamãe era sempre muito controlada e falava muito bem. — Eu di-disse a vo-você. Vo-você não deve ficar na rua à noite, Maggie May.

Meus lábios se abriram para falar, mas nenhuma palavra saiu. Mamãe se virou, e eu mordi o lábio inferior. Ela cruzou os braços e enfiou as mãos nas axilas antes de caminhar até mim. Desviei o olhar.

— Olhe para mim, Maggie — ordenou ela.

Fiz que não com a cabeça.

Algumas lágrimas escorreram pelo meu rosto, e meu corpo estremeceu.

— Maggie May, quando eu digo para olhar para mim, você tem que obedecer! — A voz dela estava tomada pelo pânico, como se temesse que sua filhinha tivesse sumido e nunca mais fosse voltar.

Talvez eu não volte. Quem sabe eu tenha mergulhado tão fundo na minha mente que nunca mais fosse me lembrar de como é sentir, sofrer, me machucar, respirar. Meus olhos ardiam por eu estar acordada há tanto tempo, mas isso não era nada perto da dor no meu peito. Ainda conseguia ouvir os gritos daquela mulher sendo atacada. Ainda conseguia vê-la lutando pela própria vida, e, no meu coração, ainda conseguia sentir o monstro junto à minha alma.

— Ah, querida! — exclamou mamãe, colocando os dedos sob o meu queixo e erguendo o meu rosto. — Me conte tudo o que aconteceu. O que houve naquele bosque?

Com o canto dos olhos, vi Calvin e Brooks no corredor, ouvindo a nossa conversa. Estavam apoiados na parede e olhavam para nós. Os olhos de Brooks eram os mais tristes que eu poderia imaginar. Calvin tinha os punhos cerrados e os batia repetidamente na parede atrás de si. Mamãe seguiu o meu olhar e, quando os viu, os meninos saíram correndo. Mas eu tinha certeza de que não haviam ido muito longe. Aqueles dois não tinham saído do meu lado nos últimos dias.

Cheryl era o oposto. Parecia ter medo de chegar perto de mim. Agia como se eu tivesse alguma doença que ela poderia pegar só de olhar para mim. Outra noite, eu a ouvi chorando porque teve que faltar a uma apresentação de dança. E a culpa era minha, porque nossos pais não queriam sair do meu lado.

— Maggie May — sussurrou mamãe.

Virei o rosto para o outro lado, e ela suspirou de novo.

— Por favor, Maggie. Fale comigo. Não sei como posso te ajudar se você não me contar o que aconteceu.

Ela implorava para que eu dissesse alguma coisa, mas eu não conseguia. Minha garganta estava seca. Talvez eu precisasse de água gelada. Precisava de algo para me soltar, algo que fizesse as palavras saírem dos meus lábios, mas eu não conseguia me mover.

— Não entendo! Não entendo por que você não fala comigo. Você precisa me contar, querida, porque eu só consigo pensar nas piores coisas. Alguém machucou você? Alguém... — Ela não conseguia dizer as palavras, mas eu sabia o que ela estava perguntando. — Você pode me contar o que aconteceu, mesmo que alguém tenha te machucado, querida. Não vou te julgar, eu juro. A mamãe só quer saber se alguém te machucou. — Ela engoliu em seco. — Pode só fazer que sim com a cabeça. Pode me contar — sussurrou. — Você se lembra de quando a gente conversou sobre segurança? E que as pessoas não podem te tocar e, se isso acontecer, você tem que contar para o seu pai e para mim? Foi isso que aconteceu? Sei que os médicos fizeram exames, mas os resultados... levam tempo. Alguém... — Sua voz falhou.

Baixei a cabeça. O estranho não tinha me violentado fisicamente, e eu sabia que era isso que ela estava me perguntando. Mesmo assim, ele tinha me violentado de todas as outras formas possíveis. Ele tinha violentado a minha inocência.

A minha juventude.

A minha voz.

Ele roubou muita coisa de mim quando testemunhei o seu ato de horror, quando ele tentou acabar comigo. Ele roubou grande parte da minha alma.

Fiz que não com a cabeça. Ele não tinha me violentado fisicamente.

Ela soltou um suspiro de alívio e caiu num choro incontrolável. Suas mãos cobriram o rosto, e ela tremia de forma violenta. Era difícil ouvir suas palavras.

— Por que você não fala? — perguntou ela.

Porque não tenho mais nada a dizer.

— Acho que já chega por enquanto, Katie — disse uma voz.

Ergui o olhar e vi meu pai parado na porta, olhando para nós duas. Ele deve ter chegado mais cedo do trabalho para cuidar dela. Ela sempre ficava melhor quando ele estava por perto.

Ela foi até ele e, em questão de segundos, os braços de papai a envolveram. Ele sussurrou algo em seu ouvido com voz suave, e aparentemente foram as palavras certas, porque ela parou de chorar e assentiu.

Alguns minutos depois, ela disse que precisava de um pouco de ar e saiu do quarto.

Papai se aproximou, se ajoelhou na minha frente e me deu um lindo sorriso.

— Maggie May?

Sim, papai.

— As batidas do seu coração fazem o mundo continuar girando — disse ele. Seu nariz encostou no meu, dando-me beijinhos de esquimó. — Vai ficar tudo bem. E você sabe por quê?

Balancei a cabeça, e ele continuou:

— Porque nenhum de nós nunca está sozinho. Você tem uma família que te ama e que vai estar ao seu lado sempre. Está bem?

Está bem, papai.

Ele sorriu como se tivesse ouvido as palavras que eu não disse.

— Que tal a gente ir tomar sorvete mais tarde? Acho que vai ser bom sair um pouco. O que me diz?

Sim.

Seu sorriso se ampliou, como se tivesse me entendido novamente. Talvez os pais sempre soubessem o que os filhos estavam pensando. Deveria ser algum tipo de sexto sentido. Fiquei feliz pelos superpoderes do meu pai.

Ele foi ver como a mamãe estava, e eu fiquei no quarto deles, sentada no colchão de plumas. Permiti que meu corpo afundasse na maciez. Eu me deitei e fechei os olhos. Ultimamente, meus ouvidos estavam mais aguçados, captando todos os sons próximos de mim, desde o vento balançando as macieiras do jardim até a mosca voando no banheiro do corredor.

Meus olhos se abriram antes mesmo que qualquer palavra saísse da boca de Brooks. Ouvi seus passos suaves vindo na minha direção. Os de Calvin eram mais pesados, como se ele colocasse todo o peso em cada passo, mas os de Brooks eram mais sutis, quase como se ele andasse na ponta dos pés. Fiquei imaginando se os passos dele sempre foram assim ou se ele começou a ter movimentos mais suaves nos últimos dias. Eu estaria mentindo se dissesse que já tinha notado o som dos seus passos antes. Naquele momento, eu me perguntei quantas coisas as pessoas deixam de notar por estarem ocupadas falando demais.

— Você está bem, Maggie? — perguntou ele, parado na porta. Não me sentei, mas minha cabeça se voltou para ele. Quando nossos olhares se encontraram, ele se retraiu, e seus ombros se encolheram. As mãos estavam enfiadas nos bolsos da calça jeans. — Calvin e o seu pai estão lá fora vendo como a sua mãe está. Ela me pediu para voltar para casa, e eu disse que ia, mas não poderia ir sem antes vir te ver para saber se posso fazer alguma coisa.

Dei de ombros. Ele franziu a testa.

— Posso entrar? — perguntou.

Concordei. Ele franziu a testa de novo.

Brooks se sentou na cama e, em seguida, se deitou ao meu lado. A minha cabeça ainda estava voltada na direção dele, e agora ele olhava para mim.

— A sua mãe disse que você não está falando. Que não tem nada a dizer, mas acho que isso é mentira. Acho que você tem um monte de coisas para dizer, mas não sabe como.

Uma única lágrima escorreu pelo meu rosto, e virei para o outro lado para que ele não me visse chorando. Ele já tinha visto uma lágrima, mas mantive as outras escondidas no travesseiro da minha mãe.

Ele falou baixinho:

— A culpa é minha, sabe? Eu devia ter me encontrado com você no bosque para o ensaio, mas me atrasei escolhendo uma gravata que você gostasse. Sei que você deve ter achado que eu ia te deixar esperando, mas não ia, Maggie May. Eu juro que estava indo me encontrar com você, e, quando cheguei lá, você não estava. Sinto muito.

Mais lágrimas escorreram pelo meu rosto enquanto eu o ouvia fungar.

— Sinto muito. Sinto muito, muito mesmo...

Ficamos ali por mais alguns minutos. As lágrimas continuavam caindo, e ele não tentou me convencer a parar de chorar. Talvez tenha sido minha imaginação, mas achei que Brooks também estava chorando um pouquinho.

***

— Quem quer tomar sorvete? — perguntou papai, entrando no quarto.

Não sei quando aconteceu, mas, em algum momento, Brooks e eu nos demos as mãos, e eu ainda não queria me afastar dele.

Nós nos sentamos, e Brooks rapidamente tirou a mão da minha e gritou:

— Eu quero!

Atrás de papai, minha mãe franziu a testa.

— Brooks, você não vai para casa há um tempo. Talvez você devesse voltar para lá. A gente está precisando de um tempo em família, se estiver tudo bem para você.

Ela não queria ser rude, mas, pelo jeito que Brooks sorriu, percebi que ficou magoado.

A maioria das pessoas acharia que era um sorriso normal, mas eu sabia que o dele era de constrangimento.

— Claro, Sra. Riley. Sinto muito. É melhor eu ir. — Ele se virou para mim e deu um sorriso torto. — Você está bem hoje, Maggie May? — Desde o incidente, ele me perguntava isso todos os dias. Assenti lentamente.

Estou bem, Brooks.

Ele se levantou da cama e foi em direção à porta do quarto, mas papai pigarreou.

— Acho que está tudo bem se o Brooks for tomar um sorvete com a gente.

— Eric — protestou mamãe, mas papai pousou a mão em seu ombro.

— Isto é, só se a Maggie quiser — prosseguiu papai, olhando para mim.

Brooks também olhou para mim, cheio de esperança, e eu não poderia dizer não para ele. Afinal de contas, ele ouviu o meu silêncio. Depois que concordei, calçamos os sapatos e fomos para a porta da frente. Todos saíram, e eu parei na porta.

Entrei em pânico e senti um aperto no peito. E se ele ainda estivesse lá fora? E se estivesse esperando por mim? E se ele ainda quisesse me machucar? Ou se estivesse machucando outra pessoa, ou...?

— Maggie — chamou mamãe, olhando para mim. Ela ergueu uma sobrancelha. — Venha, querida.

Eu me esforcei para sair de casa, mas o pânico era avassalador. Cada vez que a minha mente dizia para eu dar um passo para a frente, de alguma forma, eu dava um passo para trás.

— O que você está fazendo? — perguntou Calvin, olhando para mim como se eu tivesse enlouquecido.

Todo mundo estava me olhando do mesmo jeito.

Será?

Será que eu tinha enlouquecido?

Consigo ouvir ele me mandando ficar quieta, pensei comigo mesma. *Ele pode me ver. Ele pode me machucar.*

Fui andando cada vez mais para trás até bater em uma parede, o que me fez ter um sobressalto. Eu não podia sair. Não estava segura lá fora. Sabia que não, e tudo que eu queria era me sentir segura.

O mundo era assustador e, ultimamente, eu tinha mais medo do que força.

— Vamos logo, Maggie — resmungou Cheryl. — Você está estragando o passeio de todo mundo.

Mamãe deu um beliscão no braço da minha irmã.

— Pare já com isso, Cheryl Rae!

Mas ela estava certa. Eu estava estragando o passeio de todo mundo. *Sinto muito. Sinto muito.* Antes de me dar conta do que estava fazendo, meus pés ganharam vida própria e comecei a correr para o quarto dos meus pais. Era o lugar mais seguro que eu conhecia. Entrei embaixo dos cobertores; meu corpo tremia violentamente. Não conseguia respirar. Não conseguia bloquear todos os sons na minha cabeça. Eu não conseguia desligar o meu cérebro.

Quando as cobertas se mexeram, eu me agarrei a elas, lutando para mantê-lo do lado de fora. *Ele me encontrou, ele me encontrou.*

Senti uma onda de alívio quando vi os olhos do meu pai. Os meus estavam arregalados e em pânico, e eu quase conseguia sentir a preocupação que emanava dele. Ele entrou embaixo dos cobertores e se sentou ao meu lado. Eu não conseguia parar de tremer.

Shhh...

Shhh...

Os sons do diabo envenenaram as minhas lembranças. Todos os pensamentos que eu tinha eram seguidos pela lembrança dos sons que ele fez para me calar. Eu não podia sair de casa. Se saísse, ele ia me ver. Eu não podia falar. Se falasse, ele ia me ouvir.

— Vamos resolver isso, Maggie — prometeu papai, me abraçando. — Não importa o que aconteça, a gente vai resolver isso.

Essa foi a primeira vez que meu pai mentiu para mim.

Quando ele se levantou para falar com a mamãe no corredor, puxei ainda mais as cobertas. Não conseguia parar de tremer enquanto ouvia mamãe expressar seus maiores medos.

— E se ela nunca mais sair dessa? E se nunca mais voltar a ser quem era? O que as pessoas vão pensar? O que vão dizer?

— E desde quando a gente se importa com o que as pessoas dizem?

— Desde sempre, Eric. A gente sempre se importa com o que as pessoas pensam de nós.

Foi a primeira vez que vi uma rachadura na fundação do amor dos meus pais.

E tudo por minha causa.

Capítulo 6

Brooks

— Gravata idiota! Gravata roxa idiota! Idiota, idiota, idiota! — murmurei, jogando todas as gravatas na gaveta da cômoda.

Eu odiava gravatas, porque elas fizeram com que eu me atrasasse. Eu me odiava, porque, por minha causa, Maggie ficou sozinha no bosque.

Quando empurrei a gaveta, fiquei com mais raiva ainda, porque ela não fechava. Estava cheia demais.

— ARGH! — gritei, dando um soco nela. — Eu te odeio! Te odeio!

Chutei a cômoda com força, o que só me fez mancar e massagear os dedos do pé.

— Está tudo bem, Brooks? — perguntou minha mãe, entrando no quarto com o rosto preocupado.

Ela já estava com o jaleco para ir para o trabalho no hospital, onde era enfermeira, e o modo como olhou o relógio me disse que já estava atrasada.

— Está. — Eu bufei, mancando até a cama e me sentando antes de massagear os dedos de novo.

Ela se aproximou e colocou as costas da mão na minha testa.

— O que foi, filho?

— Nada — resmunguei. — Você vai se atrasar.

Ela tirou o relógio e o colocou atrás de si. Então, abriu um sorriso.

— Não se preocupe. Vamos conversar antes de eu sair. Sei que você está passando por um momento difícil depois do que aconteceu com Maggie.

— Não. Não é isso. Eu só não estava conseguindo fechar a gaveta.
— Meu rosto estava esquentando e fechei a mão, cerrando o punho com força. — É tudo culpa dessas gravatas idiotas — sussurrei entre os dentes.
— Gravatas?
— É! Tirei essas gravatas idiotas da gaveta e agora não consigo colocá-las de volta, então chutei a cômoda e machuquei o pé.
— E por que você tirou todas as gravatas da gaveta?
— Porque... — hesitei e ergui uma das sobrancelhas. — Você vai se atrasar pra caramba.
— Não se preocupe. — Ela sorriu e passou a mão pelo meu cabelo. — Não tem problema. Diga o que realmente está incomodando você.
— Bem... eu deveria ter me encontrado com a Maggie no bosque para o ensaio.
— Ensaio?
— Do nosso casamento.
— Vocês dois iam se casar?

Meu rosto ficou ainda mais quente, e eu baixei os olhos. Como foi que não contei para minha mãe que eu ia me casar? Maggie contou para todo mundo. E eu? Para ninguém.

— É, não sei. Foi uma ideia boba da Maggie. Eu só estava fazendo isso porque o Jamie me obrigou. De qualquer forma, Maggie me pediu que escolhesse uma gravata e me encontrasse com ela no bosque, o que deveria ser fácil, mas perdi muito tempo escolhendo a gravata. Então ela ficou sozinha no bosque e, o que quer que tenha acontecido com ela, foi culpa minha. Ela se assustou porque cheguei atrasado nas árvores retorcidas.
— Ah, querido. — Minha mãe suspirou e começou a passar a mão pelas minhas costas. — A culpa não é sua.
— É, sim. É culpa minha não estar lá para proteger ela, e agora ela não está falando nem saindo de casa, porque alguma coisa a assustou, e eu deveria estar lá para impedir isso, para salvar a Maggie.
— Brooks... — Minha mãe baixou a voz e juntou as mãos. — O que quer que tenha acontecido com a Maggie foi terrível, mas não foi

culpa sua. Se já aprendi alguma coisa na vida é que não ajuda nada ficar sentado, repassando uma situação várias vezes na cabeça. Você não pode mudar o passado, mas pode moldar o futuro com o que fizer agora. Sabe como você pode ajudar a Maggie neste momento?

— Como? — perguntei, ansioso. Eu faria qualquer coisa para ajudar a Maggie.

— Seja amigo dela. Ela deve estar com muito medo e confusa. Solitária até. Ela não precisa que você sinta pena, querido. Só precisa de um amigo. Alguém que passe na casa dela de vez em quando para ver como ela está. Alguém para perguntar se ela está bem. Que a faça ver que ela não está sozinha.

Sim. Um amigo.

— Posso fazer isso. Acho que posso ser um bom amigo.

Ela sorriu e se inclinou para me dar um beijo na testa.

— Sei que pode. Espere um minuto que vou pegar uma coisa para você.

Minha mãe saiu do quarto e, quando voltou, sua mão estava fechada. Ela se sentou do meu lado e a abriu, mostrando uma corrente com um pingente em formato de âncora.

— O seu pai me deu isso de presente quando éramos jovens. Depois que o seu avô morreu, ele me prometeu que estaria sempre por perto se eu precisasse. Ele disse que seria a minha âncora quando eu sentisse que estava à deriva. Ele sempre foi um amigo incrível para mim, e ainda é. Talvez você possa dar isso a Maggie para fazê-la sorrir.

Peguei o cordão da minha mãe e agradeci a ela. Ela me ajudou mais do que poderia imaginar, e se essa âncora fizesse Maggie sorrir, então seria dela. Eu faria de tudo para trazer o seu lindo sorriso feio de volta ao mundo.

* * *

— Você está bem hoje, Maggie May? — perguntei, segurando o MP3, parado na porta do quarto dela.

Maggie estava perto da janela, olhando para a rua, quando cheguei. Ela se virou lentamente e se abraçou. Seus olhos pareciam tristes, o que me deixava triste também, mas não demonstrei nada. Só dei um sorriso.

— Você está bem hoje? — repeti.

Ela assentiu devagar, e eu sabia que era mentira, mas tudo bem. Ela podia levar o tempo que precisasse para ficar bem, não me importava. Eu não iria sair de perto dela.

— Posso entrar?

Ela assentiu de novo.

Quando entrei, ajeitei a gravata — a verde, que ela amava. Minhas mãos estavam suadas segurando o MP3, e eu funguei quando nos sentamos na cama. Não sabia o que dizer. Na maioria das amizades, as duas partes falavam. Quanto mais o silêncio se estendia, mais nervoso eu ficava. Meus pés começaram a bater no chão, e observei Maggie retorcendo as mãos no colo. Ela estava muito pálida, os olhos muito pesados e, naquele momento, senti saudade. Senti saudade daquilo que me irritou por tanto tempo.

Senti saudade da sua voz.

— Posso segurar a sua mão de novo? — pedi.

Ela colocou a mão esquerda na minha mão direita, e eu suspirei. Seus dedos pareciam pedras de gelo.

— Aperte a minha mão uma vez se a resposta for não e duas vezes se for sim, ok?

Ela concordou e fechou os olhos.

— Você está com medo?

Dois apertões.

— Está triste?

Dois apertões.

— Quer ficar sozinha?

Um apertão.

— Acha que talvez... você acha que posso ser seu amigo? — sussurrei.

Seus olhos se abriram e encontraram os meus. Fiquei imaginando se seu coração batia como o meu — descontrolado, confuso, em pânico.

Ela olhou para as nossas mãos e apertou uma vez. Então, apertou de novo, e o meu coração explodiu.

Voltei a respirar.

Com a mão livre, peguei o cordão da minha mãe, que estava no bolso.

— Isso é para você. É um cordão da amizade. Uma âncora. Prometo ser seu amigo. Um bom amigo. Vou me esforçar para ser. Vou ser a sua âncora. Seu porto seguro quando você estiver perdida por aí... Eu só... — Suspirei, olhando para o pingente na minha mão. — Quero ver você sorrir de novo. Quero que você tenha as coisas que sempre quis, e vou me esforçar para te ajudar a conseguir essas coisas. Mesmo que seja um cachorro chamado Skippy e um gato chamado Jam. Quero que você saiba... — Suspirei de novo, porque sempre que os olhos dela se enchiam de lágrimas, meu peito doía muito. — Preciso que você saiba que mesmo que decida nunca mais falar de novo, você sempre vai ter alguém por perto para te ouvir, Maggie. Tá bom? Sempre vou estar aqui para ouvir o seu silêncio. Então, você quer isso? Quer o cordão?

Ela apertou a minha mão duas vezes, e um sorriso muito discreto surgiu em seus lábios.

— E, se você quiser, a gente pode escutar música juntos. Sei que disse que eu nunca ia deixar você ouvir o meu MP3, mas você pode fazer isso, se quiser. Jamie fez uma nova playlist no computador ontem à noite, e eu coloquei as músicas aqui. Não sei o que ele colocou, mas a gente pode ouvir juntos.

Ela apertou a minha mão duas vezes. Entreguei um dos fones a ela e peguei o outro. Deitamos juntos na cama, com os pés balançando na beirada do colchão. Apertei o play, e a música que começou a tocar foi "Low", do Flo Rida com T-Pain. *Nossa, Jamie.* Não era a música perfeita para o momento. Fiz um gesto para mudar, mas Maggie apertou a minha mão uma vez, me interrompendo. Seus olhos se fecharam, e algumas lágrimas escorreram pela sua bochecha, mas juro que vi: um sorrisinho. Era tão sutil que algumas pessoas talvez achassem que tinha sido um espasmo, mas eu sabia que não era.

Senti uma dor no peito ao ver aquele quase sorriso. Fechei os olhos, e algumas lágrimas também escorreram pelo meu rosto. Eu não sabia o porquê, mas, sempre que ela chorava, eu chorava também.

Naquele momento, soube que ela estava certa sobre tudo, o tempo todo.

Ela estava certa sobre mim, sobre ela e nós dois.

Ela era a garota que eu amaria para sempre.

Não importava o quanto a vida tentasse nos mudar.

Parte dois

Capítulo 7

Maggie

15 de março de 2016 — Dezoito anos de idade.

Meus pais nunca mais dançaram.

Nos últimos oito anos, notei muitas mudanças entre os dois, mas essa foi a mais triste de todas. Eles ainda se abraçavam de manhã, e meu pai beijava a testa da minha mãe todos os dias antes de ir trabalhar na universidade. Ao seguir para a porta, ele sempre dizia "eu amo", e minha mãe completava a frase com "você".

Eles ainda se amavam, mas nunca mais dançaram.

Geralmente, à noite, minha mãe passava um tempo ao telefone, falando com as suas melhores amigas da faculdade sobre mim, sobre os terapeutas, artigos on-line ou as contas. Meu pai se sentava na sala, corrigindo os trabalhos dos alunos da faculdade ou assistindo a *The Big Bang Theory*.

Há alguns anos, ele colocava a música do casamento, mas ela estava cansada demais para dançar com ele.

— Quer dançar comigo? — convidava meu pai.

— Hoje não. Estou com dor de cabeça, Eric — respondia ela.

Minha mãe nunca percebia nada, mas eu sempre via como o meu pai franzia a cenho quando ela se afastava.

— Eu amo... — começava ele, olhando para as costas dela.

— ...Você — completava ela, conforme a rotina.

Quando erguia os olhos e me via no topo da escada, ela também franzia a testa. Minha mãe sempre olhava para mim daquele jeito, como se eu fosse uma rachadura no porta-retratos com a foto da família.

— Vá para a cama, Maggie May. Você tem que acordar cedo para ir à escola.

Às vezes, ela ficava ali parada, me olhando, esperando por algum tipo de resposta. Quando não recebia nenhuma, ela suspirava e se afastava, mais cansada do que antes.

Era difícil saber o quanto eu a deixava exausta.

Era mais difícil ainda saber o quanto eu me deixava exausta.

— Tudo bem, filha? — perguntou meu pai da porta do quarto.

Sorri.

— Que bom. — Ele passou a mão pela barba, que agora estava repleta de fios brancos. — Hora das piadas? — perguntou.

Meu pai era um nerd. Era professor de inglês na Harper Lane University e sabia mais sobre literatura do que qualquer um, mas seu verdadeiro talento era conhecer as piores piadas do mundo. Toda noite ele contava uma.

— Que autor o Harry Potter lê quando está doente? — Ele batucou com as mãos nas pernas, como se estivesse rufando os tambores, e então gritou: — Saramago!

Revirei os olhos, mesmo sendo a coisa mais engraçada que já ouvi.

Ele veio até mim e me deu um beijo na testa.

— Boa noite, Maggie. As batidas do seu coração fazem o mundo continuar girando.

* * *

Todas as noites, quando estava deitada na cama, ouvia música vindo do quarto do Calvin. Ele sempre ficava acordado até tarde, ouvindo música enquanto fazia algum trabalho ou na companhia da namorada, Stacey. Eu sempre sabia quando ela estava em casa, porque ela ria como uma garota completamente apaixonada. Eles estavam juntos há tanto tempo que já usavam anéis de compromisso que os uniam para sempre.

Por volta das onze horas, eu acordava com os passos de Cheryl se esgueirando para fora de casa para ver o namorado, Jordan. Ele fazia o tipo bad boy, que eu já tinha lido em tantos livros, e Cheryl ficaria muito melhor sem ele, mas eu não podia dizer isso a ela. Mesmo que eu conseguisse falar alguma coisa, ela não me ouviria.

Cada um dos integrantes da minha família encontrou um jeito de lidar comigo e o meu silêncio nos últimos oito anos. Calvin se tornou um dos meus melhores amigos. Passava muito tempo comigo e com Brooks, jogando videogames, assistindo a filmes que não deveríamos ver e descobrindo as melhores músicas antes do resto do mundo.

Minha mãe meio que me excluiu de sua vida depois que percebeu que eu não ia voltar a falar. Deixou o emprego para me dar aula em casa, mas ela praticamente não conversava comigo sobre nada que não tivesse a ver com as disciplinas escolares. A verdade era que eu conseguia perceber que ela se culpava um pouco pelo que havia acontecido comigo. Olhar para mim todos os dias parecia difícil, então ela construiu uma barreira. Não sabia exatamente o que dizer e, depois de um tempo, os olhares inexpressivos se tornaram um pouco demais para ela. Às vezes, quando eu entrava em um cômodo, ela ia para o lado oposto. Mas eu não a culpava. Olhar para mim era um lembrete constante de que ela não havia notado que eu tinha saído de casa para me encontrar com Brooks tantos anos antes. Olhar para mim a fazia sofrer.

Meu pai continuava o mesmo, talvez um pouco mais engraçado e mais amoroso do que antes. Eu era grata por isso. Ele era a única coisa constante na minha vida e nunca me olhava como se eu estivesse destroçada. Aos seus olhos, eu era completamente perfeita.

Cheryl, por outro lado, me odiava. Talvez "ódio" fosse uma palavra forte, mas era a única que me vinha à cabeça. Ela tinha vários bons motivos para não gostar de mim. Ao longo dos anos, ela foi meio que deixada de lado por causa dos meus problemas. As férias em família que não aconteceram, os shows de talentos que ela não pôde participar por causa das minhas consultas, a falta de dinheiro por causa dos gastos que meus pais tinham comigo. Além disso, já que a minha mãe não conseguia olhar para mim, ela estava sempre voltando sua atenção para Cheryl, gritando com minha irmã por pequenas coisas, culpando-a por tudo. Não foi nenhuma surpresa Cheryl ter começado a se rebelar contra o mundo ao entrar na adolescência. Jordan era o seu maior ato de rebeldia, seu maior erro.

Eu sempre voltava a dormir ao som da música de Calvin, então acordava de novo com o barulho de Cheryl retornando às três da manhã.

Às vezes, eu a ouvia chorando, mas não podia ir até lá ver como ela estava, porque ela gostava mais de mim quando eu bancava a invisível.

* * *

— Será que você pode andar logo? — pediu Calvin no corredor, socando a porta do banheiro na manhã seguinte. Seu cabelo estava em pé, o pijama, todo amarrotado, uma das pernas puxada para cima e a outra arrastando no chão. A toalha estava pendurada no ombro. Ele bateu na porta de novo. — Cheryl! Anda logo! Brooks vai chegar a qualquer momento, e eu vou me atrasar. Vamos logo. Não adianta passar maquiagem porque nada vai melhorar a sua cara.

Ela abriu a porta.

— E banho não vai melhorar o seu cheiro.

— Ah, mandou bem. Eu me pergunto o que nossa mãe diria sobre isso, além do fato de você ter saído escondido ontem à noite.

Cheryl semicerrou os olhos e esbarrou nele ao passar.

— Você é a pessoa mais irritante nesta droga de mundo.
— Também te amo, irmãzinha.
Ela mostrou o dedo do meio para ele e avisou:
— Acabei com a água quente.
Enquanto seguia para o seu quarto, ela olhou para mim, já que a minha porta estava aberta.
— O que você está olhando, aberração?
Então ela entrou no próprio quarto e bateu a porta.
Calvin olhou para mim e riu.
— Que amorzinho é a nossa irmã. Bom dia, Maggie.
Respondi com um aceno.
Minha rotina para me arrumar e estudar era bem simples. Eu acordava, lia um pouco do meu livro favorito, escovava os dentes, penteava o cabelo e seguia até a sala de jantar, onde as aulas eram ministradas.
A hora do dia que eu mais gostava era quando Brooks passava para me visitar. Ele dava uma carona para Calvin até a escola todos os dias e, considerando que Cheryl sempre ficava tempo demais no banheiro, Calvin se atrasava todas as manhãs.
Brooks era uma dessas pessoas que todos amavam logo de cara. Mesmo com seu estilo meio moderninho, ele era um dos garotos mais populares do colégio. Não era de se estranhar, pois ele era muito sociável. As pessoas eram viciadas no seu charme, e era por isso que ele sempre tinha uma namorada. Lacey Palmer era a sortuda do momento, mas ele tinha uma lista de garotas esperando ansiosamente sua vez. Nenhuma surpresa aí, uma vez que ele não era apenas charmoso, mas lindo também. Ele tinha o bronzeado perfeito, braços musculosos e o cabelo ondulado com uma textura maravilhosa.
Seu sorriso era perfeito também. Ele sempre sorria com o lado esquerdo da boca, mas as gargalhadas sempre começavam pelo lado direito. Suas roupas consistiam, basicamente, em camisetas com estampa de bandas, algo que ele colecionava dos shows que ia com

Calvin e dois outros amigos, Oliver e Owen, em outras cidades. A calça jeans estava sempre rasgada, e ele usava um cinto de couro decorado com pequenos bótons com trechinhos das letras de suas músicas favoritas. No bolso da frente, ele sempre tinha palhetas de guitarra, as quais ele girava nos dedos durante o dia, e os All Star estavam sempre desamarrados e coloridos com canetinhas.

Além disso, ele também tinha um lance com meias diferentes. Quando usava meias do mesmo par, com certeza tinha se vestido no escuro.

— Você está bem hoje, Magnet? — perguntou ele.

Assenti. Ele fazia essa pergunta sempre que vinha aqui em casa. Depois do incidente de anos atrás, Brooks prometeu que tomaria conta de mim, e manteve a promessa. Ele começou a me chamar de Magnet, porque disse que nossa amizade o atraía.

— A amizade é uma força magnética entre nós, Maggie May. Você é o meu ímã.

É claro que o apelido surgiu em uma noite em que ele foi a alguma festa, voltou de porre e vomitou no chão. Mesmo assim, pegou.

— Posso entrar? — perguntou.

Brooks sempre pedia permissão, o que era estranho. A resposta era sempre sim.

Ele entrou no meu quarto. Mesmo às sete da manhã, Brooks era cheio de energia.

— Encontrei uma música que quero que você ouça — disse, vindo até mim e enfiando a mão no bolso para tirar o iPod. Nós dois deitamos na cama, nossos pés apoiados no chão. Ele colocou um fone no ouvido, e eu peguei o outro. Então ele apertou o play.

A música era alegre e leve, mas havia um som sólido de baixo que persistia durante a canção. Parecia romântica e livre... e selvagem.

— "All Around and Away We Go", do Mr. Twin Sister — falou ele, batendo com os dedos no colchão ao meu lado.

Brooks era o meu jukebox. Ele sempre me dizia para nunca ligar o rádio para procurar uma música, porque só tocava um monte de merda de Hollywood, que fazia lavagem cerebral nas pessoas. Então, todas as manhãs e à noite, ele me mostrava o que considerava ser a nata da música.

Ficávamos deitados na minha cama, olhando para o teto e ouvindo música até Calvin chegar correndo no meu quarto, com o cabelo molhado e um bolinho enfiado na boca.

— Pronto! — dizia ele, derrubando migalhas no tapete.

Brooks e eu nos sentávamos, ele pegava o fone de volta e o enrolava no iPod.

— Tudo bem. Volto com mais alguma coisa para você depois da escola, Magnet — prometeu, sorrindo para mim. — Lembre-se de sempre dizer não às drogas, a não ser que sejam das boas, e continue na escola, a não ser que não queira.

E eles foram embora.

Meus olhos foram direto para o relógio na parede.

Suspirei.

Só mais onze horas, mais ou menos, até que a música volte para mim.

Capítulo 8

Maggie

Todos os dias, às cinco da tarde, eu tomava um longo banho. Eu me sentava na banheira com um livro e lia por quarenta e cinco minutos. Depois, deixava o livro de lado e me lavava por dez minutos. Meus dedos ficavam enrugados como passas. Fechava os olhos e passava o sabonete de lavanda pelo corpo. Eu amava o cheiro de lavanda quase tanto quanto amava gardênias. Gardênia era a minha flor favorita. Toda quarta-feira, meu pai ia ao mercado de produtores locais e comprava um buquê de flores recém-colhidas para colocar na minha janela.

Ele percebeu que gardênias eram minhas flores preferidas na primeira vez que as comprou. Talvez pelo meu sorriso, talvez pelo número de vezes que meneei a cabeça enquanto as cheirava, ou, quem sabe, talvez porque ele simplesmente aprendeu a entender o meu silêncio.

Meu pai sabia quase tudo sobre mim com base nos meus pequenos gestos e movimentos. O que ele não sabia era que todos os dias, no fim do banho, quando a água quente já havia esfriado, eu afundava a cabeça e ficava embaixo d'água por cinco minutos.

Nesse tempo, eu me lembrava do que havia acontecido comigo. Para mim, era importante fazer isso — me lembrar do diabo, de como ele era. Como era senti-lo. Se não me lembrasse dele, eu me culparia pelo que havia acontecido, me esqueceria de que tinha sido uma vítima naquela noite. Quando me lembrava dele, não era tão difícil respirar. Eu pensava melhor quando estava embaixo d'água. Eu perdoava todos os meus sentimentos de culpa quando estava submersa.

Ela não conseguia respirar.

Minha garganta se fechava, como se os dedos do diabo estivessem apertando o meu pescoço em vez do da mulher.

O diabo.

Ele era o diabo, pelo menos para mim.

"Corra! Corra, Maggie!", gritava minha mente, mas eu fiquei parada, sem conseguir desviar os olhos do horror diante de mim.

— Maggie!

Emergi ao ouvir meu nome e soltei o ar antes de inspirar profundamente.

— Maggie, a Sra. Boone está aqui para te ver — gritou meu pai lá de baixo.

Eu me levantei da banheira e abri o ralo para a água descer pelo encanamento. Meu cabelo louro e comprido batia na bunda, e minha pele continuava fantasmagoricamente pálida.

Meus olhos consultaram o relógio na parede.

Seis e um da tarde.

A Sra. Boone estava atrasada. Atrasada mesmo.

Anos atrás, quando soube do meu trauma, ela perguntou se podia vir me ver todos os dias para que eu pudesse interagir com alguém. Eu achava que ela fazia isso para fugir da própria solidão, mas não me importava. Quando duas almas solitárias se encontravam, elas se apoiavam uma na outra, não importava o que acontecesse. Ainda não sabia se isso era bom ou ruim. Talvez as pessoas pensassem que, quando dois seres solitários se encontram, era igual a regra dos sinais: menos com menos dá mais. Mas esse não era o caso. Os dois sinais negativos pareciam aumentar ainda mais a solidão, e os seres solitários adoravam mergulhar ainda mais nela.

A Sra. Boone costumava trazer a sua gata, Muffins, com ela para me distrair no almoço. Ela sempre vinha ao meio-dia, e nós nos sentávamos à sala de jantar para comer sanduíches e tomar chá. Eu odiava chá, e a Sra. Boone sabia disso, mas, mesmo assim, todos os dias, ela me trazia um chá feito na confeitaria local, a Doce Vício.

— Você é jovem, o que significa que é burra, então não compreende os benefícios do chá. Vai começar a gostar — prometeu. Aquela promessa era uma mentira. Nunca gostei de chá. Na verdade, eu o odiava mais a cada dia.

A Sra. Boone havia morado na Inglaterra quando era nova, e eu presumi que o amor pela bebida devia ter vindo de lá. Desde a morte do marido, alguns anos antes, ela sonhava em retornar para a Inglaterra. Foi por causa dele que ela veio para os Estados Unidos, mas, depois que ele morreu, pensei que, com o passar do tempo, ela havia perdido a coragem de voltar.

— Stanley era o meu lar — dizia ela sobre o marido. — Não importava onde morássemos, porque, com ele ao meu lado, eu estava em casa.

Depois que ele morreu, a Sra. Boone se sentiu desalojada. Quando ele se foi, levou junto o porto seguro dela, as batidas de seu coração. Sempre me perguntei se ela fechava os olhos por alguns minutos e se lembrava das batidas do coração dele.

Eu faria isso.

— Maggie! — gritou meu pai, arrancando-me dos meus devaneios.

Peguei a toalha branca gigantesca na bancada e me enrolei. Saí da banheira e fui para a frente do espelho. Enquanto eu começava a desembaraçar o cabelo, olhei para meus olhos azuis, tão parecidos com os do meu pai, para as maçãs do rosto, bem delineadas, que também puxei dele. As pequenas sardas no nariz eram herança da minha avó, e os cílios longos, do meu avô. Tantas partes da minha descendência poderiam ser vistas todos os dias só de me olhar no espelho. Eu sabia que era impossível, mas, às vezes, eu jurava que tinha o sorriso da minha mãe, Katie, e o mesmo franzir de testa.

— Maggie — gritou meu pai de novo. — Você está me ouvindo?

Cogitei não responder, porque estava muito irritada com o fato de a Sra. Boone achar que poderia aparecer tão tarde, como se eu não tivesse mais o que fazer. Ela deveria ter chegado ao meio-dia. Tínhamos uma rotina, uma agenda planejada que ela não havia cumprido naquela tarde. Eu não entedia por que ela se incomodava em vir todos os dias nem por que eu permitia que ela viesse comer comigo. Ela era muito grosseira a maior parte do tempo, dizendo o quanto eu era idiota e o quanto era ridículo eu não conseguir falar nada.

Infantil, era como ela me chamava.

Imatura, até.

Acho que eu continuava aturando-a todas as tardes porque ela era uma das minhas poucas amigas. Às vezes, seus comentários eram tão grosseiros que arrancavam uma reação de mim — um sorrisinho discreto, ou, às vezes, eu ria por dentro. A velha de setenta anos era uma das melhores amigas que já tive. Era também a minha inimiga favorita. A nossa relação era complexa, então eu sempre dizia que nós éramos *aminimigas*, amigas e inimigas. Além disso, eu amava a gata dela desde criança, e ela ainda me seguia pela casa, esfregando o pelo macio na minha perna.

— Maggie May? — gritou meu pai de novo, dessa vez batendo na porta do banheiro. — Você me ouviu?

Bati na porta duas vezes. Uma batida significa "não". Duas batidas, "sim".

— Bem, não vamos deixar a Sra. Boone esperando, tá bom? Desça depressa.

Quase bati uma vez na porta para mostrar a minha irritação, mas me contive. Prendi o cabelo molhado em uma trança enorme, que deixei caída sobre o ombro direito. Vesti a calcinha e o sutiã, e coloquei o vestido amarelo-claro pela cabeça. Peguei o livro do lado da banheira antes de abrir a porta e desci correndo para ver a minha aminimiga favorita.

A Sra. Boone sempre se vestia como se fosse se encontrar com a rainha Elizabeth. Usava joias com pedras preciosas no pescoço e nos dedos, e elas sempre brilhavam em contraste com a estola de pele falsa que usava nos ombros. Ela sempre mentia e dizia que era pele de verdade, mas eu sabia que não era. Eu já tinha lido muitos livros sobre os anos quarenta, o suficiente para saber a diferença entre pele de verdade e pele falsa.

Ela sempre usava vestido e meia-calça, um suéter e sapato de salto baixo. Muffins sempre estava com uma coleira brilhante no pescoço, para combinar com a roupa da dona.

— É falta de educação deixar uma idosa esperando, Maggie May — reclamou ela, tamborilando os dedos na mesa de cerejeira.

É falta de educação deixar uma jovem esperando também, Sra. Boone.

Dei um sorriso sutil para ela, que arqueou uma sobrancelha, descontente. Sentei-me ao seu lado, e ela empurrou uma xícara de chá na minha direção.

— É chá preto Earl Grey. Você vai gostar dessa vez — afirmou.

Tomei um gole e senti náusea.

Ela estava errada de novo. Sorriu, satisfeita com a minha cara de desgosto.

— Seu cabelo está horrível. Você realmente deveria usar um secador. Vai pegar uma gripe.

Não vou, não.

— Vai, sim — retrucou ela.

Ela sempre sabia as palavras que eu não dizia. Eu me perguntava se ela era bruxa ou algo assim. Se, talvez, quando ela ainda era criança, uma coruja apareceu na sua janela, deixando um convite para que ela frequentasse uma escola de magia, mas, ao longo do caminho, ela se apaixonou por um trouxa e voltou para Wisconsin, escolhendo o amor em vez de uma aventura de verdade.

Se fosse eu, jamais escolheria o amor no lugar da aventura.

Eu aceitaria o convite da coruja.

O que era irônico, levando-se em consideração que as únicas aventuras que eu vivia eram por meio das páginas dos livros.

— O que você tem lido? — perguntou, enfiando a mão na bolsa enorme e pegando dois sanduíches de peito de peru.

Eu não conseguia vê-los, pois ainda estavam embrulhados no papel da Doce Vício, mas sabia que eram de peito de peru. A Sra. Boone sempre trazia o mesmo sanduíche: peito de peru, tomate, alface e maionese no pão de centeio. Nada mais, nada menos. Nos dias em que eu teria preferido atum, eu só precisava fingir que peru era peixe.

Ela colocou um sanduíche na minha frente, desembrulhou o outro e o mordeu. Para uma senhora tão pequena, ela sabia como dar uma bela mordida.

Coloquei o livro na frente dela, que suspirou.

— De novo?

É. De novo.

Nesse último mês, eu estava relendo os livros do Harry Potter, o que talvez tivesse um pouco a ver com o fato de eu achar que a Sra. Boone era uma bruxa. Ela também tinha aquela verruga clássica de bruxa no nariz.

— Existem muitos livros nesse mundo, mas você sempre está relendo os mesmos. Não é possível que essas histórias ainda a surpreendam depois de tanto tempo.

Era óbvio que ela não tinha lido nem relido Harry Potter.

Toda vez era diferente.

Na primeira vez que os li, deixei-me levar pela empolgação da história.

Nessa releitura, estou percebendo muito mais o sofrimento.

Uma pessoa nunca relê um livro excepcional e segue em frente com as mesmas crenças. Ele sempre surpreende e desperta novas ideias, novas formas de olhar para o mundo, não importa quantas vezes as palavras foram lidas.

— Vou começar a achar que você está interessada em Wicca — zombou ela, mastigando o sanduíche e tomando um gole de chá. Uma coisa peculiar para uma bruxa dizer a uma trouxa, na minha opinião.

Muffins veio por baixo da mesa e se esfregou na minha perna para me dar oi. Eu me abaixei para acariciá-la. *Olá, amiguinha.* Ela miou antes de se virar para que eu fizesse carinho na sua barriga. Quando eu não a afagava do jeito certo, podia jurar que ela resmungava algum palavrão na linguagem dos gatos antes de se afastar, provavelmente para procurar a minha mãe, que era especialista em acariciá-la.

— O que aconteceu com o seu rosto? — perguntou ela, semicerrando os olhos.

Ergui uma das sobrancelhas, confusa.

Ela balançou a cabeça.

— Seus olhos estão horríveis. É como se você não dormisse há dias. Você realmente deveria pedir a Katie alguns itens de maquiagem. Está horrível.

Toquei as olheiras. Era sempre preocupante quando alguém dizia que você parecia cansada, mas você não se sentia assim.

— Veja bem, Maggie. A gente precisa conversar. — A Sra. Boone se aprumou na cadeira e pigarreou. — O que eu quero dizer é que você deve ouvir enquanto eu falo.

Eu me empertiguei também. Sabia que devia ser importante, porque suas narinas sempre se dilatavam quando ela falava algo sério. E era exatamente o que estava acontecendo naquele momento.

— Você precisa sair de casa — anunciou ela.

Eu quase ri.

Sair de casa?

Que ideia ridícula. Ela conhecia a minha situação — bem, ela não *conhecia* a minha situação, mas me conhecia bem o suficiente. Nos últimos oito anos, eu não tinha saído de casa. Tinha aulas particulares, e sempre que eu precisava ir a um médico ou ao dentista, meus pais providenciavam que eles viessem até mim. A Sra. Boone estava ciente desses fatos. Era por isso que nunca tomávamos chás nojentos na casa dela.

Ela franziu o cenho.

— Não estou brincando, Maggie May. Você precisa sair. O que vai fazer? Ficar aqui para sempre? Você está prestes a se formar no ensino médio. Não quer ir para a faculdade?

Eu não tinha uma resposta para isso.

— Como você espera viver? Como vai se apaixonar? Ou escalar uma montanha? Ou ver a Torre Eiffel à noite? Jessica, não podemos continuar sustentando você dessa forma — disse ela.

Parei e ergui a sobrancelha. *Jessica?*

— Seu pai e eu chegamos ao nosso limite, não aguentamos mais. Você não quer ser alguma coisa na vida? Fazer alguma coisa?

A sala mergulhou no silêncio, e a Sra. Boone abaixou o rosto, como se estivesse perdida em pensamentos. Ela pareceu confusa e esfregou os olhos. Meneou a cabeça antes de pegar a xícara e tomar um gole de chá.

Seu olhar estava atordoado quando pousou em mim.

— O que estávamos falando mesmo? — Para onde ela tinha ido? — Ah, sim. Você precisa sair, Maggie May. E quanto aos seus pais? Será que eles vão ter que passar o resto dos dias em casa com você? Eles nunca vão ter a chance de ter a casa só para eles? Eles não esperavam por isso.

Eu me virei de costas para ela, zangada e magoada, mas, principalmente envergonhada, porque ela estava certa. Com o canto dos olhos, vi que ela ainda estava com o cenho franzido. Quanto mais ela franzia o cenho, mais zangada eu ficava.

Vá embora.

— Ah, agora você está zangada e fazendo pirraça — resmungou.

Bati na mesa uma vez.

Não.

Ela bateu duas vezes.

— Sim. Você é uma adolescente pirracenta. Que original. Termine o seu sanduíche, rabugentinha. Volto amanhã.

Tanto faz, sua velha. E não se atrase de novo. Revirei os olhos e bati o pé no chão com força. Meu Deus, eu estava mesmo fazendo pirraça. *Que original.*

— Você está zangada comigo, tudo bem — disse ela, amassando o papel do sanduíche, formando uma bola. Ela se levantou da cadeira, colocou a bolsa no ombro e pegou o meu livro. Aproximou-se de mim e ergueu meu queixo. — Mas você só está zangada porque sabe que estou certa. — Ela colocou o livro no meu colo. — Você não pode simplesmente ler esses livros e achar que está vivendo. É a história deles, não a sua, e é de partir o coração ver alguém tão jovem desperdiçar a chance de escrever a própria história.

Capítulo 9

Maggie

— Você está começando a me irritar de verdade, Cheryl.

Eu estava sentada na cama lendo um livro enquanto minha irmã brigava com o namorado, Jordan, do outro lado do corredor.

Correção: eu estava sentada na cama lendo um livro enquanto minha irmã brigava com o *ex-namorado*, Jordan, do outro lado do corredor.

— Só estou dizendo... O problema não sou eu, é você — resmungou ela, batendo com o salto do sapato na parede. Seus braços estavam cruzados, e ela mascava chiclete. — Não estou mais a fim de você.

— Tá de sacanagem comigo? — Ele bufou, pisando firme enquanto andava de um lado para o outro. — Terminei com a minha ex por sua causa! Paguei mais de cem dólares pelos convites do seu baile de formatura. A porra de um baile que eu nem queria ir. Por você. Fiz de tudo para te tratar como você merece. Deixei de ir a festas para assistir a filmes de mulherzinha com você.

Cheryl enrolou uma mecha de cabelo no dedo e deu de ombros.

— Ninguém pediu a você que fizesse essas coisas.

Jordan riu, embasbacado.

— Pediu, sim! Você pediu! E ainda fumou minha maconha todos os dias.

— Nisso eu fui legal com você. Se você tivesse fumado um baseado sozinho, teria ficado só chapado. Fumar comigo tornou você uma pessoa popular.

— Tá falando merda — explodiu ele, passando os dedos pelo cabelo. — O seu baile é amanhã. E o que eu vou fazer?

— Pode ir sozinho.

Cheryl era bonita, isso era um fato. Com o passar dos anos, seu corpo se desenvolveu — peito grande, quadril arredondado, cintura fina — muito mais rápido que o meu. Na minha cabeça, ela tinha o corpo perfeito e, depois de usar aparelho ortodôntico por muito tempo, um sorriso perfeito para combinar. Depois de anos se sentindo uma estranha, ela criou esse personagem e estava determinada a usá-lo para ser aceita por um grupo — mesmo que isso significasse medidas extremas para perder peso e ganhar atenção.

Outro fato sobre a minha irmã era que ela tinha noção de sua beleza e explorava isso para conseguir tudo que quisesse em quase todas as situações — não importava quem magoasse. Então, ela viria até o meu quarto e me contaria quantos caras ela havia usado só para conseguir coisas deles. Encontros, dinheiro, presentes, sexo — tudo e qualquer coisa.

Às vezes, eu achava que ela me contava tudo isso porque se ressentia do fato de ter perdido tantas coisas quando criança. Outras, eu achava que ela se sentia culpada por suas atitudes, e o meu silêncio deixava-a mais segura de que não tinha feito nada de errado.

Ela era uma atriz quando se tratava de amor. Fazia os caras acreditarem que ela gostava deles, o que não era muito fácil com os garotos da nossa idade — principalmente um bad boy como Jordan. Ele deixava de ser o maior idiota do mundo e se tornava um cachorrinho sempre que estava perto de Cheryl. Sempre parecia estar implorando para que ela o amasse — a não ser quando ela o irritava. Quando ela fazia isso, a verdadeira natureza de Jordan aparecia. As pessoas conseguiam esconder quem eram de verdade por um tempo, mas, depois, as máscaras sempre caíam.

— Não. Porra. Você disse que me amava — disse Jordan, quase chorando.

— É, amava. *No passado.*

Espiei por cima do livro. O rosto dele estava vermelho, e a minha irmã parecia se divertir com o fato de ele estar chateado.

— Não — sibilou Jordan, agarrando o braço dela com força.

Soltei o livro.

— Não. Você não pode fazer isso. Não sem um motivo de verdade.

— Você quer um motivo? Tudo bem. — Cheryl puxou o braço e se empertigou, encarando-o. — Eu transei com o Hank.

Jordan arregalou os olhos.

— O quê? É mentira.

— Transei, sim. — Os olhos de Cheryl também se arregalaram, e ela deu um sorriso cruel.

Ah, não. Ela estava prestes a acabar com ele do mesmo jeito que já havia feito com tantos caras no nosso corredor.

— Transei com ele na festa do Tim, quando você estava doente. E na casa dele, quando eu disse que estava no cabeleireiro. E no meu quarto, ontem, quando...

Jordan fechou os olhos e cerrou os punhos.

— Hank é o meu melhor amigo.

Ela riu e deu um empurrão de leve no peito dele, obrigando-o a se afastar.

— Você deveria ser mais cuidadoso ao escolher seus amigos.

A risada desapareceu quando Jordan a esbofeteou com força. As costas dela bateram na parede, e seu corpo escorregou até o chão.

Eu não fazia a mínima ideia de como isso aconteceu, mas, quando dei por mim, estava no corredor, segurando o livro e pronta para derrubar Jordan se ele desse mais um passo em direção à minha irmã. O rosto de Cheryl estava vermelho, e a mão sobre a área que levou o tapa.

— Sua puta! — xingou Jordan, cuspindo nela. Suas palavras me atingiram em cheio, e suas ações, ainda mais.

"Sua puta!", berrou, dando um tapa na cara da mulher. Ela cambaleou para trás, chorando, com a mão no rosto. "Dei tudo para você. A gente tinha uma vida juntos. Acabei de assumir os negócios. Estamos nos reerguendo.

E o nosso filho? E a nossa família?" Ele bateu nela várias vezes. "A gente tinha uma vida!" Ele a jogou no chão. Seus olhos pareciam saltar do rosto de tão arregalados, como se estivesse louco, perturbado.

— Você vai voltar a si, pode acreditar — avisou Jordan. — E vou estar esperando quando você voltar correndo para mim.

Ergui os braços, prestes a bater nele. Bati os pés no chão, minha mente viajando do passado para o presente em um piscar de olhos. Bati os pés no chão várias vezes até Jordan se virar e olhar para mim. Quando nossos olhares se encontraram, dei um passo para trás.

O lado negro de Jordan estava vindo à tona. Todo mundo tem um lado negro, seus próprios demônios, que são mantidos acorrentados quase todos os dias. Os demônios que sussurravam mentiras nos ouvidos das pessoas, enchendo-as de medo e dúvida, levando-as a fazer coisas ruins. Nosso principal objetivo era controlá-lo, permitindo que ele só espiasse pela fresta do armário. Ele só conseguia assumir o controle da mente de uma pessoa se ela o libertasse, se ela permitisse que ele entrasse em seu coração.

O demônio de Jordan se libertou das suas correntes naquela noite.

Sua escuridão me assustou.

Shhhh...

Pisquei devagar e, quando reabri os olhos, Jordan tinha um sorriso dissimulado no rosto.

— O que vai fazer, aberração? Vai me dar uma surra com um livro? — Ele se aproximou de mim e fez menção de me dar um tapa.

Um forte puxão no meu vestido me lançou para trás, a papoula no meu cabelo caiu no chão do bosque. Os dedos dele agarraram minha roupa, e ele me jogou no chão. Mesmo ofegante, gritei quando ele me atacou, colocando todo seu peso em cima de mim, suas mãos imundas cobrindo minha boca, abafando os meus gritos.

Eu chutei e gritei, gritei e chutei. Ele ia me matar.

Quando abri os olhos, estava no chão, cobrindo o rosto com o livro, tremendo de medo, tremendo por causa das lembranças. Eu odiava essa parte de mim — aquela que voltava para o passado. Odiava a forma como aquilo me abalava, como ainda exercia poder sobre mim, às vezes. Mas o que eu mais odiava era quando os outros notavam isso. Eu conseguia esconder a maioria dos meus ataques de pânico. A maioria deles eram segredos meus.

Ele riu da minha reação.

— Você é muito doida. Vou embora daqui.

Ele desceu as escadas e bateu a porta da frente ao sair.

Eu me levantei depressa e corri até Cheryl. Agachei-me e ofereci a mão para ela. Ela não a aceitou.

— Meu Deus, Maggie. Por que você não vai viver a sua própria vida e cai fora da minha? — resmungou ela, levantando-se e esfregando o rosto. — Você me dá vergonha.

Ela entrou no quarto e bateu a porta.

Corri para o meu quarto, peguei o caderno e uma caneta, voltei para o quarto de Cheryl e bati na porta.

Ela abriu e revirou os olhos.

— O que você quer?

Escrevi no papel. *Você não transou com o Hank.*

Ela passou a mão pelo cabelo e apoiou o peso do corpo em um dos pés.

— Vá embora, Maggie.

Você estava fazendo compras com a nossa mãe ontem. Você não transou com o Hank.

— Não é da sua conta.

Jordan bateu em você.

— Eu provoquei ele.

Ele machucou você.

— Eu empurrei ele, Maggie. Eu empurrei ele.

Tenho que contar aos nossos pais que ele bateu em você.

— Será que você pode calar a boca, Maggie? — pediu ela com um sussurro, arrancando a página do caderno e amassando-a, jogando-a no chão do quarto. — Você não entende nada de relacionamentos nem de garotos. É assim que o Jordan fica às vezes. Eu provoco, ele revida. Pare de querer fazer disso uma coisa séria. Nem todo mundo é tão traumatizado e problemático quanto você, tá bom? E só porque você é uma aberração e não tem vida própria, não significa que tem que se meter na minha.

Dou um passo para trás.

Nossa.

Por um instante, o lábio superior de Cheryl se contraiu, e seus olhos se anuviaram. Talvez ela estivesse arrependida de ter me magoado? Ela balançou a cabeça, livrando-se do sentimento.

— Não vou pedir desculpas, tá? Você me provocou e eu revidei, Maggie. De qualquer forma, Jordan e eu não estamos mais juntos, então, não tem problema. Parti para coisas maiores e melhores agora. Então, se você não se importa... — Ela ergueu a mão e acenou. — Tchauzinho.

Suspirei e voltei para o quarto, para o meu canto tranquilo no mundo. Peguei o livro de novo.

Às vezes, eu me perguntava como seria sair de casa, mas, se havia pessoas como Jordan do lado de fora dessas portas, era melhor que eu continuasse ali dentro.

***

Eu não conseguia me concentrar.

Estava sentada na cama, com o livro aberto na página 209 por vários minutos sem conseguir ler. Minha mente ficava relembrando Jordan batendo na minha irmã. A expressão chocada quando a mão dele a atingiu. O ofegar alto que escapou dos lábios dela.

Fechei os olhos.

Shh...

— Você está bem hoje, Magnet? — perguntou Brooks mais tarde, naquela noite, parado na porta do meu quarto com sua mochila pendurada no ombro.

Meus olhos se abriram e soltei um suspiro de alívio. Será que ele sabia que sempre chegava nas horas certas, que sempre aparecia quando eu precisava dele?

Fechei o livro e me sentei com as pernas cruzadas na cama, olhando para ele. O cabelo castanho estava ficando comprido demais, no melhor estilo astro do rock, e já tocava a ponta das sobrancelhas. De vez em quando, ele jogava a cabeça para o lado para tirar o cabelo do rosto. Às vezes, ele fazia um bico e soprava com força para afastar as mechas dos olhos, mas nunca, e estou falando sério, nunca usava os dedos para ajeitar o cabelo. Ele sempre abria um sorrisão quando olhava para mim, o que me fazia sorrir também. Eu nem sempre tinha vontade de sorrir, mas Brooks sempre me fazia sentir que sorrir era tudo que eu queria.

— Posso entrar?

A resposta foi sim. Sempre era sim.

Ele se sentou na cama. Pegou o caderno e a caneta na mesinha de cabeceira e o abriu na primeira página. Ao lado da cama, a lixeira estava cheia de papéis amassados das noites anteriores, quando Brooks veio me visitar. Era a forma como nos comunicávamos melhor. De manhã, a gente só ouvia música, mas à noite ele falava e eu escrevia. Tentei esse tipo de comunicação com a Sra. Boone, mas ela me disse que não ia me ajudar a matar árvores. Além disso, ela disse que eu tinha voz e deveria ser capaz de usá-la.

— Fiquei sabendo que você e a Sra. Boone brigaram — comentou ele. Revirei os olhos, e ele riu. — Ela só quer o seu bem, sabe disso, não é? Fui até lá levar a Muffins de volta, e ela me contou tudo que disse a você. Não estou dizendo que ela disse as coisas da melhor forma, mas ela estava certa...

Ele parou de falar quando viu o meu olhar irritado.

— Ela estava certa. — Ele riu. — Você é rabugenta.

Comecei a escrever. *Ela me chamou de Jessica.*

Ele franziu o cenho.

— Sei.

Ele se mexeu um pouco e olhou para mim.

Ergui a sobrancelha.

Ele fingiu não notar, olhando para o teto. Cutuquei o ombro dele.

— Não posso contar, Maggie.

Cutuquei-o de novo.

Ele suspirou.

— Tudo bem, mas tem que prometer que não vai contar a ninguém, tá bom?

Franzi o nariz. *Para quem eu poderia contar?*

Ele riu e deu dois tapinhas na ponta do meu nariz.

— Eu esqueci que estou falando com a única garota do mundo que consegue manter segredos. A minha mãe disse que a Sra. Boone tem tido problemas de memória. Ela a encontrou vagando na rua no último fim de semana, e a Sra. Boone parecia confusa, não sabia onde estava. Minha mãe disse que acha que ela talvez esteja nos primeiros estágios de Alzheimer e que ela queria que a Sra. Boone fizesse alguns exames.

Ela fez?

— Você sabe como a Sra. Boone é um pouco teimosa, para dizer o mínimo. Ela disse que estava bem e que não precisava de ninguém se metendo na vida dela.

Fiquei preocupada ao imaginar que pudesse haver algo errado com ela. Eu a odiava, mas também a amava muito. A ideia de que algo de ruim pudesse acontecer com a Sra. Boone me deixava mal.

Quando eu ia escrever, ele segurou a minha mão, afastando-a do papel.

— Espere, tenho uma coisa para você. Para nós. — Ele pegou a mochila, abriu-a e tirou dela um grande quadro branco e canetas especiais. — Imaginei que seria mais fácil escrever assim e não gastar tanto papel. Além do mais, se precisarmos contar algum segredo, não preciso falar em voz alta e não vamos deixar nenhuma prova.

Abri um sorriso.

Ele retribuiu.

Peguei uma das canetas e comecei a escrever, mas antes de qualquer coisa, ele disse:

— Terminei tudo com a Lacey hoje. — A caneta fez um risco no quadro, e eu fiquei boquiaberta. Ele deu um sorriso nervoso e deu de ombros. — Pois é, eu sei. — Lacey e Brooks estavam namorando havia nove meses. Nove meses, duas semanas e quatro dias para ser exata. Não que eu estivesse contando.

Por quê?

— Bem, ela meio que terminou comigo, acho. Disse que não conseguia aceitar vir apenas em terceiro lugar na minha vida.

Terceiro?

— A música e, bem... — Ele me deu um sorriso que era mais uma careta. — Você.

Senti um aperto no peito. Ele continuou falando.

— Ela acha que eu passo muito tempo com você, porque a gente se vê todos os dias. Ela sente ciúme e tem essa ideia louca de que tem um lance rolando entre a gente.

Será? Será que tinha algum lance rolando entre a gente?

Ele revirou os olhos.

— O que é óbvio que não temos. Eu disse a ela que somos apenas bons amigos, porque é o que somos.

Claro. Claro que sim. Não tinha nada rolando. Minhas mãos foram até o pingente de âncora no cordão que eu usava todos os dias.

Brooks e eu éramos só amigos. Por que isso parecia um soco no meu estômago?

— De qualquer forma, achei melhor contar a você antes que outra pessoa conte. Isso é meio que um saco, porque gastei uma grana em um smoking para o baile de amanhã. Mas tudo bem, não tem problema.

Mas eu sabia que era um problema para ele, porque sempre que estava magoado ele roía a unha do polegar direito.

Sinto muito, Brooks. Lamento seu sofrimento.

— É, eu também. Eu gostava dela, sabe? Lacey era ótima. Mas... — Ele olhou para as palavras no quadro, então, usou a mão para apagá-las. — Viu? Basta um toque para o sofrimento ir embora.

Brooks se levantou e começou a andar pelo quarto, passando os dedos pela lombada dos meus livros. Eu sabia que o sofrimento não tinha passado, porque uma coisa que Brooks sempre fazia quando estava triste era andar e passar a mão nos livros.

A pequena estante que eu tinha desde que era pequena agora estava abarrotada de livros, e os que não cabiam nas prateleiras estavam empilhados pelo quarto.

Diferentemente do que faz a maioria das pessoas, os meus livros não estavam organizados por gênero ou nome do autor, mas sim pela cor da capa. Todos os vermelhos estavam agrupados em um lugar, enquanto os roxos estavam em outra pilha. Então, quando alguém entrava ali, via um arco-íris no quarto.

— O que é isso? — perguntou, pegando um caderninho com capa de couro.

Eu me levantei da cama e fui até ele.

Ele deu um sorriso travesso.

— Ah, será que esse é o diário da Magnet?

Tentei pegá-lo, mas ele levantou o braço. Pulei para pegar o diário, mas ele o escondeu nas costas. Agitei os braços atrás dele.

— Que tipo de coisa você escreve aqui, hein? Os seus segredinhos sujos? Eu não consigo imaginar...

Ele abriu um sorriso ainda mais amplo, e isso me deixou feliz, zangada, excitada e com medo, tudo ao mesmo tempo. Quanto mais ele pulava para tentar evitar que eu pegasse o caderno, mais eu pulava para tentar pegá-lo. Toda vez que nossa pele se encostava, eu queria me aproximar mais. Toda vez que ele me tocava, eu queria mais. Ele continuava rindo.

— Sinto muito, Maggie. Sei que você nunca vai me perdoar, mas eu preciso fazer isso. Só preciso ler uma página para saber que tipo de coisa passa pela sua...

Ele abriu na primeira página.

E parou de se mexer.

Parou de falar.

Parou de rir também.

— Lista de coisas para fazer da Maggie? — perguntou.

Meu rosto queimou, e senti um aperto no estômago. Voltei para a cama e me sentei.

Ele me seguiu, se sentou e me entregou o diário.

Tudo aquilo era culpa da leitura.

Ler era uma bênção e uma maldição para mim. Aqueles livros faziam com que eu conseguisse escapar para um mundo que nunca havia experimentado, mas, ao mesmo tempo, eles me lembravam de tudo que eu estava perdendo.

Então fiz uma lista.

Uma lista de coisas a fazer caso eu, algum dia, de alguma forma, conseguisse sair de casa. Talvez fosse apenas um sonho, mas, se os livros me ensinaram alguma coisa, foi que sempre valia a pena sonhar.

A lista crescia um pouco a cada dia. Sempre que alguma coisa excitante acontecia em um livro, eu acrescentava no caderno, junto com o nome do livro que tinha me dado aquela ideia. Andar a cavalo, graças ao *National Velvet*. Ir a um baile e fugir de forma dramática, como em *Cinderela*. Ficar parada em dois lugares ao mesmo tempo, como em *Um amor para recordar*.

Havia centenas de itens na minha lista, e, às vezes, eu me perguntava se algum dia conseguiria riscar um item que fosse.

— É uma lista das coisas que você quer fazer? — perguntou ele.

Concordei.

— Você pode fazer todas elas, sabe?

Talvez.

Então apaguei a palavra.

Ele escreveu: *com certeza*.

Ele apagou as palavras, mas elas ficaram na minha cabeça.

Permanecemos em silêncio por um tempo, os dois olhando para o quadro em branco.

— O que você quer ser quando crescer, Maggie?

Eu já tinha pensado muito naquilo. O que eu queria ser? O que eu *poderia* ser? Autora, talvez. Eu poderia publicar livros na internet e nunca ter que sair de casa. Ou talvez artista. Meu pai poderia levar meus trabalhos para feiras de arte e vendê-los. Ou quem sabe...

Peguei a caneta e escrevi exatamente o que eu queria ser.

Feliz.

Brooks pegou a caneta e também escreveu o que queria ser.

Feliz.

Seus dedos apagaram as palavras. Ele se levantou da cama, foi até a mesa e começou a mexer nas canetas e lápis. Quando encontrou o que queria, voltou para a cama e começou a escrever no quadro.

Um dia, você vai acordar e sair de casa, Magnet, e vai descobrir o mundo. Vai ver o mundo todo, Maggie May, e, nesse dia, quando você sair e respirar pela primeira vez fora dessa casa, quero que me procure. Não importa o que aconteça, você tem que vir me encontrar, porque eu vou te mostrar o mundo. Vou te ajudar a riscar as coisas da sua lista.

E, bem assim, passei a ser dele, e ele nem sabia disso.

Promete?, escrevi.

Prometo, respondeu.

Passei a mão pelo quadro para apagar as palavras, mas só a minha pergunta desapareceu. Ele sorriu e me mostrou a caneta que usou.

— Não vai sair. Queria que você ficasse com o quadro assim. Mantenha a minha promessa. Amanhã compro um quadro novo para as nossas outras conversas.

Meus lábios se abriram como se eu fosse falar alguma coisa, mas nenhuma palavra saiu.

Ele sorriu, sabendo o que eu queria dizer.

— De nada. Vamos ouvir música?

Assenti. Nós nos deitamos na cama, e ele pegou o iPod.

— "Waterfall", do The Fresh & Onlys. O modo como a guitarra vai subindo durante a música é do caralho. Parece que você está no meio do nada e de tudo ao mesmo tempo. Se prestar atenção, consegue perceber que o baixista é perfeito também. A maneira como ele toca os acordes... — Ele suspirou, batendo a mão no peito. — Muito maneiro.

Eu quase nunca entendia as coisas que ele dizia quando começava a falar sobre música, mas gostava de como aquilo o deixava vivo.

— Brooks. — A cabeça de Calvin apareceu na fresta da porta. — O ensaio começa em cinco minutos. Vamos logo. Precisamos repassar a carta que vamos enviar junto com as fitas demo.

Brooks e Calvin eram famosos... bem, *meio* famosos — do tipo "só eu sabia que existiam". Eram vocalistas da banda deles e se apresentavam muito bem na nossa garagem. Mesmo que ainda não tivessem sido descobertos, eu sabia que um dia seriam famosos de verdade.

Eles eram bons demais para não serem notados.

— Você vai gravar para a gente, né, Magnet? — perguntou Brooks, levantando-se da cama e parecendo mais animado que nunca.

É claro que eu ia. Peguei a câmera e me levantei. Com a outra mão, peguei o livro que estava lendo. Eu nunca faltava aos ensaios da banda. Era o ponto alto do meu dia. Sempre me sentava na cozinha e os gravava de lá. Meus pais me deram uma filmadora porque o terapeuta tinha dito que achava que isso poderia fazer com que eu me abrisse e falasse com a câmera ou algo assim. Acabou que passei horas encarando a minha imagem, piscando. Então, em vez de desperdiçar o presente, eu o usava para gravar a banda do meu irmão.

Antes de ir para o andar de baixo, fui até a janela que dava para a rua e olhei para a varanda da Sra. Boone, onde ela estava sentada na cadeira de balanço, com Muffins ao seu lado.

Seus lábios se moviam em uma conversa com um homem invisível sentado na outra cadeira de balanço, imóvel ao seu lado. *O seu Stanley.*

Meus dedos tocaram o vidro frio, e seus lábios se abriram em um sorriso. Ela riu de alguma coisa que tinha dito e tocou a cadeira ao seu lado, fazendo-a balançar.

A Sra. Boone já não tinha uma vida tão ativa e, por muitos dias, vivia apenas com as suas lembranças. Nas horas vagas, ficava me dizendo como eu deveria construir as minhas próprias recordações. Isso poderia parecer triste, mas, para mim, a Sra. Boone tinha muita sorte. Ela poderia estar sozinha agora, mas, na sua cabeça, ela nunca ficou realmente só.

As minhas lembranças eram esparsas e algumas delas, talvez a maioria, eu certamente tinha roubado dos livros. Parte de mim ficou com raiva pela forma como ela me provocou, mas outra parte sabia que eu precisava de uma sacudida. Ela era um dos motivos de eu ter uma lista de coisas a fazer. Mesmo expressando isso de um modo grosseiro, ela ainda acreditava que eu tinha um futuro.

E aqueles que acreditam em você quando nem mesmo você acredita mais são justamente aqueles que você precisa manter por perto.

Capítulo 10

Maggie

— Um, dois, um, dois, três, quatro! — contou Calvin na garagem antes de começar a tocar baixo com Brooks e a banda.

Fiquei sentada no piso da cozinha, gravando tudo pela porta aberta e, sempre que eles paravam para conversar, eu voltava a ler meu livro.

Quando eu era mais nova, ler não era o que eu mais gostava de fazer, mas, à medida que os anos se passaram, a leitura se tornou a voz que perdi. Era quase como se os personagens morassem na minha cabeça e compartilhassem seus pensamentos comigo, e vice--versa.

Nos últimos oito anos, li mais de oitocentos livros. Vivi mais de oitocentos "era uma vez". Eu me apaixonei umas seiscentas e noventa vezes, senti desejo umas vinte, odiei alguém umas dez bilhões de vezes. Por meio daquelas páginas, fumei maconha, saltei de paraquedas e nadei pelada. Fui apunhalada pelas costas por amigos tanto física quanto emocionalmente e chorei a perda de entes queridos.

Vivi a vida de cada personagem dentro das paredes do meu quarto.

Meu pai trazia um livro novo para mim — ou cinco — a cada duas semanas, no dia em que recebia seu pagamento. Ele devia gastar uns vinte por cento da sua vida em livrarias, escolhendo minha próxima leitura.

Eu adorava o momento em que os meninos chegavam da escola e iam tocar na garagem, era a minha hora preferida do dia. Sempre ficava sentada lendo e escutando as músicas. Mas quando eles começavam a discutir sobre a letra, os acordes ou a bateria de Owen, eu fazia uma pausa na minha leitura.

— Rudolph, só estou dizendo que você está fora do ritmo — disse Oliver, o tecladista.

Ele era um cara enorme que suava pra caramba. Todas as suas camisas tinham manchas de suor. Quando se levantava do banco do teclado, as manchas no seu traseiro eram grandes, e os outros debochavam dele por causa disso. Além do mais, estava sempre com fome — o tempo todo. Quando não estava comendo, falava sobre comida. Era um carnívoro; amava qualquer tipo de carne mais do que qualquer outra pessoa que já conheci. Além do suor excessivo e do amor por filé, Oliver era o mais fofo do grupo e nunca brigava com ninguém, a não ser quando esse alguém era Owen, ou Rudolph, como o chamavam. Os dois brigavam por tudo. Naquele dia, a briga começou porque Rudolph estava fora do ritmo.

— Você não sabe o que está falando, Oli. Está tocando muito rápido. Precisa ir mais devagar.

Rudolph era o extremo oposto de Oliver — vegetariano, magro como um palito e sempre com várias camadas de roupas, porque não importava a temperatura, ele estava sempre com frio e com o nariz vermelho, daí o apelido inspirado na rena.

— Cara, tá de sacanagem comigo? Você não sabe nada. Você precisa... — começou Oliver.

Rudolph o interrompeu.

— Não, você precisa...

— LIMPAR OS OUVIDOS — gritaram os dois ao mesmo tempo.

Levou apenas alguns segundos até que eles se encarassem, empurrando um ao outro e gritando. Oliver passou o braço pelo pescoço de Rudolph e forçou o rosto dele em direção a sua axila.

— Eca! Que nojo, cara. Fala sério, Oli! Ninguém merece isso! — gritou Rudolph, e seu rosto ficou da cor do nariz. — Dá para me soltar?

— Diga, diga agora! — ordenou Oliver. — Diga que sou o melhor tecladista!

— Você é o melhor tecladista, tá, cabeção?

— E diga que a nossa mãe me ama mais porque eu nasci primeiro! — debochou.

— Vá se foder, Oli... — O rapaz puxou ainda mais a cabeça de Rudolph, e o irmão choramingou como um cachorrinho. — Tá bom. A mamãe te ama mais. Ela te ama mais, seu idiota.

Oliver soltou o irmão dezessete minutos mais novo com um sorriso. Os dois eram gêmeos e brigavam com frequência. Era sempre algo interessante de se assistir.

Enquanto eu observava os garotos brigando, Brooks e Calvin estavam em um canto, olhando para um caderno onde escreviam as letras das músicas e anotavam as ideias que tinham para a banda. Na maior parte do tempo, eles eram tão idiotas quanto os gêmeos, menos durante os ensaios. Eles estavam motivados, concentrados e determinados a serem os diamantes brutos saídos direto de Harper County, Wisconsin, para Hollywood.

Minha mãe chegou na cozinha carregando quatro caixas de pizza e gritou:

— Meninos! Comida!

Isso foi o suficiente para que entrassem em casa. A única coisa melhor do que Hollywood era pizza de pepperoni.

Eu me sentei à mesa com eles enquanto falavam sobre os planos de terem mansões, Ferraris, iates e macacos de estimação quando fizessem muito sucesso.

— Vocês não acham que a gente deveria escolher um nome para a banda, já que vamos fazer tanto sucesso? — perguntou Rudolph, comendo sua pizza de muçarela sem glúten.

— Espere um pouco, então "Parrots Without Parents" foi vetado? — perguntou Brooks, limpando o molho do rosto com as costas da mão.

— Achei incrível — opinou Oliver.

— Eu achei ridículo — discordou Rudolph. — A gente devia escolher alguma coisa que tenha a ver com ninjas!

— Não, piratas!

— Piratas ninjas! — gritou Calvin.

Os garotos começaram a falar ao mesmo tempo, e eu fiquei ali, quieta, mordiscando a minha pizza e observando-os. Na maior parte do tempo, eu me sentia como uma mosquinha na parede sempre que estava perto das pessoas, meio que ouvindo o que acontecia em suas vidas, porque, geralmente, elas se esqueciam da minha existência.

Mas, de vez em quando...

— O que você acha, Magnet?

Brooks me cutucava com gentileza e, com o breve toque, tudo dentro de mim se aquecia. Seus olhos sorriam para mim, e o meu coração disparava. Eu amava isso nele. Amava o modo como ele sempre me notava, mesmo quando o resto do mundo não conseguia fazer isso. Sorri para ele e dei de ombros.

— Fala sério! — exclamou, abrindo o caderno até uma página em branco e me entregando a caneta. Ao pegá-la, permiti que meus dedos se demorassem um pouco mais em sua mão. Ele observava cada um dos meus movimentos, e eu me certificava de que cada um deles fosse importante.

Será que ele sentiu isso? O meu calor? O meu desejo? A minha necessidade?

Quando comecei a escrever, ele sorriu, observando as curvas feitas pela minha mão enquanto ela percorria o papel. Quando terminei, empurrei o caderno na direção dele.

— Crooks — leu em voz alta, segurando o caderno.

— Crooks? — perguntou Rudolph, surpreso.

— *Crooks?* — repetiu Oliver, ainda mais alto que Owen.

— "C" de Calvin, "O" de Owen, o outro "O" de Oliver e "Brooks" em meio a todo o resto. — explicou. — É isso, Maggie?

Confirmei com a cabeça.

Isso. Isso.

O fato de ele ter entendido o significado do nome sem a necessidade de qualquer explicação fez meu coração querer explodir. Como ele conseguia entender meus pensamentos sem que eu os verbalizasse? Como ele conseguia ler a minha mente com tanta facilidade?

— Crooks! — exclamou Calvin, batendo com a mão na mesa. — Adorei. Gostei pra cacete. Pensem em como vamos nos apresentar: "Oi, somos os Crooks e estamos aqui para tocar para vocês."

Ri enquanto eles continuavam discutindo.

— Somos os Crooks e estamos aqui para roubar o seu dinheiro — brincou Oliver.

— Somos os Crooks e estamos aqui para roubar seus corações. — Brooks riu.

— Isso! E que tal: somos os Crooks e... e... — Rudolph franziu o cenho. — Bem, droga, vocês todos já usaram as melhores tiradas.

— Bobeou, dançou, irmãozinho. Talvez, se você comesse um pouco mais de proteína, seu cérebro não seria tão lento. — Oliver riu.

— Pois é, Oli, porque comer o Bambi torna você tão inteligente! É isso. É por isso que você tirou dez em cálculo, não é? — perguntou Rudolph em tom sarcástico. — Ah, espere, você tirou quatro.

Os gêmeos começaram a discutir, e eu sabia que nada os faria parar até ela aparecer. *Cheryl.* Ela parecia completamente recuperada da conversa com o ex-namorado mais cedo. Tinha voltado a ser charmosa, como sempre.

— Oi, meninos — cantarolou ela, balançando os quadris e enrolando uma mecha de cabelo no dedo.

Eu te ensinei isso quando éramos crianças!

— Não sabia que todo mundo ia estar aqui hoje.

Cheryl sempre fazia essa voz mais grave e estranha quando falava com garotos. Tentava ser sedutora, mas, para mim, parecia que ela tinha fumado uns quinze maços de cigarro por dia. Ridículo. E, é claro que ela sabia que eles estavam ensaiando — eles sempre estavam na nossa casa.

— Ah, oi, Cheryl! — Os gêmeos se empertigaram, e seus olhares pousaram nos "gêmeos" fartos que despontavam do decote da minha irmã.

— Você está bonita — elogiou Rudolph.

— Está linda! — disse Oliver.

— Radiante!

— Maravilhosa!

— Sexy! — exclamaram os dois ao mesmo tempo.

Cheryl piscou e os ignorou completamente, olhando apenas para Brooks, que não estava dando a mínima para ela. Ele e Calvin haviam voltado a atenção para o caderno, para os planos. Brooks nunca pareceu interessado na minha irmã, provavelmente porque a conhecia desde que ela usava fraldas. No entanto, eu sabia que isso a incomodava. Todas as meninas queriam que ele as notasse, inclusive eu.

— Oi, Brooks — cumprimentou ela. — Como você está?

Cheryl continuava enrolando a mecha no dedo, e eu revirei os olhos. Brooks ergueu o olhar para ela antes de se voltar novamente para o caderno.

— Estou bem, Cheryl. E você?

Ela se sentou à mesa de jantar e cruzou os braços para que os seios parecessem ainda maiores.

— Tudo bem. Jordan terminou comigo hoje.

Sério? Ele terminou com você? Não foi o que ouvi...

— Sério? — perguntou ele, com educação, mas nem um pouco interessado. — Sinto muito.

— É. Estão dizendo que você terminou com a Lacey. — Ela assumiu uma expressão dramática, é claro. — Ou que ela terminou com você. Que chato.

Ele deu de ombros.

— Acontece.

— É, mas é chato porque eu deveria ir ao baile com ele; ele está no último ano. Já até comprei o vestido.

— Eu não tenho par! — disse Rudolph.

— Nem eu — emendou Oliver.

— Mas acho que vocês não têm smoking. Sei que o Calvin e o Brooks saíram para comprar os deles... Ah! Tenho uma ideia! — gritou ela, unindo as mãos.

Ah, não.

— E se fôssemos juntos, Brooks? A gente poderia ir como amigos, sabe? Não faz sentido a gente perder a festa, não é?

Brooks hesitou, porque era legal. Ele não queria deixar Cheryl constrangida na frente de todo mundo, e ela sabia muito bem disso. Por isso fez a sugestão diante do grupo.

— Você não acha que é uma ótima ideia, Maggie? — perguntou ela, dirigindo-me um olhar de advertência antes de se dirigir a Brooks com voz doce. — A Maggie ficou do meu lado depois do término hoje. Ela sabe como o baile é importante para mim. A gente tem falado sobre isso há semanas.

Não, não temos falado sobre isso. Nem sabia que a minha irmã ia ao baile até alguns minutos antes de o ex-namorado dar um tapa na cara dela.

Fechei os olhos por um instante.

...

— Bem... — A voz de Brooks me fez abrir os olhos. Ele passou a mão pela nuca e olhou para mim, implorando por ajuda. Mas o que eu poderia dizer?

Nada.

— Acho que tudo bem, se formos apenas como amigos.

Fiquei surpresa por um coração se estilhaçar em um lugar cheio de gente e o barulho não ser ouvido por ninguém.

Capítulo 11

Maggie

Eu odiava tudo relacionado ao baile — os vestidos, a música lenta, as flores. Odiava como tudo era artificial e clichê, como tudo parecia falso, mas, acima de tudo, odiava o fato de não poder ir a um baile porque estudei em casa. Também odiava o fato de Cheryl estar no segundo ano e ir ao seu *segundo* baile de formatura.

— Tipo, você não poderia ir com ele mesmo, não é? E não faz sentido ele ir sozinho, sabe? — Cheryl estourou a bola de chiclete várias vezes em frente à minha penteadeira e aplicou a décima quinta camada de batom vermelho. Eu estava na cama, com um livro sobre o peito, enquanto minha irmã enchia meus ouvidos.

Ela tirou o batom vermelho e colocou um tom roxo-escuro. Quando terminou, sorriu para si mesma, como se estivesse muito orgulhosa de sua beleza — como se ela mesma fosse responsável por aquilo, não a genética. Seu longo vestido dourado brilhava cada vez que Cheryl mexia os quadris, o que ela fazia com bastante frequência.

— Além disso — ela deu um sorriso maldoso —, acho que ele tem uma quedinha por mim.

Ri por dentro.

Não tem, não.

Ela se virou para me olhar e comprimiu os lábios.

— O que acha? Essa cor? Ou o vermelho? — Ela franziu o cenho. — Não sei por que estou perguntando. Você não sabe nada sobre maquiagem. Talvez soubesse mais se a sua cara não estivesse sempre enfiada em um livro. — Ela correu na minha direção e se sentou na minha cama. Segurei o meu livro com mais força junto ao peito, mas ela o arrancou de mim e o jogou no chão.

Minha nossa. Isso deveria ser algum tipo de violência, não? Ela tinha literalmente batido em dezenas de personagens — dezenas de amigos meus. Tirar o livro da minha mão era grosseiro, mas jogá-lo no chão era o suficiente para romper os nossos laços familiares.

— Sério, Maggie. Você já é estranha por não falar e não sair de casa. Quer mesmo ser conhecida como a garota que só lê? Isso é meio bizarro.

Seu rosto é meio bizarro.

Eu simplesmente sorri e dei de ombros.

Ela jogou o cabelo para o lado.

— Vamos voltar ao que importa. Tipo, eu tenho quase certeza de que ele está chateado porque a Lacey terminou com ele antes do baile. Além disso, sei o quanto você gosta dele, então me ofereci para acompanhá-lo. Afinal, você não ia querer que ele deixasse de ir a um lugar que ele queria ir. Só estou fazendo isso por você, Maggie.

Que gesto nobre.

Precisei me esforçar muito para não revirar os olhos para a minha irmã. *Irmã* — eu usava o termo com sarcasmo agora.

— De qualquer forma, falei com o Brooks que você tinha apoiado meu convite, então, valeu pela ajuda. — Ela me deu um sorriso falso e jogou o cabelo cacheado para o lado de novo. — Acho que o Calvin e a Stacey vão se encontrar com a gente no jardim para tirarmos fotos e coisas assim em dez minutos. Então, e aí, qual batom?

Apontei para o roxo porque queria que ela ficasse horrível.

Ela escolheu o vermelho e ficou maravilhosa.

— Perfeito! — Ela se levantou da cama, alisou o belíssimo vestido e dançou na frente do espelho uma última vez antes de sair. — É melhor eu ir logo. Brooks deve estar me esperando. — E saiu rebolando do meu quarto.

No instante em que desapareceu da minha vista, corri até o meu livro, peguei-o e passei a mão pela capa. *Sinto muito, amigos.* Abracei o exemplar, fui até a janela que dava para o jardim e olhei para o meu irmão e a namorada, rindo e se abraçando com suas roupas elegantes para o baile. Calvin tinha um jeito de fazer Stacey rir que o som chegava até mim. As mãos dela estavam sempre apoiadas no peito dele, e os olhos de Calvin estavam sempre nela. Eu ficava imaginando como seria ser vista por olhos cheios de amor.

Meu olhar foi até Cheryl, que estava tirando selfies enquanto esperava, impaciente, que Brooks aparecesse e desse o braço a ela. Ele nunca se atrasava para nada, e eu estava surpresa por ele não ter chegado ainda. Senti um aperto no estômago ao correr até a outra janela para ver se ele já estava atravessando a rua, vindo da casa dos pais. Eu não me lembrava da última vez que tinha visto Brooks de smoking, e estaria mentindo se não dissesse que estava morrendo de vontade de vê-lo. Ele era sempre tão lindo... tão feliz.

Meu coração estava disparado no peito, esperando-o sair de casa e atravessar a rua até o jardim, onde se encheria de desejo por Cheryl.

Fechei os olhos e respirei fundo. Fiz uma prece.

Não faça isso, Brooks.

Ele merecia mais. Mais do que os joguinhos de Cheryl.

Ele merecia ser amado por alguém que soubesse o quanto seus sorrisos de canto de boca eram lindos, o quanto ele era inteligente e bom em se comunicar sem as palavras.

— Você está bem hoje, Magnet?

Eram as minhas palavras favoritas. Meus olhos se abriram. Eu me virei e vi Brooks parado na porta do meu quarto, usando um smoking azul-marinho com uma gravata preta de bolinhas brancas e meias combinando. O cabelo castanho-escuro estava penteado para trás, e os olhos castanho-escuros eram sorridentes como sempre. Nas mãos, ele segurava uma pulseira, um bonito arranjo de flores amarelas e fitas cor-de-rosa.

Uau, Brooks.

Ele estava ainda mais bonito do que eu havia imaginado, e senti um frio na barriga ao passar a mão pelo meu cabelo. Sorri. Ele sorriu de volta, sempre com o canto esquerdo da boca. Eu me perguntava se ele sabia... se ele sabia como o sorriso dele me deixava tonta.

— Posso entrar? — perguntou, enfiando uma das mãos no bolso. Assenti. *Sempre.*

Ele entrou no meu quarto, foi até a janela e olhou para o jardim, onde Cheryl enviava mensagens de texto para alguém, os polegares batendo com força nas teclas. Em questão de segundos o celular de Brooks apitou.

— Ela já está puta da vida comigo por eu estar atrasado — explicou, balançando um pouco para a frente e para trás. O telefone apitou mais duas vezes. — Essa é a décima sétima mensagem que ela me manda.

Olhei para a minha irmã, que estava saindo com Brooks só para me provocar. Por algum motivo, ela se sentia melhor consigo mesma ao ver como eu ficava mal por não conseguir falar nem sair de casa.

— Eu não queria ir com ela — explicou. Ele inclinou a cabeça em minha direção. — Depois que a Lacey terminou comigo, pensei em ficar em casa ou algo assim. Jogar videogame. Ou vir aqui para ouvir música com você. Mas Cheryl ficou dizendo o quanto era importante para você que eu fosse com ela.

Ergui uma sobrancelha.

Ele riu.

— É, eu devia ter desconfiado disso. — Ficamos em silêncio por um tempo, observando Cheryl entrar em pânico e Calvin e Stacey se apaixonarem ainda mais. Alguns passarinhos passaram pela janela, e Brooks suspirou. — Será que os dois sabem como são irritantemente perfeitos?

Assenti, e ele riu. Sim, eles sabiam.

— Cal e eu vamos tocar no baile essa noite. Ele te contou?

Sim, ele me contou. Depois de passar anos ouvindo-os ensaiar na garagem dos meus pais, seria incrível poder vê-los tocar naquela noite. Um sonho se tornando realidade.

— Stacey vai gravar o show para mandar para você, se quiser ver.

Peguei a mão dele e a apertei duas vezes. *Sim.*

Ele apertou a minha mão também.

Sim. Sim.

— Quer dançar comigo, Maggie May?

Eu me virei para ele, e ele enrubesceu. Meu olhar pousou em sua boca, e me perguntei se as palavras que ele havia acabado de dizer eram apenas fruto da minha imaginação. Ele mordeu nervosamente o lábio e deixou escapar um sorriso.

— Tipo, você não é obrigada. Sinto muito. Foi burrice. Eu só... Agora que a Lacey terminou comigo, e a Cheryl foi tão... Cheryl, achei que seria legal dançar com alguém com quem eu realmente me importo no dia do baile.

Minha respiração ficou pesada. O livro começou a escorregar dos meus braços, enquanto meu olhar de pânico encontrava o olhar aflito de Brooks.

Eu nunca havia dançado. Não sabia fazer isso.

Só havia lido sobre danças e bailes, e duas pessoas se tornando uma só nos braços uma da outra.

— Você não precisa fazer isso. Foi mal. — Ele pigarreou e olhou de novo pela janela. — Idiota — resmungou, e percebi que ele estava se torturando.

Coloquei o livro no peitoril e concordei com a cabeça.

Ele deve ter percebido meu gesto com o canto dos olhos, porque sorriu sem se virar para mim.

— Sim? — perguntou.

Sim.

Passei os dedos pelo cabelo bagunçado e senti um arrepio. Meu vestido longo branco não se parecia em nada com o da minha irmã nem com o da Stacey. Eu não estava maquiada, e meu corpo, pálido como um fantasma, tinha poucas curvas, mas Brooks não parecia se importar. Ele sempre fazia com que eu sentisse que era suficiente, e isso bastava.

Ele se virou para mim e sorriu.

— Me dá a sua mão? — pediu.

Estendi o braço, e ele colocou a pulseira que daria a Cheryl no meu pulso.

— Só para parecer mais real, sabe?

Ele pegou o iPod no bolso e passou pelas músicas antes de escolher uma. Entregou-me um dos fones e pegou o outro, então apertou o play e colocou o aparelho no bolso da frente da calça. Ergui a sobrancelha, sem saber que música era aquela.

— É só uma música que eu compus e gravei o acústico há um tempo. É instrumental. Ninguém ouviu a letra nem nada, mas acho que posso cantar ela agora, porque eu a escrevi para você.

Uau.

Eu já amava a música.

Brooks veio até mim com a mão estendida, e eu dei um passo para a frente. Ele colocou os braços em volta da minha cintura, e os meus envolveram seu pescoço enquanto ele me puxava mais para perto. A pele dele tinha cheiro de creme de barbear e mel — meu novo cheiro favorito. Se isso era um sonho, jurei que não queria acordar nunca mais. Ele começou a cantar.

Ela se apoia no meu peito quando a chuva começa a cair.
Parece tão frágil, sem destino, as paredes fazem ela se retrair.
Ela implora por um momento em que possa respirar.
Em que sua alma dolorida e silenciosa possa se alegrar.

Senti uma dor no peito ao ouvir a voz dele. Seus lábios próximos aos meus, suas palavras sendo vertidas em mim. Senti a respiração de Brooks e seus dedos trêmulos em minhas costas. Senti sua alma, meu corpo pressionado contra o dele, meus olhos encarando os lábios que cantavam. Brooks...

Serei a sua âncora.
Vou te abraçar nas noites difíceis.
Vou ser o seu porto seguro
nas marés solitárias e escuras
Serei o seu apoio, a sua luz, prometo que bem você vai ficar.
Serei a sua âncora,
e juntos vamos ver essa batalha acabar.

Ele estava me deixando louca. Seu abraço, seu toque, sua voz, suas palavras. A alma dele acendia um fogo em mim, e eu estava feliz de me queimar ali, ao lado dele.

Ela tenta escapar todos os dias de sua mente.
Perde as esperanças quando a escuridão a prende.
Escapa para longe de mim, e eu tento me segurar.
Prometo que tudo vai ficar bem quando a noite acabar.

Serei a sua âncora.
Vou te abraçar nas noites difíceis.
Vou ser o seu porto seguro

nas marés solitárias e escuras.
Serei seu apoio, a sua luz, prometo que bem você vai ficar.
Serei a sua âncora,
e juntos vamos ver essa batalha acabar

Serei seu apoio, a sua luz, prometo que bem você vai ficar.
Serei seu apoio, a sua luz, baby, prometo que bem você vai ficar.
Serei a sua âncora,
e juntos vamos ver essa noite acabar

— Maggie — sussurrou ele, nossos lábios ainda distantes. Nossos corpos esbarraram um no outro, e ele riu. — Você está tremendo.

Você também.

Ele sorriu como se tivesse lido a minha mente, e eu me esforcei para ler a dele.

— Você é minha melhor amiga, Magnet, mas... — Seus lábios se aproximaram, e juro que os senti roçarem os meus. Seus dedos acariciavam as minhas costas em movimentos circulares, e eu me derretia cada vez que um círculo se completava. — E se ela estiver certa? E se Lacey realmente notou alguma coisa? E se houver mais do que amizade entre a gente? — Ele segurou as minhas costas com mais força. Nossos lábios roçaram novamente, e senti um frio na barriga.

— Dê um passo para trás, e eu também darei — disse ele. Eu me aproximei ainda mais de Brooks e pousei a mão em seu peito, sentindo as batidas do seu coração. Seu olhar pousou nos meus lábios, e o tremor dele virou o meu. — Diga que eu não devo te beijar, Maggie. Dê um passo para trás, e não vou beijá-la.

Fiquei parada.

É claro que fiquei parada.

Fiquei parada e esperei, morri e esperei.

Quando seus lábios deslizaram pelos meus, eu me senti tonta, eu voltei à vida.

Seus lábios pressionaram os meus, gentilmente no início, e tudo dentro de mim se tornou parte dele. Seus dedos seguraram minhas costas com mais força, seus lábios pressionaram ainda mais os meus e, pela primeira vez em muito tempo, eu senti.

Felicidade.

Isso é real?

Eu posso sentir isso?

Eu posso ser feliz?

A última vez que fui beijada foi pelo mesmo garoto que me abraçava agora, que me mantinha perto de si como se eu fosse a promessa de um sonho.

O beijo foi diferente de todos aqueles, anos atrás. Dessa vez não contamos os segundos, mas contei cada respiração que ele roubou de mim.

Uma...

Duas...

Vinte e cinco...

Dessa vez, o beijo parecia tão real, tão perfeito, como se fosse durar para sempre.

Dessa vez é para sempre.

— Maggie, você viu...

Brooks me soltou e se afastou num sobressalto, virando-se de costas para a pessoa na porta. O fone foi arrancado do meu ouvido, fazendo-me cambalear um pouco para a frente.

Meus olhos voaram para minha mãe, que estava parada, chocada.

— ...o batom vermelho da Cheryl? — ela terminou a pergunta. Um silêncio estranho tomou conta do quarto, e mamãe semicerrou os olhos para Brooks enquanto ele ajeitava a gravata. — Brooks, acho que a Cheryl está lá embaixo esperando para tirar fotos.

— Certo, é claro. Obrigada, Sra. Riley. Deixe-me só pegar... — Ele veio até mim e tirou a pulseira do meu braço e, assim, o para sempre acabou. — Eu... hã... vejo você mais tarde, Maggie.

Ele passou correndo pela minha mãe, mantendo a cabeça baixa, constrangido.

Minha mãe ficou ali, olhando para mim, e consegui sentir a decepção em sua postura. Corri até a penteadeira, onde Cheryl tinha deixado o batom, e o entreguei para ela.

— Ela é sua irmã, Maggie May, e vai ao baile com o Brooks. O que você pensa que está fazendo?

Abaixei a cabeça.

Não sei.

— Sei que a Cheryl pode ser difícil às vezes, mas... *ela é sua irmã* — repetiu.

Ela saiu antes de eu ter a chance de escrever uma resposta. Ela não teria lido, de qualquer maneira. Minha mãe era como a Sra. Boone nesse sentido — ela queria palavras de verdade, não pedaços de papel.

Fui até a janela e vi os braços de Brooks na cintura de Cheryl, para as fotos. Ele dava o seu melhor sorriso falso para a câmera, e sempre que olhava para a minha janela, eu saía de vista.

Foi um lindo sonho, eu e ele.

Mas foi só isso.

Um sonho do qual fui forçada a acordar.

* * *

— Sua piranha! — berrou Cheryl, entrando no meu quarto enquanto eu vestia o pijama. Puxei a calça para cima, assustada, e quase perdi o equilíbrio. O rímel dela escorria pelo rosto com as lágrimas, e o batom vermelho estava borrado. A barra do vestido parecia ter sido arrastada na lama, e seus olhos estavam arregalados. — Não acredito! Não acredito que contou para eles!

Pisquei uma vez, confusa. *Contei o que para quem?*

— Ah, não banque a inocente. — Ela riu, histérica, e, pelo seu riso, vi que ela estava sob efeito de alguma coisa. Os olhos estavam agitados demais para que ela se encontrasse em seu estado normal. — É ridículo que alguém acredite em qualquer merda que você fale, quando você, na verdade, é um monstro! Não acredito que tenha contado aos nossos pais sobre o que aconteceu com o Jordan ontem!

Meus lábios se abriram, mas nenhuma palavra saiu, o que a deixou ainda mais irritada. Corri para pegar um pedaço de papel e uma caneta para dizer que eu não tinha contado nada, mas ela deu um tapa na minha mão, derrubando-os.

— Qual é o seu problema? Por que abre a porra da boca se não vai dizer nada? E para que escrever no papel? Isso é o mesmo que falar, Maggie! Só use a porra da sua voz, aberração!

Meu corpo começou a tremer na medida em que a raiva dela aumentava. Ela foi até as paredes do meu quarto e começou a derrubar todos os meus livros perfeitamente arrumados. Ela os jogou no chão, furiosa, e começou a arrancar as páginas deles.

— Como você se sente agora, hein? Como você se sente vendo alguém foder com a sua vida do jeito que você fodeu com a minha?

Nunca a vi tão louca, tão furiosa.

— Papai apareceu no baile e brigou com Jordan. Foi um vexame do caralho. Mas isso não é tudo... não. Antes de ele me envergonhar na frente da escola inteira, tentei beijar o Brooks, e ele disse que não podia fazer isso. E sabe por quê? — Ela deu uma risada histérica, pegou outro livro e começou a arrancar as páginas. Corri para tentar impedi-la, mas ela era mais forte que eu. — Porque ele disse que sente algo por você. Por você! Dá para acreditar? Eu não consegui. Por que alguém ia te querer? O que você vai fazer? Namorar com ele sem nunca sair de casa? Vocês terão jantares românticos na sala de estar? Você não merece o Brooks. Você não merece merda nenhuma!

— Cheryl! — gritou meu pai, correndo pelas escadas. — Vá para o seu quarto.

— Você está brincando? Ela pode arruinar a minha vida e sou eu que fico de castigo?

— Cheryl — disse meu pai em tom de alerta. Ele nunca perdia a paciência. — Vá para o seu quarto *agora*. Você está bêbada e drogada e, amanhã de manhã, vai se arrepender das coisas que está dizendo para sua irmã.

— Ela não é minha irmã! — explodiu Cheryl antes de soltar as páginas que haviam ficado no livro. — Eu queria que você tivesse ficado perdida na floresta. — Ela empurrou meu pai ao passar. — E você não é meu pai.

Eu vi: uma parte do coração do meu pai se despedaçou.

Ele se abaixou e começou a pegar meus livros, e eu coloquei uma das mãos no braço dele para impedi-lo.

Ele sentiu o meu tremor, e eu senti o dele.

Meu pai levou a mão à testa e soltou o ar pesadamente.

— Você está bem?

Assenti devagar.

— Sua mãe encontrou o papel amassado no quarto da Cheryl. Nós dissemos isso a ela, mas ela estava bêbada demais para entender qualquer coisa. Brooks já estava tentando trazê-la para casa, mas ela foi embora com o Jordan antes de conseguirmos fazer alguma coisa, e, pelo visto, chegou aqui antes de nós. — Ele tirou os óculos, e seus dedos massagearam a parte de cima do nariz. — Eu deveria ter vindo mais rápido, assim ela não descontaria a raiva em cima de você dessa forma. — Seus olhos ficaram cheios de lágrimas. — Os seus livros.

Peguei a mão dele e a apertei uma vez. *Não*. Não era culpa dele.

— Deixe eu te ajudar a arrumar essa bagunça.

Apertei a mão dele de novo. *Não*.

Ele me deu um sorriso triste e me puxou para um abraço. Beijou a minha testa e disse:

— As batidas do seu coração fazem o mundo continuar girando.

Eu queria acreditar nele, queria mesmo, mas, naquela noite, as batidas do meu coração fizeram o mundo se estilhaçar.

* * *

— Que merda — murmurou Brooks, parado na porta do quarto, um tempo depois.

Sua gravata estava pendurada no ombro, e as mãos, enfiadas nos bolsos da calça. Eu estava sentada no meio do quarto, cercada pelos meus livros e pelas páginas rasgadas. Era impossível saber onde os pedaços se encaixavam.

Estavam todos destruídos.

Meus olhos se fixaram nos de Brooks, e ver a mágoa neles me fez perceber como tudo parecia horrível. Eu estava sentada no meio de um quebra-cabeça de histórias e não fazia ideia de como encaixar as peças.

Ele franziu o cenho.

— Você está bem, Magnet?

Fiz que não com a cabeça.

— Posso entrar?

Fiz que sim.

Ele caminhou pelos livros na ponta dos pés para não pisar nas lombadas.

— Não é tão ruim.

Mentiroso.

Quando ele respirou fundo, meu olhar recaiu em suas mãos, que seguravam o meu diário.

— Ah, não... — lamentou ele, suavemente.

Minhas emoções me dominaram.

A minha lista de coisas para fazer estava completamente destruída. Dezenas e dezenas de aventuras que eu esperava vivenciar um dia estavam arruinadas. Não consegui conter o choro e irrompi em lágrimas.

Sei que parecia estar sendo dramática, mas aqueles livros, aqueles personagens... Eles eram meus amigos, meu refúgio, minha proteção.

A lista era a minha promessa de um amanhã.

E agora eu não tinha nada.

Brooks me abraçou bem apertado, e eu me apoiei no seu peito, soluçando.

— Você vai ficar bem, Maggie — sussurrou. Uma promessa que parecia vazia. — Você só está cansada. Vamos consertar tudo isso de manhã. Vai ficar tudo bem.

Ele me levou até a cama e me deitou nela; depois começou a engatinhar pelo quarto, procurando algo nas pilhas de livros. Quando encontrou um que não estava destruído, sentou-se no chão ao lado da minha cama e o abriu na primeira página. Dobrou as pernas e apoiou o livro nos joelhos. Então, removeu as abotoaduras, dobrou as mangas da camisa e, finalmente, pegou o livro de novo.

— *The Walk Home* — começou pelo título. — Capítulo Um. Lauren Sue Lock não estava tendo um bom dia...

Ele leu para mim enquanto eu chorava incontrolavelmente. Continuou a ler quando as minhas lágrimas secaram e as batidas do meu coração se acalmaram. Quando as minhas pálpebras ficaram pesadas. Leu até eu adormecer.

Sonhei com sua voz lendo um pouco mais.

Quando acordei na manhã seguinte, ele tinha ido embora. Quando me levantei da cama, uma parte de mim se perguntou se ele realmente tinha ido até lá, mas ele deixou evidências suficientes para confirmar que sim.

Todos os livros estavam arrumados, do vermelho até o roxo. Todos os livros estavam cuidadosamente colados. Na minha mesa, a lista de coisas a fazer estava dentro do diário, danificada, mas, mesmo assim, mais inteira do que antes.

Sobre o meu diário, um bilhete em um Post-it que dizia: *Você está bem hoje, Maggie May Riley.*

Eu o amava.

Não sabia quando aquilo tinha acontecido. Não sabia se era um conjunto de momentos que fui reunindo com o tempo ou simplesmente o ato heroico que ele havia feito enquanto eu dormia, mas não importava. Não importava quando, nem o porquê, nem como aconteceu. Nem mesmo quantos momentos tivemos juntos para construir aquele amor. Ou se era certo ou errado.

O amor não vinha com explicações. Ele fluía das pessoas apenas com a esperança como fio condutor. Não havia uma lista de regras a serem seguidas para que ele se mantivesse vivo. Não havia instruções para mantê-lo puro. Ele simplesmente aparecia de modo sereno e implorava para que não o deixassem escapulir por entre os dedos.

Capítulo 12

Brooks

Existe algo a ser dito sobre o momento certo. Encontrar o momento certo em qualquer situação é sempre importante. Dizer as coisas certas na hora exata, tomar as decisões certas quando elas precisam ser tomadas. Enquanto eu andava até o quarto da Maggie, sentia um aperto no peito. Ao colar as páginas dos livros, não conseguia parar de me perguntar o que ela ia pensar quando acordasse na manhã seguinte. Queria fazê-la sorrir. Se eu pudesse me dedicar a apenas uma coisa pelo resto da vida, seria fazê-la sorrir, e já estava na hora de ela saber disso, de saber como eu me sentia. De saber que, quando estávamos juntos, ela estava sempre em meus pensamentos. E, quando estávamos separados, ela também não saía de lá.

— Queria ter devolvido seu livro ontem à noite, mas eu realmente precisava saber o que acontecia com Lauren Sue Lock. Além disso, comprei um novo quadro branco para você — eu disse, parado na porta do quarto de Maggie. — Você está bem hoje, Mag...

Antes que eu completasse a frase, Maggie correu até mim e pressionou os lábios nos meus. Dei um passo para trás no corredor e a acolhi em meus braços. Não questionei o beijo; mergulhei nele. Deixei que ela me beijasse, e eu a beijei também. Quando ela se afastou um pouco, coloquei uma mecha do seu cabelo comprido atrás da orelha.

Ela corou, e beijei o seu rosto. Ela baixou os olhos, e meus dedos tocaram seu queixo, erguendo-o para que ela me olhasse. Beijei seu rosto de novo. Depois, a testa. Então, o nariz. E cada uma das suas sardas quase imperceptíveis.

Então, seus lábios.

— Boa tarde, Maggie May.

Ela sorriu e beijou as minhas bochechas. Depois a minha testa. Então, o nariz. E cada sarda invisível do meu rosto.

Então, os lábios.

Eu a imaginei respondendo: *boa tarde, Brooks Tyler*.

Ela entrelaçou os dedos nos meus e nos levou para dentro do quarto. Quando entramos, chutei a porta para fechá-la.

Por um tempo ficamos de bobeira, simplesmente olhando e sorrindo um para o outro. Também nos beijamos. Acho que essa foi a minha parte favorita. Seu dedo dançou pelos meus ombros, e ela analisou meu corpo, como se quisesse se certificar de que eu era real. Os dedos escorregaram pelos meus braços antes de subirem pelo meu peito. Ela abriu a mão sobre o lado esquerdo, sentindo os meus batimentos.

— Por você — falei.

Ela enrubesceu mais um pouco, e beijei as suas bochechas de novo. Passei um dos dedos pela clavícula, desci pelos braços e subi até colocar a mão sobre o seu coração.

Ela mordeu o lábio inferior, ergueu a mão e apontou para mim. *Por mim.*

Seu coração batia por mim, e o meu, por ela.

— Gosto de você.

Ela fez um gesto que me dizia *eu também*.

— Quer namorar comigo? — perguntei.

Ela deu um passo para trás, quase chocada com a minha pergunta, e negou com a cabeça.

Dei um passo em direção a ela.

— Quer namorar comigo? — perguntei de novo.

Ela deu mais um passo para trás, negando com a cabeça.

— Dá para parar de dizer não, por favor? É meio que um golpe na minha autoconfiança.

Ela deu de ombros e foi até sua mesa para pegar um caderno e começar a escrever.

Como?

— Como? Como o quê? Como a gente namora?

Sim.

— Bem, como todo mundo namora, eu acho.

Como você namora outras pessoas? Como namorava suas ex?

— Sei lá, a gente ficava muito junto. Às vezes, a gente ia ao shopping, ao cinema... — Parei de falar. Ela franziu o cenho. Eu não poderia namorar com Maggie do mesmo jeito que eu namorei com outras garotas antes. — Ah, entendi, mas não estou pensando em namorar com elas. Quero namorar com você. Seja lá como for, é o que eu quero. Quero estar perto de você. Quero te beijar. Te abraçar. Quero te ver sorrindo. Além disso... — Peguei o diário dela. — Namorar está na sua lista.

Ela negou com a cabeça.

— Maggie, passei horas e horas colando esse caderno. Acho que sei o que está no seu diário. — Passei as páginas e mostrei a que eu estava procurando. — Número 56: namorar Brooks Tyler Griffin, do *Livro de Brooks*.

Ela deu um sorriso travesso. *Eu não escrevi isso.*

— Olha só, você não precisa ficar constrangida. Estou lisonjeado. Mesmo não tendo criado a lista, estou aqui para te ajudar a realizar cada item. Droga, se eu soubesse que você estava tão a fim de mim, a gente poderia ter começado a namorar há anos.

Maggie pôs as duas mãos na cintura, e eu soube exatamente o que ela estava pensando.

— Tudo bem, para ser justo, quando a gente tinha dez anos e você planejou o nosso casamento, eu estava na fase em que odiava garotas. Você não pode usar isso contra mim.

Ela riu baixinho e revirou os olhos. Eu amava isso. Amava quando ela ria, mesmo que baixinho. Era o mais próximo de ouvir sua voz que eu podia chegar.

— Viu só? Consigo saber o que está pensando sem você precisar falar. Você é a minha melhor amiga, Maggie. Se namorar significa passar todas as noites nessa casa com você, vou ser o cara mais sortudo do mundo. — Coloquei uma mecha do cabelo dela atrás da orelha. — Então, vou perguntar de novo: quer ser a minha namorada?

Ela negou com a cabeça, rindo, mas então começou a fazer que sim e depois deu de ombros. Eu conseguia ouvir suas palavras. *Não sei, Brooks. Tanto faz. Acho que posso ser sua namorada.*

Mensagem recebida.

Fomos até a cama, nos deitamos e peguei o iPod para a nossa primeira música oficial como casal. "Fever Dreaming", do No Age. A música era rápida, tudo que uma música romântica não deveria ser. Eu ia trocá-la, mas Maggie começou a tamborilar os dedos no colchão e a agitar os pés. Eu a acompanhei ao som da bateria. Instantes depois, estávamos de pé, pulando e dançando. Meu coração estava disparado; estávamos ali, lado a lado, curtindo a música. Quando acabou, estávamos ofegantes. Maggie pegou a caneta e escreveu no quadro.

De novo?

Toquei a música várias vezes. Dançamos muito até nossos corações estarem acelerados novamente, e nossa respiração, ofegante.

Aquela noite era o nosso momento certo.

Certo e maravilhoso.

Cada dia que eu passava com Maggie parecia certo.

Cada vez que eu segurava a mão dela, meu coração se aquecia.

Cada beijo parecia verdadeiro.

Cada abraço era perfeito, a não ser quando não era.

As coisas quase sempre eram perfeitas entre nós, mas, para ser sinccro, alguns dias eram difíceis.

Namorar com Maggie foi uma das melhores decisões que já tomei, mas isso não significava que tudo era sempre fácil. Mesmo assim, ainda era sempre a coisa certa a fazer.

Quanto mais tempo passávamos juntos, mais eu notava coisinhas que ninguém reparava nela — como ela se retraía ao ouvir o som de água corrente ou como pulava de susto quando estava de costas e alguém a tocava. Ou como ela se escondia em um canto quando havia mais de duas pessoas em um cômodo ou como as lágrimas escorriam por seu rosto às vezes, quando assistíamos a um filme. Eu perguntava por que ela estava chorando, e ela levava os dedos aos olhos, parecendo surpresa. Ela as enxugava com as costas da mão e dava um sorriso forçado, segurando o pingente de âncora.

E havia os ataques de pânico.

Durante todos esses anos, nunca soube dos ataques de pânico.

Ela os mantinha em segredo. E eu só sabia que existiam porque, em algumas noites, eu dormia escondido no quarto dela. Às vezes, ela dormia e se revirava tanto na cama que eu jurava que os pesadelos iam matá-la do coração. Quando eu a acordava, seus olhos se abriam arregalados, aterrorizados, como se ela não soubesse quem eu era.

Ela se encolhia e tapava os ouvidos, como se estivesse ouvindo vozes que não existiam. Seu corpo ficava coberto de suor, as mãos tremiam, e a respiração ficava pesada. Às vezes, ela levava os dedos ao pescoço, e sua respiração falhava e ficava ofegante.

Sempre que eu tentava mergulhar em sua mente, ela me afastava. Tivemos brigas em que só uma das partes gritava. Brigar com alguém que não revidava era pior do que brigar com alguém que atirava cadeiras. Eu me sentia impotente, como se estivesse gritando com uma parede.

— Diga alguma coisa! — eu implorava. — Reaja!

Mas ela sempre permanecia calma, o que só me deixava ainda mais irritado.

Eu ficava louco, tentando descobrir o que ainda a devorava por dentro, mesmo depois de tantos anos.

Eu ficava louco por não poder ajudá-la com seu sofrimento.

Eu havia namorado com algumas garotas antes dela, e sempre tinha me parecido fácil. Eu achava que, se tivéssemos assuntos em comum, isso significava que combinávamos. Se gostássemos das mesmas coisas, deveríamos ficar juntos. Nunca fiquei sem saber o que dizer nos meus relacionamentos anteriores; sempre conversávamos, por horas, às vezes. Quando ficávamos em silêncio, sempre parecia que tinha alguma coisa errada. Eu sempre estava em busca do que dizer na próxima conversa.

Não era assim com Maggie. Ela não reagia às palavras.

Durante o último ataque de pânico, descobri como podia ajudar. Antes, quando eu gritava com ela, exigindo que me deixasse entrar em sua mente, isso nunca funcionava. Quando implorava para entender o que estava acontecendo, ela se afastava ainda mais.

A música poderia ajudar. Eu sabia que sim. Era a única coisa que sempre tinha me ajudado. Enquanto ela estava sentada na cama chorando, apaguei a luz do quarto e coloquei a música "To Be Alone With You", de Sufjan Stevens, no iPod.

Não ajudou na primeira vez que tocou, nem na segunda, mas fiquei sentado, em silêncio, esperando a respiração dela voltar ao normal.

— Está tudo bem, Magnet — eu dizia de vez em quando, tentando tranquilizá-la, sem saber se ela me ouvia, mas torcendo que sim.

Quando ela finalmente se recuperou, a música já tinha tocado onze vezes.

Ela enxugou os olhos e pegou um pedaço de papel, mas fiz que não com a cabeça e dei uma batidinha no espaço ao meu lado no chão. Ela não precisava me oferecer palavras.

Às vezes, as palavras eram mais vazias que o silêncio.

Ela se sentou de frente para mim com as pernas cruzadas. Desliguei a música.

— Cinco minutos — sussurrei, estendendo a mão para ela. — Só cinco minutos.

Ela me deu as mãos e ficamos sentados, sem nos mexer, olhando nos olhos do outro por cinco minutos. No primeiro minuto, não conseguíamos parar de rir. Parecia um pouco ridículo. No segundo, rimos um pouco mais. No terceiro, Maggie começou a chorar. No quarto, choramos juntos, porque nada doía mais do que ver seus olhos tão tristes. No quinto, sorrimos.

Ela soltou a respiração, e eu também.

Era libertador compartilhar sentimentos tão intensos com alguém que os sentia da mesma forma. Era naqueles momentos que eu percebia que aprendia mais sobre ela. Era naqueles momentos que eu aprendia mais sobre mim.

Eu não sabia que era possível ouvir tão claramente a voz de alguém no silêncio.

Capítulo 13

Maggie

Brooks nunca mais me perguntou sobre os ataques de pânico, e fiquei feliz por isso. Ainda não estava pronta para me abrir sobre esse assunto com ninguém, e ele entendeu isso. Porém, eu sabia que, se um dia estivesse pronta, ele estaria disposto a me ouvir, e isso significava mais para mim do que ele poderia imaginar.

Em vez de passarmos o nosso verão discutindo assuntos sérios, nós o passamos com beijos. Quando não estávamos nos beijando, criávamos a nossa lista de coisas que queríamos fazer juntos no futuro. Eu gostava do fato de ele acreditar que um dia eu poderia sair de casa.

Gostava da ideia de ver o mundo com ele ao meu lado.

— Vai ser ótimo, Maggie. Além disso, já que vou para a faculdade na cidade vizinha, posso vir vê-la todos os dias à tarde, depois que as aulas acabarem. Vai ser tranquilo — garantia Brooks com frequência. Ele acreditava no nosso relacionamento, e isso me deixava mais esperançosa do que nunca.

Então, a gente se beijava de novo. Beijos e apenas beijos.

Eu não era boa nas outras coisas.

Isso não era surpresa nenhuma, porque eu nunca havia tido um namorado para treinar nada das coisas que as pessoas fazem quando estão namorando. Sempre que Brooks ficava comigo e suas mãos começavam a vagar pelo meu corpo, eu ficava tensa. Não porque ele me tocava — eu queria que ele o fizesse —, mas porque não sabia se deveria tocá-lo também.

Era constrangedor, e eu odiava isso. Eu tinha a sensação de que já havia lido livros com referências sexuais o suficiente para ser capaz de saber como tocar o meu namorado, mas isso estava longe da realidade.

— Sem problemas. Sério. — Brooks sorriu, levantando-se depois de uma das nossas sessões de beijos que sempre levavam a mais beijos. — Não precisamos apressar as coisas.

Mas eu não me sentia pressionada. Eu me sentia burra. *Onde coloco a mão? Será que ele vai gostar disso? Como posso saber se ele realmente está gostando?*

— É melhor eu descer para o ensaio da banda. — Ele ajeitou a calça jeans na altura da virilha, o que fez com que eu me sentisse ainda pior. Eu o provocava, mesmo que acidentalmente. — Vejo você lá embaixo, certo?

Assenti. Ele se inclinou e beijou a minha testa antes de sair.

Assim que saiu, peguei o travesseiro, coloquei-o no rosto e gritei em silêncio. Minhas pernas chutavam o ar de frustração. *Argh*!

Quando ouvi um choro baixo, tirei o travesseiro do rosto e vi Cheryl passando pelo corredor com a mão no rosto. Ela entrou depressa em seu quarto e bateu a porta.

Em questão de segundos, eu estava batendo na porta do quarto dela.

— Vá embora! — gritou.

Bati uma vez. *Não*.

Ouvi-a gemer.

— Por favor, Maggie, vá embora. Sei que é você.

Girei a maçaneta, abrindo a porta bem devagar. Ela estava diante do espelho, tocando um corte embaixo do olho, que ainda estava sangrando.

— Mas que droga, Maggie! Você não sabe ouvir?

Eu me aproximei, fiz com que ela se virasse para mim e examinei o corte. Dirigi a Cheryl um olhar questionador.

Ela fez uma careta.

— Jordan achou que a gente tinha voltado, já que eu o fiz me trazer em casa na noite do baile, há algumas semanas. E, considerando o quanto detesto ficar sozinha, acabei voltando com ele mesmo. Mas acontece que ele não me perdoou de verdade e, à medida que as semanas foram passando, ele foi ficando pior. Então, quando eu disse que não queria mais ficar com ele... ele ficou um pouco... chateado.

Senti um aperto no peito.

— Não se desespere, tá bom? — alertou ela ao se virar de costas e levantar a camisa. Levei as mãos à boca quando vi a pele rosada no ponto onde Jordan havia batido nela.

Cheryl...

Ela sorriu.

— Se você acha isso ruim, deveria ver como ele ficou.

Franzi o cenho.

Ela também franziu o cenho.

Ele provavelmente saiu da briga sem um fio de cabelo fora do lugar, deixando minha irmã com marcas não só no corpo, mas também na mente.

Saí do quarto e fui ao banheiro pegar uma toalha molhada e um curativo. Quando voltei, levei-a até a cama, puxei a cadeira da escrivaninha e me sentei. Quando comecei a limpar o corte, seu corpo ficou trêmulo.

— Não vou prestar queixa, Maggie. Sei que é algo que você gostaria que eu fizesse, mas não vou fazer isso. Ele já é maior de idade, e não posso arruinar a vida dele desse jeito.

Continuei limpando seu rosto sem demonstrar nenhuma reação às suas palavras.

— Tipo, a culpa é minha. Eu não deveria ter saído do baile com ele. Fiz com que ele entendesse tudo errado.

Bati na perna dela uma vez. *Não.*

Ela está se culpando. Isso já aconteceu comigo também. Às vezes, a minha mente ainda me culpa. *Eu não deveria ter ido à floresta. Ma-*

mãe me disse que não saísse sozinha. Eu me coloquei em uma situação de perigo. A culpa foi minha.

Mas, durante o banho, quando eu me afundava na banheira cheia de água, meus pensamentos ficavam mais claros.

De vez em quando, a nossa mente funciona como criptonita, e, por nosso amor próprio, precisamos mandar todas essas mentiras para o inferno.

Eu não tinha culpa de nada.

Nem Cheryl.

Uma lágrima escorreu pelo rosto dela, e ela a enxugou.

— Qual é a sua? Por que está me ajudando? Destruí o seu quarto e disse um monte de merda para você. E você está me ajudando. Por quê?

Dei de ombros.

Ela estendeu a mão, fazendo careta por causa da dor nas costas e pegou lápis e papel.

— Por que, Maggie?

Você é a minha família.

Mais lágrimas escorreram dos olhos de Cheryl, e ela nem tentou escondê-las.

— Sinto muito, sabe? Por tudo que fiz no seu quarto e com você. Eu só... — Ela ergueu as mãos em um gesto de frustração. Sua voz, cheia de vergonha e remorso. — Não sei o que estou fazendo com a minha vida.

Eu duvidava que a maioria das pessoas soubesse. Qualquer um que dissesse ter a vida sob controle estaria mentindo. Às vezes, eu me perguntava se havia algo a ser controlado ou se estávamos vagando por aí em busca de um sentido, quando ele, na verdade, não existia.

— Quero contar aos nossos pais o que ele fez — sussurrou ela, com os olhos cheios de tristeza. — Mas sei que eles vão se desesperar. Eles já estão putos comigo por todas as merdas que tenho feito. Eu consegui. Já estraguei muito as coisas para eles se importarem.

Bati na perna dela uma vez. *Não.*

— Como você sabe?

Mostrei a ela de novo o que eu havia escrito sobre família. Depois disso, ela tomou coragem para contar tudo aos nossos pais. No momento em que eles a abraçaram e disseram que nada daquilo era culpa dela, Cheryl soltou um suspiro, como se estivesse prendendo a respiração por anos.

* * *

— Sinto falta dele — confessou Cheryl, sentando-se na minha cama algumas semanas depois de terminar "oficialmente" com Jordan. O corte no rosto estava cicatrizando bem, mas eu sabia que o dano em sua mente não sararia tão rápido assim. — Tipo, não sinto falta *dele*. Sinto falta da ideia de ter ele. De ter alguém ao meu lado. Hoje, eu tentei me lembrar da última vez que fiquei solteira e não consegui.

Dei um sorriso torto, e ela continuou falando.

— E se eu for uma dessas garotas que não sabe ficar sozinha? E se eu sempre tiver que ficar com um cara? Como eu devo ocupar meu tempo se não tenho nenhum cara sobre o qual falar? Não sei se você já notou, mas não sou muito boa em fazer amizade com garotas. Elas não costumam vir conversar comigo, provavelmente, porque já roubei os namorados delas. O que eu devo fazer?

Eu me levantei da cadeira, fui até a estante e procurei um livro para minha irmã. *O conto da aia,* de Margaret Atwood. Entreguei o exemplar a ela.

Uma expressão sombria tomou conta de seu rosto.

— E o que devo fazer com isso? Maggie, eu não leio. — A combinação dessas quatro palavras criou a frase mais triste que eu já tinha ouvido. Empurrei o livro na direção dela e, dessa vez, ela o pegou. — Tudo bem. Vou tentar, mas só porque estou entediada pra caralho. Duvido que eu vá gostar.

Ela levou três dias para terminar o livro e, quando terminou, estava fazendo citações com uma emoção que eu nunca tinha visto nela.

— Você quer saber a frase que eu mais gostei? "Não permita que os cretinos a esmaguem." Meu. Deus. Isso. É. Bom. Pra. Caralho! Margaret Atwood é o meu totem. — Ela me entregou o livro e semicerrou os olhos. — Você tem mais algum desse estilo?

Eu emprestava um novo livro para ela a cada três dias. Depois de um tempo, passamos a fazer uma "noite das garotas" às sextas-feiras. Comíamos Doritos e tomávamos muito refrigerante deitadas no chão do quarto, os pés apoiados na cama.

— Caramba, Maggie. Esse tempo todo eu achava que você estava lendo para fugir do mundo, mas agora sei que você lia para descobri-lo.

Sem dúvida, a melhor noite foi quando Cheryl terminou de ler *A resposta,* de Kathryn Stockett. Durante a leitura, ela chorava, e o choro virava riso e vice-versa.

— AQUELAS FILHAS DA PUTA! — gritava ela de vez em quando. — Não, sério, QUE FILHAS DA PUTA!

Uma noite, às duas da manhã, eu estava dormindo quando Cheryl me cutucou para que eu acordasse.

— Maggie — sussurrou. — Mana! — Quando meus olhos se abriram, ela estava segurando um livro contra o peito e tinha um sorrisão. O tipo de sorriso que as crianças têm quando ouvem o caminhão de sorvete passando pela rua e têm moedas suficientes para comprar um picolé. — Maggie. Eu acho que sou aquela coisa. Acho que sou mesmo.

Cansada, esperei que ela se explicasse.

— Acho que finalmente sou aquilo. — Seu sorriso cresceu e, de alguma forma, me fez sorrir também. — Sou uma leitora.

À medida que os dias e semanas se passavam, Cheryl começou a ficar mais em casa à noite. Passava a maior parte do tempo lendo. Quando vinha ao meu quarto, não era mais para me contar suas aventuras malucas com caras diferentes. Ela começou a falar sobre alguns sonhos loucos — viajar o mundo, ver lugares diferentes sobre os quais tinha lido nos livros. Ela começou a escrever a sua própria lista de coisas a fazer.

Uma noite, quando Cheryl estava falando sobre Londres, comecei a falar sobre sexo, e ela ficou boquiaberta.

— Ai, meu Deus, Maggie! — exclamou ela, arrancando a folha de papel da minha mão e rasgando-a. — Em primeiro lugar, esse não é o tipo de conversa que você vai querer que o papai encontre. Em segundo lugar, você e o Brooks estão transando?

Senti o rosto queimar e neguei com a cabeça.

— Mas vocês estão fazendo algumas coisas, não é? Ai, meu Deus! Sonhei em ter essas conversas com você! Tudo bem. — Ela se sentou na minha cama e cruzou as pernas. — Me conte tudo que vocês já fizeram. — Seus olhos estavam arregalados de alegria.

A gente se beija.

Ela assentiu rapidamente.

— Tudo bem. Legal! O que mais?

Escrevi de novo que a gente se beijava.

— O quê? Mas vocês já estão namorando há semanas. É muito tempo para só ficar se beijando. Por que você não fez mais nada? Não está pronta? Porque, se não estiver, tudo bem. O Brooks não vai ligar.

Não. Eu estou pronta.

— Então qual é o problema?

Enrubesci. *Não sei fazer nada.*

— Você quer dizer... nada, nada? Tipo, usar as mãos? Ou a boca? Beijo grego? Beijo do súdito? — Ergui uma sobrancelha, e Cheryl assentiu. — Sei o que você está pensando, que é muita informação para sua cabeça, mas pode confiar quando eu digo que, se fizer certo, vale muito a pena.

Ai, meu Deus. Às vezes, eu não conseguia aguentar a Cheryl. Mesmo assim, tinha sentido sua falta.

Ela pulou da cama e saiu correndo do quarto. Quando voltou, trazia balas, bananas e algumas outras frutas, inclusive algumas rodelas de abacaxi.

— Tudo bem, vamos começar do início. — Ela pegou uma banana. — Masturbação para iniciantes.

— Oi, meninas! — cumprimentou Brooks, enfiando a cabeça pela fresta da porta do meu quarto.

Cheryl se jogou sobre os itens.

— A gente não está fazendo nada! — gritou ela.

Muito bem, mana. Isso não levantou nenhuma suspeita.

Brooks arqueou uma sobrancelha.

— Tudo bem. Eu só vim avisar que o jantar está pronto e que o seu pai me mandou embora porque não sou mais bem-vindo na casa onde a Maggie dorme.

Eu ri. *Parece algo que o meu pai diria.*

— Tudo bem, pode ir embora agora — respondeu Cheryl, dando um sorriso forçado para Brooks.

Ele veio até mim, deu um beijo na minha testa e disse:

— Até amanhã.

Quando ele foi embora, Cheryl resmungou e se sentou com uma banana esmagada no peito, deixando a coberta toda melada.

— Foi mal pela sujeira — desculpou-se, limpando a banana da camisa. — Mas pode confiar, se você fizer tudo certo, esse estágio melado é completamente normal.

Capítulo 14

Brooks

Em uma noite nublada de sábado, fui até o quarto de Maggie para ficarmos juntos. Passávamos muito tempo na casa dela, e eu não me importava nem um pouco com isso. Se ela estivesse lá, eu estava feliz. Ao chegar, ela já estava parada na porta com uma pilha de papéis nas mãos. Parecia diferente. O cabelo estava mais ondulado, e ela estava... maquiada? Ainda era bonita, mas um tipo de beleza diferente.

Adivinhe!

Abri um sorriso.

— O quê?

Ela deixou a primeira folha cair para revelar a próxima.

Meus pais compraram um celular para mim de presente de formatura.

— Sério?

Ela assentiu rapidamente e deixou cair a segunda folha.

Sério.

Entrei no quarto e dei uma espiada no corredor para me certificar de que o Sr. Riley não estava por ali antes de fechar a porta.

— Isso significa que agora posso mandar mensagens de texto indecentes para você?

Ela ficou vermelha. Não era muito difícil fazê-la corar, e eu amava sempre que isso acontecia. Ela passou pelas folhas para achar a resposta certa.

Não seja um pervertido.
Eu me aproximei ainda mais dela e a abracei.
— E que tal fotos pouco apropriadas?
Ela passou pelas páginas de novo.
Está sendo ainda mais pervertido.
Eu ri. Ela se inclinou, apoiando as mãos no meu peito. À medida que seus dedos iam descendo até a minha calça, ela deslizava lentamente a língua pelos meus lábios, abrindo-os antes de me beijar intensamente. Era uma coisa nova, e eu deixei escapar um gemido, amando aquilo mais do que ela poderia imaginar.
— Maggie, você não pode dizer para eu não ser pervertido e depois fazer uma coisa dessas.
Ela deu um passo para trás e mordiscou o lábio inferior. Outro papel.
Tudo bem. Pode ser pervertido.
Semicerrei os olhos, sentindo a calça apertar ao olhar para ela. Seu cabelo ainda estava um pouco úmido do banho. Descia pelos ombros, passando pelas alças finas do vestido longo. Ela estava simples, mas linda. Seu rosto ainda estava corado, mas os olhos, determinados.
— Você quer...?
Quero.
— E seus pais?
Ela deixou outra folha cair, e não consegui evitar o sorriso. Era como se ela soubesse todas as perguntas que eu ia fazer.
Na casa dos meus avós até amanhã.
— E o Calvin?
Com a Stacey.
— E a Cheryl?
Ela riu e revirou os olhos, mostrando mais uma folha de papel.
Quem pode saber?
Brooks?
— O quê?

A forma como Maggie se balançava nos calcanhares para a frente e para trás estava me matando. Ela era linda pra caralho, e eu jurava que ela não fazia ideia disso.

Ela ergueu a última folha que estava na sua mão.
Tire a minha roupa agora.
Dei um passo para a frente e passei os dedos pelo cabelo dela.
— Tem certeza? — perguntei.
Ela assentiu. Minha boca deslizou pelo seu pescoço, e eu o lambi lentamente, sugando-o de leve. Minha boca viajou até o seu ombro, beijando cada centímetro de pele e, quando cheguei à alça do vestido, eu a fiz descer pelo braço, mordiscando-o. Ela ofegou baixinho, e o som me fez desejá-la ainda mais.

— Vamos devagar. Não temos pressa — tranquilizei-a, pois sabia que era sua primeira vez.

Fui até a outra alça e a deslizei pelo braço, o que fez o vestido leve cair no chão. Dei um passo para trás, observando seu corpo. O sutiã de renda branco não combinava com a calcinha cor-de-rosa, mas, de alguma forma, isso era perfeito. Suas pernas eram esguias, e seus braços estavam estendidos ao longo do corpo.

— Você é linda — sussurrei.

Ela deu um passo na minha direção, pegou minha camiseta e a tirou, jogando-a em cima do vestido. Enquanto ela abria o cinto, tirei os sapatos e as meias. Ela abriu o zíper da calça, que foi para o chão.

Maggie observou o meu corpo, seus olhos passeando da cabeça aos pés, exatamente como eu havia feito com ela. Seus dedos acariciaram o meu peito e foram descendo cada vez mais, até chegarem ao elástico da cueca. Fechei os olhos quando roçaram minha ereção, e ela passou a me acariciar lentamente por cima do tecido.

— Mag... — gemi, sentindo que ela começava a me tocar com mais vigor.

Sua mão livre pegou o elástico da cueca e começou a tirá-la. Abri os olhos. Ela estava se ajoelhando. Suas mãos tremiam, e segurei seu braço.

— Maggie, o que está fazendo?

Ela olhou para mim, confusa.

— O que eu quero dizer... — Dei um sorriso torto. — Sei o que está fazendo, mas não precisa... — Puxei-a para que ficasse de pé. Meus dedos acariciaram seu cabelo. — Sei que você nunca fez nada disso antes.

Seus olhos ficaram cheios de vergonha, e ela começou a se virar. Eu a segurei e peguei as suas mãos.

— Quem te disse para fazer isso? Cheryl?

Ela apertou a minha mão duas vezes.

Odiei isso. Odiei o fato de ela sentir que precisava fazer certas coisas só porque os outros diziam para fazer.

— Cinco minutos? — pedi, dando alguns passos para trás.

Ela fechou os olhos, respirou fundo, e deu um passo para trás. Quando seus olhos se abriram novamente, ela sorriu e abriu o sutiã, deixando-o cair. Tirei a cueca, jogando-a para o lado. E ela deixou a calcinha deslizar pelas lindas coxas até o chão.

Ela ergueu a mão e assentiu. Cinco minutos.

Ficamos ali, olhando um para o outro. Cinco minutos para apagar os medos. Para nos lembrarmos de quem éramos. Aqueles minutos serviriam para descobrirmos nosso caminho, a nossa história.

Quando eles chegaram ao fim, peguei a mão de Maggie e a levei até a cama.

— Maggie... — Eu a beijei na boca. — Não precisamos fazer o que as outras pessoas fazem... — Beijei seu pescoço. — Não somos as outras pessoas. Não precisamos seguir as orientações delas... — Eu a beijei no ombro, e ela fechou os olhos. Desci pelo seu corpo, beijando cada centímetro, provando cada parte. — Você não precisa fazer as coisas dessa forma.

Abri suas pernas, beijando as coxas. Minha boca deslizou pela sua pele, e ela mergulhou os dedos no meu cabelo.

— E você pode sempre me beliscar ou me bater se quiser que eu pare.

Ela ergueu o quadril em direção à minha boca, demonstrando o quanto queria que eu continuasse, me implorando em silêncio para que eu a provasse. Ah, como eu queria prová-la. Olhei para ela, e seus olhos estavam fixos em mim. Ela observava cada movimento, e eu queria que ela visse tudo. Queria que ela me visse explorar seu corpo, queria que ela me visse amá-lo. Nós não seguiríamos as regras nem o roteiro de ninguém. A gente escreveria a nossa história.

Eu me inclinei para a frente, passei a língua pela sua abertura, mergulhei um dedo nela e apresentei a Maggie o capítulo um.

Capítulo 15

Maggie

— Não consigo acreditar nisso! Simplesmente não consigo!

No sábado seguinte, minha mãe recebeu as amigas em casa. Elas estudaram juntas no ensino médio e, como cada uma morava em um estado diferente, só conseguiam se encontrar uma ou duas vezes por ano, o que, na minha opinião, era demais. Sempre que vinham, eu me esforçava para ficar invisível. Elas não eram as pessoas mais legais do mundo. Eram cinco, contando a minha mãe. Mesmo que tenham estudado juntas, eu não fazia ideia do motivo de virem de tão longe para se encontrar — elas não se suportavam. Tudo que falavam parecia uma competição. Se a filha de Loren andou com dez meses, a de Wendy dirigiu um carro com nove. Se Hannah corria cinco quilômetros, Janice dizia que corria dez em menos tempo.

No entanto, era sobre mim que mais gostavam de falar. Quando o assunto era o meu silêncio, todas eram especialistas em mudez.

Fiquei no topo da escada, ouvindo-as discutir a meu respeito naquela noite. Queria que Brooks estivesse comigo, mas ele tinha saído com o pessoal para assistir a alguma banda desconhecida em um buraco qualquer. Ele ficava me mandando vídeos do lugar, onde pareciam estar espremidos como sardinha em lata e o barulho era ensurdecedor. Sempre que a câmera focava nele e eu via o seu sorriso feliz, meu coração se apaixonava um pouco mais.

Queria estar lá com ele, senti-lo me abraçando e me perder completamente nos sons. No vídeo, vi Stacey dançando com Calvin e me senti egoísta — egoísta por não estar lá com Brooks, por não conseguir fazer coisas que as pessoas normais faziam.

— Ela tem mesmo um namorado? — perguntou Loren, pegando a taça de vinho para se servir de um pouco mais. — Como isso é... possível?

— Quem é? — Wendy quis saber.

— Brooks — respondeu minha mãe com calma enquanto comia uma batatinha com molho.

— Que Brooks? — insistiu Wendy.

— Griffin.

— *O quê?* — gritaram as quatro de uma vez.

— Sério? — perguntou Janice. — Mas o Brooks é... Ele é bem popular com as garotas, não é? Sei que ele a visitava todos os dias como um gesto de bondade, mas *namorar*? Isso não pode ser verdade.

— Mas isso é saudável? — indagou Loren. — Sabe? Considerando a... condição de Maggie?

— A condição dela? — perguntou minha mãe.

— Sabe? O... trauma. Só estou dizendo... Li um artigo uma vez...

— Você está sempre lendo um artigo — interrompeu Hannah, com um tom um pouco mal-humorado.

— Sim, mas esse tem estatísticas científicas. Dizia que pessoas que passam por traumas na infância têm muitas recaídas ao longo do processo de cura quando estão em um relacionamento.

— Loren... — censurou Hannah.

Eu gostava de Hannah. Minha mãe devia continuar a ser amiga dela e se livrar das outras.

— O quê? É verdade. Ela estar com Brooks pode provocar algum tipo de recaída, e sério, o que eles vão fazer? Namorar na casa da Katie para sempre? Tudo que estou dizendo é que não parece uma boa ideia. Isso poderia prejudicar a recuperação dela e anular qualquer progresso, por menor que seja, que Maggie tenha feito. Além disso, não parece justo com Brooks. O que ele ganha com isso?

Cale a boca, Loren. Ele me ganha.

Eu não queria mais ouvir nada daquilo, mas não conseguia me afastar.

— Sabe do que mais, o que tiver que ser, será — opinou Hannah.
— Eles são jovens, deixe-os viver um pouco.

Isso mesmo, Hannah! Ela era a menos dramática do grupo. Na verdade, ela só aparecia por causa da pizza e do vinho. Eu não podia culpá-la; minha mãe sempre pedia pizza no Marco's, que era a melhor da cidade.

— Que coisa idiota, Hannah. Viver um pouco. Esse é o tipo de pensamento que fez você se casar e se divorciar três vezes.

— E estou indo para a quarta agora. — Hannah se serviu de um pouco mais de vinho, sorriu e começou a cantar: — O que tiver que ser, será!

— Você sabe que sua mãe não gosta quando você fica escutando a conversa dos outros — sussurrou meu pai, subindo a escada para se sentar ao meu lado. Ele segurava um pacote de M&M's de amendoim e me deu alguns. — Além disso, essas mulheres são víboras. Você não deve permitir que elas coloquem caraminholas na sua cabeça.

Sorri para ele e pousei a cabeça no seu ombro.

— Estão falando de você de novo?

Assenti.

— Já pedi para sua mãe mudar de assunto ou parar de convidá-las para vir aqui. A casa não é tão grande para ser o quartel-general do apocalipse. Não deixe que isso a afete, Maggie. Tá bom?

Eu não estava preocupada com isso. Já tinha ficado claro para mim, há muito tempo, que elas eram loucas. Eu me preocupava mais com o modo como elas influenciavam minha mãe. Mesmo quando ela tentava se opor à opinião das amigas, as mulheres ainda passavam pelas frestas e se esgueiravam até o subconsciente dela. Às vezes, quando reagia a alguma situação, era como se não fosse minha mãe, e acabava dizendo coisas que uma das quatro falaria. Meu pai sempre dizia para tomarmos cuidado com grupos de amigos que, ocasionalmente, podiam nos tornar uma pessoa que jamais seríamos.

— Só estou dizendo que ela nunca vai melhorar se você permitir que isso continue — começou Loren de novo. — Ela não deveria ter permissão para...

— Ah, Loren, cale a boca! — gritou minha mãe, surpreendendo a mim e ao meu pai. Ela até deu um passo para trás, surpresa com as próprias palavras. — Já chega. Sim, a minha filha tem problemas, mas isso não é motivo para você ficar sentada aí diminuindo-a durante uma hora! Eu nunca faria isso com a sua filha, e espero o mesmo tipo de respeito com a minha. Em relação ao fato de a minha filha estar namorando e com quem, isso é um assunto meu e do pai dela. Respeito a sua opinião. Mas isso é tudo. Você tem o direito de tê-la, mas se puder guardá-la para você, eu ficaria muito feliz.

— Uau — meu pai sussurrou, com um sorrisinho nos lábios. — Aí está, a mulher com quem eu me casei.

Elas mudaram de assunto, e Loren até pediu desculpas.

— Piada? — perguntou meu pai.

Claro.

— Por que o aposto enumerativo perdeu o ônibus? Porque ele passou dos dois pontos. — Ele bateu com a mão no joelho e caiu na risada, enquanto eu revirava os olhos.

Meu Deus.

Eu amava o meu pai.

* * *

Já passava de uma da manhã quando elas foram para seus quartos de hotel. Brooks não enviava mensagens de texto fazia um tempo, e imaginei que ele deveria estar se divertindo muito no show. Algumas horas mais tarde, acordei com a porta do meu quarto se abrindo devagar.

— Magnet? — sussurrou Brooks. — Você está dormindo?

Eu me sentei na cama.

Ele sorriu e entrou no quarto, fechando a porta atrás de si. Foi até a escrivaninha e acendeu o abajur, iluminando o ambiente apenas o necessário para as três horas da manhã.

— Sinto muito por ter parado de enviar mensagens. A bateria do celular acabou no meio do show. E depois, quando o show acabou, eles fizeram um bis sensacional! Cara! A energia do lugar. Juro que dava para sentir as paredes vibrando só com a energia do lugar. E os músicos!

Ele continuou falando, gesticulando muito de tanta animação, contando tudo sobre a banda, as guitarras, os teclados e a bateria. E que Rudolph foi atingido no rosto por uma baqueta, e como Oliver o acertou.

Ele estava explodindo de alegria. O jeito como a música o transformava, o jeito como a música o libertava de quaisquer amarras da vida... Eu amava aquilo.

Eu amava a alegria dele.

— Comprei isso para você! — disse ele, enfiando a mão no bolso e pegando um bóton do show. — Foram eles que tocaram: Jungle Treehouse. Meu Deus, Maggie, você teria amado. Sei que sim. Queria que você tivesse ido comigo. Carreguei o celular no carro, a caminho de casa e baixei algumas músicas, se você quiser ouvir...

Eu queria.

Nós nos deitamos na minha cama com os fones de ouvido e os corações aquecidos, ouvindo a música no quarto pouco iluminado. Ele virou a cabeça para mim, e eu para ele. Entrelaçamos os dedos, e ele levou nossas mãos até o peito. Senti o coração dele batendo enquanto a música vibrava em nossas almas.

— Amo você, Maggie May — sussurrou, olhando nos meus olhos. — Tipo, eu fico olhando para você e não consigo parar de pensar: "Uau. Eu realmente amo essa garota." Sabe? Amo tudo em você. Nos dias mais fáceis e nos mais difíceis também. Talvez eu a ame ainda mais nos dias difíceis. Não sei se deveria estar dizendo isso, porque não sei se você está pronta, mas tudo bem. Você pode levar todo o tempo que precisar, mas queria que você soubesse disso, porque, quando a gente ama alguém, acho que a gente precisa gritar, se não o amor começa a ficar pesado no peito. E isso te faz ficar pesado também, e você começa a se perguntar se a outra pessoa te ama também. Não estou preocupado com isso. Só estou aqui, do seu lado, olhando para as sardas do seu rosto, que a maioria das pessoas não vê, e pensando no quanto eu amo você nesse momento.

Eu me aconcheguei mais a ele, apoiando a cabeça no seu peito, e ele me envolveu nos braços. Brooks fechou os olhos e me abraçou, o peito subindo e descendo a cada respiração, e adormeceu depois de alguns minutos. Pressionei os lábios no pescoço dele, beijando-o de leve. Beijei-o na boca, e ele se mexeu um pouco. Mordisquei com suavidade seu lábio inferior. Seus olhos se abriram, sonolentos e sonhadores, mas ele sorriu. Ele sempre sorria quando olhava para mim.

Eu o beijei de novo, e ele olhou nos meus olhos. Eu o beijei mais uma vez, e ele puxou o meu corpo para cima do seu.

— É? — sussurrou.

Assenti.

Eu o amava.

Eu o amava, e ele sabia disso. Mesmo que eu não pudesse dizer as palavras, ele as sentiu pelo modo como o toquei, o beijei e o abracei.

E não era esse o melhor tipo de amor que alguém poderia sentir?

— Eu também te amo — disse ele com suavidade, pousando os lábios nos meus. — Eu também te amo — repetiu.

Tiramos a roupa um do outro, devagar, com tranquilidade, com carinho. Naquela noite, fizemos amor pela primeira vez. A cada toque, eu me apaixonava mais pelo seu espírito. A cada beijo, eu provava uma parte da sua alma.

Na minha cabeça, eu sussurrava para ele várias vezes. Com cada lágrima e a cada batida do meu coração, eu falava com ele. Tão baixinho, mas tão alto.

Eu também te amo. Eu também te amo. Eu também te amo...

* * *

— Está pronta? — perguntou Brooks alguns dias depois, ao entrar no meu quarto com o violão nas costas.

Você não tem ensaio?
Ele concordou com a cabeça.
— É, mas não com a The Crooks. Hoje estou começando uma nova banda chamada BEM.
Sério?
Ele mordeu o lábio inferior, veio até mim e me deu um beijo na testa. Cada toque dele sempre era repleto de carinho. Eu amava a sensação.
— É. Significa Brooks E Maggie.
O quê?
— Está na sua lista. Tocar em uma banda. Achei que a gente poderia começar a cortar os itens da sua lista agora mesmo, que tal? Não tem por que esperar quando podemos fazer algumas coisas agora. Venha. Vou te ensinar a tocar na Bettie.
Bettie?
— O nome é uma homenagem à minha avó.
Legal.
Ele colocou o violão nas minhas mãos e, quando comecei a tocá-lo, ele me impediu.
— Espere um pouco. Você não pode tocá-lo assim, como se ele estivesse aqui apenas para ser usado, Maggie. Você precisa se apresentar. Precisa aprender sobre ele, suas partes, sua linda cabeça e seu braço, que é onde ficam as cordas.
Ele me explicou as diferentes partes do violão durante uns trinta minutos, e eu o escutei. Eu amava seu amor pela música. Adorava o fato de ele querer me apresentar ao seu mundo. Quando chegou a hora, ele me fez afinar as cordas e, depois, passamos pelos primeiros acordes.
Sempre que eu errava, ele me incentivava.
— Isso mesmo, Magnet! Você é cem vezes melhor do que eu quando comecei a tocar.
Depois de algumas horas, meu pai veio e disse a Brooks que ele nunca mais podia voltar à nossa casa depois que pegou a gente se beijando.

— De qualquer forma, tenho que ir embora, já que você está bocejando.

Quando ele se levantou, segurei seu braço, detendo-o. Corri até a minha estante e peguei um dos meus livros preferidos.

— *O caçador de pipas*? — perguntou ele, pegando o livro da minha mão.

O romance de Khaled Hosseini era um dos meus favoritos entre os que meu pai me dera, e eu queria que Brooks conhecesse esse lado meu — do mesmo jeito que ele queria que eu conhecesse a música. O livro estava cheio de Post-its cor-de-rosa, indicando as minhas passagens favoritas.

— É um dos seus preferidos?

Sim.

— Então vou ler duas vezes — garantiu, dando-me um beijo na testa. Quando ele se inclinou, sussurrou ao meu ouvido: — Volto depois que seu pai cair no sono para dormir com você.

— VÁ PARA CASA, BROOKS! — gritou meu pai, fazendo-nos rir.

Capítulo 16

Brooks

— Hã, Terra chamando Brooks? Você ainda está aqui, cara? — perguntou Rudolph, cutucando meu ombro. Eu estava sentado no banco do Oliver na garagem, e Rudolph passou a mão, que segurava uma maçã, entre meu rosto e o livro que eu estava lendo. — Em geral, quando estamos na pausa do ensaio, você fica dedilhando o violão, mas agora está tipo...

— Lendo! — completou Oliver, saindo da casa de Calvin com duas maçãs na mão. Ele mordeu as duas ao mesmo tempo e mastigou alto. — Eu nem sabia que você sabia ler. Tem certeza de que o livro não está de cabeça para baixo?

Fiz um gesto para eles ficarem quietos e virei a página. Meu antebraço estava cheio de Post-its amarelos que eu usava para fazer anotações em resposta às de Maggie. Os gêmeos continuavam tentando chamar a minha atenção, mas eu estava mergulhado demais na história do livro.

Calvin chegou com três maçãs e mordeu as três ao mesmo tempo. Dramáticos. Meus amigos eram dramáticos.

— Cara, não adianta. Ele está apaixonado demais para se concentrar em qualquer outra coisa.

— Já chega dessa porra de amor — reclamou Oliver. — Primeiro a gente teve que aguentar o Calvin querendo colocar a Stacey em todas as letras de música. E agora, o Brooks está lendo. LENDO!

— Pela primeira vez na vida, eu concordo com o meu irmão — disse Rudolph.

Oliver agradeceu, lambendo o dedo e enfiando-o na orelha do irmão.

— Cara, retiro o que disse. Você é nojento!

Voltei a ignorá-los. Era interessante ver o que Maggie tinha marcado, e se as minhas marcações eram as mesmas que as dela. Eu gostava de descobrir as partes que a fizeram rir ou chorar, as partes que a deixaram zangada ou feliz. Era a melhor sensação.

— Então, meu pai está pensando em vender o barco — informou Calvin. — Quer vender em algumas semanas e perguntou se queremos sair para uma pescaria de despedida antes de irmos para a faculdade no outono.

— Ele vai vender o barco? — perguntei, erguendo o olhar. — Mas é tipo... nosso barco.

Tínhamos passado muito tempo da nossa infância e do começo da adolescência no lago. Eu sabia que não fazíamos aquilo havia anos, mas a ideia de o Sr. Riley vender o barco me entristecia muito.

— Esse é o barco sobre o qual vocês estão sempre falando? — perguntou Rudolph.

— O mesmo que inspirou uma música? — indagou Oliver.

— Isso. Ele mesmo.

— Bem, droga. Podem contar comigo. Se esse barco tem o poder de fazer o Brooks parar de ler, então deve valer a pena. — Oliver jogou o miolo da maçã no lixo, e Rudolph correu para pegá-los com um guardanapo, colocando-os em um saco de papel.

Arqueei uma sobrancelha, e ele deu de ombros.

— O que foi? Estou ajudando minha mãe a fazer adubo para o nosso jardim. Miolo de maçã é ótimo para isso. De qualquer forma, se pudermos levar frutas orgânicas e eu não precisar ferir nenhum peixe, podem contar comigo.

— A maçã que você comeu não é orgânica, mano. Mamãe pediu que eu não contasse a você, e é justamente por isso que estou contando.

Oliver riu, e o rosto de Rudolph ficou vermelho.

Passaram-se alguns minutos antes que eles começassem a gritar de novo.

Então voltei a atenção para o meu livro.

※ ※ ※

Algumas semanas depois, o Sr. Riley levou o pessoal, incluindo meu pai e meu irmão, Jamie, para o último passeio de barco. Foi um dia perfeito. Comemos besteira — menos Rudolph, que levou uvas orgânicas e pão de banana orgânico que ele mesmo havia preparado com a mãe. Curiosamente, quando ele nos ofereceu um pedaço, todos preferiram salgadinhos.

— Vocês estão perdendo os benefícios de uma alimentação saudável, mas tudo bem. Podem se entupir dessa porcaria geneticamente modificada.

Oliver encheu a mão de salgadinhos e enfiou tudo na boca.

— Não estou nem aí.

Ficamos sentados lá durante horas, falando sobre o nosso futuro e como, mesmo indo para a faculdade, os ensaios da banda continuariam a ser prioridade em nossas vidas. Só porque estávamos indo para a faculdade não significava que o nosso sonho precisava morrer; só precisávamos adaptá-lo um pouco às mudanças.

— Brooks, pode pegar uma cerveja embaixo do deque? — indagou o Sr. Riley do outro lado do barco.

Eu me levantei e fiz o que ele pediu.

— Aqui está, Sr. Riley.

Ele agradeceu e me convidou para sentar ao seu lado. Aceitei.

Abriu a lata e tomou alguns goles.

— Então, você e a Maggie, hein?

Engoli em seco, sabendo o que estava por vir — a conversa com o pai da namorada.

— Sim, senhor.

Sim, senhor? Durante todos os anos em que o conheço, nunca respondi a ele dessa forma. Droga, nunca respondi a ninguém dessa forma.

Ele puxou a linha de pesca e depois a lançou para mais longe.

— Eu não tinha certeza de como me sentia em relação a isso, para ser sincero. Maggie é a minha garotinha. Sempre vai ser.

— Entendo.

— E ela é diferente das outras garotas, então, você pode compreender a minha relutância em relação ao fato de ela estar namorando. Na verdade, eu e a Katie já debatemos muito o assunto. Vim para o barco hoje determinado a pedir a você que terminasse tudo com ela. Por causa da Katie. Ela acha que é uma péssima ideia.

Que resposta eu poderia dar? Saber que a própria mãe da Maggie não apoiava o nosso relacionamento parecia um soco no estômago, mas, antes que eu tivesse a chance de dizer qualquer coisa, o Sr. Riley voltou a falar.

— Mas quando eu estava pegando as varas de pescar no armário lá de cima, eu ouvi vocês dois. Na verdade, eu a ouvi. Ela ri com você. Ela ri alto, e não consigo me lembrar da última vez que ouvi algum som vindo dela. Então, desde que continue fazendo a minha garotinha rir, você tem a minha bênção.

Engoli em seco.

— Sim, senhor. Eu agradeço, senhor.

— Sem problemas. — Ele tomou o restante da cerveja. — Mas, no momento em que ela parar de rir com você, vamos ter uma conversa séria. Se você magoar a minha filha... — Ele me olhou direto nos olhos e amassou a lata na mão. — Bem... vamos dizer que é melhor você não magoar a minha filha.

Arregalei os olhos.

— Não vou magoá-la, senhor! E o senhor está certo quando diz que Maggie não é como as outras garotas.

A expressão ameaçadora deixou os seus olhos, e o sorriso fácil voltou aos lábios. Ele deu tapinhas nas minhas costas.

— Vá se divertir.

— Sim, senhor! Eu agradeço, senhor.

— Brooks?

— Sim?

— Se você continuar a responder com "sim, senhor", vou ser obrigado a ter outra conversinha com você, e essa não terá um final feliz.

Depois do passeio, Calvin e eu convencemos o Sr. Riley a nos levar com ele quando chegasse a hora de vender o barco. Seguimos pela costa até a loja James' Boat, bem na saída do lago Harper. Mesmo às margens do lago no qual costumávamos pescar, a loja ainda ficava a uns vinte minutos de carro, pois o lago era grande. O local tinha uma grande placa de madeira na frente onde se lia: compramos, vendemos, alugamos e trocamos.

Na porta, um cachorro latia sem parar enquanto subíamos para falar com James.

— Nervosinho, você, hein? — O Sr. Riley sorriu para o cachorro que ainda latia, mas já abanava o rabo.

A porta de tela se abriu, e um homem alto e louro saiu. Estava de jeans e uma camiseta que parecia pequena demais para ele.

— Quieto, Wilson! Shhh! — O homem sorriu para nós. — Não liguem para ele. É o tipo de cão que ladra, mas não morde. Já tentei de tudo para fazer esse vira-lata ficar quieto nos últimos oito anos, mas ainda não tive sorte.

— Não se preocupe — respondeu o Sr. Riley. — Também estou tentando fazer esses dois calarem a boca nos últimos anos e ainda não tive sorte.

O cara sorriu e estendeu a mão.

— Sou James Bateman. E você deve ser o Eric com quem venho conversando por telefone. Então, esse é o barco — disse ele, fazendo um gesto em direção ao barco que estava preso no reboque do carro. Ele foi até lá e começou a acariciá-lo. — Tem certeza de que não quer fazer uma troca? Acho que conseguiria algo muito bom por essa belezura.

O Sr. Riley deu um sorriso torto.

— Não, obrigado. Estou mesmo precisando do dinheiro. Ou, pelo menos, foi o que a minha mulher disse.

— Ah, é sempre bom ouvir a sua mulher.

Ele riu.

O Sr. Riley também.

— O grande esforço do casamento.

— Conheço muito bem esse esforço. É por isso que nunca mais quis me casar depois que a minha mulher me largou.

— Pensei a mesma coisa quando a minha primeira mulher me deixou, mas aqui estou eu. — O Sr. Riley sorriu, olhando para a aliança.

— Sem arrependimentos? — perguntou James.

— Nunca — respondeu o Sr. Riley. — Nem mesmo nos dias difíceis.

James abafou o riso, concordando, e então deu um tapa nas costas do Sr. Riley.

— Você me dá esperanças de que talvez um dia a minha situação mude. Então, que tal a gente entrar e conversar sobre valores? — Ele se virou para a loja e gritou: — Michael! Michael, venha cá, agora!

Um jovem saiu. Parecia ter uns vinte e poucos anos.

— O que foi?

— Será que você pode mostrar os barcos novos para esses caras enquanto converso com um cliente? Meninos — James se dirigiu a mim e ao Calvin —, meu filho vai cuidar de vocês e distraí-los. Michael, que tal você mostrar a eles o Jenna?

— Claro. — Michael sorriu e fez um gesto para que o acompanhássemos. — Então, querem ver o melhor iate que ninguém em Harper County pode comprar? — perguntou.

— Claro — respondeu Calvin. — É o tipo de iate no qual Leonardo DiCaprio faria uma festa?

— Claro que é. Meu pai e eu tivemos muito trabalho para conseguir um barco como o Jenna. Não está à venda, porque é a nossa alegria e o nosso orgulho, mas algumas pessoas da região norte da cidade o alugam de vez em quando para casamentos e outras festas.

O pessoal do norte de Harper County tinha muito dinheiro. Era preciso muita grana para morar naquela parte da cidade.

Quando contornamos a loja, vimos dezenas de barcos ancorados. Havia trabalhadores andando de um lado para o outro, cuidando deles. Nunca tinha visto um lugar com tantas embarcações de diferentes tamanhos, e eu queria levar todas para casa. Minhas três coisas favoritas no mundo eram Maggie, música e sair para navegar. Um dia, eu queria ter as três coisas ao mesmo tempo.

— Puta merda — murmurei, olhando para o Jenna. Tinha que ser o Jenna. Era o maior e mais bonito de todos. Maggie provavelmente me daria um tapa por ficar olhando para ele daquele jeito.

— É maravilhoso, né? — perguntou Michael.

— Muito mais que isso.

Passei a mão pela lateral do casco enquanto seguíamos ao seu lado.

— Espere até você entrar.

Michael riu.

Quando estávamos no iate, eu me senti o Leonardo DiCaprio. Rico e maneiro pra caramba.

— Essa belezura vem com todo tipo de equipamento para esportes aquáticos. Jet Sky Yamaha WaveRunner; um Kawasaki Ultra 250 e um Kawasaki Super Jet. Tem equipamento de mergulho, suprimentos para pescaria e tudo mais. Tudo para diversão. — Michael nos levou até o convés e sorriu antes de abrir as portas. — Aqui temos só o melhor. No salão principal, uma televisão de plasma de sessenta e cinco polegadas. Ali, dois bares completos. Tem ainda a cabine máster, a cabine VIP e três cabines de hóspedes, todas com TVs de cinquenta polegadas e as camas mais confortáveis que você já viu. O que acham?

Calvin, assim como eu, estava com os olhos arregalados.

— Então é assim que a realeza se sente. — Meu amigo suspirou.

— Eu amo a realeza.

— Vamos ficar com ele — gritei.

Michael nos levou para o deque superior, e ficamos na proa do iate.

— Então, Michael, você e o seu pai administram essa loja juntos?

— Sim. Herdamos do meu avô. Pretendo fazer o mesmo um dia. Não tem nada que eu ame mais que isso, os barcos, a água.

— Você nunca quis fazer mais nada? — perguntou Calvin.

— Não. Mais nada. Depois que a minha mãe fugiu com outro cara, meu pai teve muita dificuldade de seguir em frente. Entrou em uma depressão profunda. Eu tinha quatorze anos e me lembro dos dias em que tive que obrigá-lo a comer. Ele se culpava por ela ter partido.

— Por quê?

— Não sei. Ele trabalhava até tarde, e eu sabia que isso a incomodava, mas não foi por isso que ela o deixou. Sim, eles brigavam muito, mas também riam juntos. Às vezes, as pessoas não são quem você acha que são. E acabou que ficamos melhor sem ela. Mas ele nunca vai admitir isso. Ele ainda tem uma foto de nós três juntos na mesa do escritório. De vez em quando, acho que está esperando que um dia ela volte. A única coisa que o deixava bem era sair para navegar. Acho que ele se sentia purificado. Se não fosse este lugar, eu provavelmente teria perdido o meu pai também. Aqui é a minha casa. E quanto a vocês? O que querem fazer da vida?

— Música — respondemos juntos.

Michael riu.

— Bem, então não desistam até conseguirem. E aí vocês poderão vir e alugar o Jenna comigo e com meu pai.

— Cara, desculpe pela infantilidade, mas eu tenho que fazer isso — disse Calvin.

Ele subiu na grade e abriu os braços.

Eu ri.

— Sempre soube que você seria a Kate Winslet e eu o Leonardo DiCaprio nessa situação.

— Cale a boca e me abrace! — ordenou Calvin em tom de deboche. Subi atrás dele e o abracei pela cintura.

— Eu nunca vou soltá-lo, Cal! — gritei, enquanto ele estendia os braços.

Michael deu uma risadinha.

— Gostaria de poder dizer a vocês quantas vezes vi amigos fazendo isso nessa grade.

— Amigos? — indagou Calvin. — Ah, não, nós somos um casal.

Os olhos de Michael se arregalaram, cheios de culpa.

— Ah, desculpe. Sinto muito. Eu não...

— Não dê ouvidos ao Calvin. Ele está brincando. Na verdade, estou pegando a irmã dele.

Eu ri quando Calvin fez uma careta e me empurrou, forçando-me a descer da grade.

Ele desceu também.

— Se você falar de novo alguma coisa sobre pegar a minha irmã, há uma grande chance de você não viver para contar a história.

— *Touché.*

Eu estaria mentindo se dissesse que não gostava de implicar com Calvin assim. Ele odiava qualquer conversa que envolvesse a irmã dele sendo beijada por mim — então "pegar" era passar, e muito, dos limites. E era por esse motivo que eu sempre fazia isso.

Capítulo 17

Maggie

Todas as vezes que Brooks me devolvia um livro, eu passava as páginas para ver suas anotações e pensamentos. Começamos a fazer isso regularmente e, sempre que um livro voltava para a minha prateleira com mais Post-its do que antes, eu sentia que Brooks se tornava ainda mais parte da minha vida. Ele devia sentir o mesmo todas as vezes que eu acertava um acorde. Recentemente, toquei "Mary Had a Little Lamb" usando um dedo de cada vez nas cordas, e ele deu um grito, empolgado.

Desde que começamos a namorar, a minha ideia sobre o que era o amor tinha mudado.

Eu me apaixonei por centenas de homens de centenas de livros. Achava que sabia como era o amor com base nas palavras impressas nas páginas que li. Amor era união, força e algo pelo que valia a pena viver.

Só não esperava os medos que vinham junto com o amor verdadeiro. O medo de que eu nunca seria o suficiente para ele. De que ele encontrasse outra pessoa. O medo de que às vezes valesse a pena morrer por amor. Ou de que o amor nem sempre fosse o suficiente. Amar alguém significava estar vulnerável à ideia de que um dia a pessoa talvez fosse embora, e tudo o que eu queria era que Brooks ficasse.

Bati suavemente no seu ombro, e ele despertou do sono.

Dormindo?, escrevi quando ele pareceu acordado o suficiente para ler.

— Sim — respondeu com um sorrisinho. — Pensando demais?

Ele me conhecia muito bem. Meus lábios roçaram na orelha dele antes de deslizarem pelo pescoço.

Você me promete o mesmo tipo de amor que li nos livros?

Ele negou com a cabeça, bocejando. Seus braços envolveram o meu corpo, puxando-me para um abraço, e me afundei no calor dele.

— Não, Maggie May. Prometo muito mais que isso.

Capítulo 18

Maggie

— Você está tomando chá! — exclamou a Sra. Boone, surpresa, na hora do almoço em uma segunda-feira. — Você nunca toma chá.

O que eu poderia dizer? O amor nos leva a fazer coisas ridículas.

— É aquele garoto, não é? — perguntou ela, arqueando uma das sobrancelhas. — Ele é o motivo de você estar agindo como uma garotinha boba toda vez que venho te visitar?

Continuei tomando o chá.

Ela deu um sorriso com ar de quem sabe tudo e continuou comendo o sanduíche.

— *Ai, meu Deus!* Sei o que quero fazer da minha vida! — gritou Cheryl, correndo pela sala de jantar e dando pulinhos enquanto balançava um livro nas mãos. — Sei o que quero fazer depois que me formar na escola no ano que vem!

— Bem, desembuche logo — ordenou a Sra. Boone.

Cheryl parou de balançar o livro e se empertigou, levando o exemplar ao peito.

— Quero ser ativista.

Eu e a Sra. Boone ficamos surpresas, mas esperamos Cheryl terminar a frase.

— Uma ativista de...? — perguntou a Sra. Boone.

Cheryl piscou uma vez.

— Como assim?

— Você tem que ser ativista de alguma causa. Questões ambientais ou políticas, direitos humanos ou crueldade contra os animais. Qualquer coisa. Você não pode ser apenas ativista.

Cheryl mordeu o lábio inferior.

— Sério? Não posso simplesmente ser ativista?

Nós duas negamos com a cabeça.

— Ah, que merd... hã... quer dizer, que droga. Desculpe, Sra. Boone. Acho que vou ter que descobrir que tipo de ativista eu quero ser. Argh. Isso parece dar mais trabalho do que eu queria ter.

Ela saiu da sala bem menos entusiasmada do que quando entrou, o que fez com que eu e a Sra. Boone ríssemos.

— Juro que os seus pais devem ter servido um pouco de burrice para vocês todos os dias no café da manhã. Fico pasma em ver como são burros. — Ela pegou um sanduíche e estava prestes a dar uma mordida quando perguntou: — Espere um pouco, Cheryl estava segurando um livro?

Fiz um gesto de assentimento.

Ela largou o sanduíche e balançou a cabeça.

— Sabia que o fim do mundo estava próximo. Só não sabia que seria tão rápido.

Ri e continuei tomando o meu chá.

Não estava com um gosto tão ruim naquela tarde.

***

— Você não está me ouvindo, Eric. Só quero garantir que estamos fazendo a coisa certa — explicou minha mãe mais tarde naquele dia, enquanto meu pai andava de um lado para o outro na sala. Ela tinha uma taça de vinho na mão, e tomou um gole. Eu estava sentada no topo da escada, e Cheryl estava ao meu lado. — O namoro entre Maggie e Brooks talvez não seja a melhor coisa. Loren disse...

Meu pai deu um sorriso sarcástico.

— "Loren disse..." — repetiu ele. — Meu Deus, mas é claro. Sabe, por um momento acreditei que elas não haviam te influenciado, mas parece que eu estava errado. Eu deveria saber que isso tinha a ver com aquelas mulheres.

— Aquelas mulheres são minhas amigas.

— Aquelas mulheres não estão nem aí para você, Katie. Você acha que elas vêm aqui para passar algumas horas com você porque se importam? Elas vêm para debochar de você, para dizer que você deve se mudar, pois sabem muito bem que não podemos fazer isso. Para ver como a sua vida é deprimente em comparação à vida perfeita que levam. Isso não é nenhum problema, mas quando elas se sentam aqui e falam sobre a nossa filha...

— Elas não fazem por mal. Estão dando informações que podem ajudar.

— *Elas estavam diminuindo a Maggie!* — gritou ele. Cheryl e eu demos um pulo de susto. Papai nunca gritava. Nunca vi o rosto dele tão vermelho. — Elas estavam diminuindo a nossa filha, insultando-a como se ela fosse surda e não pudesse ouvi-las. Não sei o que é pior, o fato de você deixar essas mulheres entrarem na nossa casa e fofocar sobre a nossa filha ou de você ter defendido a Maggie para, alguns dias depois, voltar atrás. Você está aqui, preocupada com o fato de ela ter um namorado, quando ela está mais feliz do que já vi em anos. Você teria percebido isso também se olhasse para ela.

— Eu olho.

— Olha, mas não vê, Katie, e então você convida aqueles monstros para virem à nossa casa, e elas falam da Maggie como se ela fosse nada.

— Ela é alguma coisa. Você não vê? É por isso que quero tentar essa nova terapeuta que Wendy...

— Ela está feliz, Katie!

— Ela está doente!

— Ela está melhorando bem na nossa frente, e acho que você não quer que ela melhore. Você não quer que ela saia de casa? Que ela viva?

Minha mãe hesitou antes de dizer:

— Mas Loren...

— *Basta!* — berrou ele, erguendo as duas mãos, irritado, e derrubando acidentalmente a taça de vinho da mão dela, fazendo-a se espatifar no tapete.

A sala ficou no mais absoluto silêncio.

Meu pai tirou os óculos e esfregou os olhos antes de levar as mãos à cintura. Os dois ficaram olhando para a mancha vermelha no tapete, uma mancha semelhante à de anos atrás, quando eles eram mais felizes juntos, quando eu ainda não tinha começado a abalar a estrutura do amor deles.

Sem dizer mais nada, cada um foi para um lado.

— O que acabou de acontecer? — sussurrou minha irmã, seu corpo tremendo um pouco.

Peguei sua mão trêmula e tentei acalmá-la.

Naquele momento, fiquei feliz por não conseguir falar, porque, caso contrário, eu teria contado a verdade a Cheryl. Eu sabia o que estava acontecendo com os nossos pais: eles estavam deixando de se amar bem diante de nós.

Deixar de se amar significava não rir mais dos erros do outro.

Deixar de se amar significava gritar com o outro.

Deixar de se amar significava ir cada um para um lado.

* * *

— Uma caixa de guloseimas para Maggie May — anunciou Brooks, mais tarde naquela noite, em pé na minha porta.

Sorri para ele, sem saber o que ele tinha em mente. Ele entrou no meu quarto e se sentou no chão, colocando a caixa diante de si. Depois deu um tapinha no assoalho, convidando-me para sentar ao seu lado.

O que ele tinha planejado?

— É um teste — explicou, enquanto eu me sentava. — Já que você não consegue falar, quero, pelo menos, saber tudo ao seu respeito. O modo como você reage a certas coisas. As suas expressões. Então, vamos fazer um teste de comida. Nesta caixa, tem diversos tipos de alimento, alguns doces, uns molengos, outros azedos. E você vai provar todos eles usando uma venda. Depois, a gente troca.

Sorri, sem saber como eu poderia amar aquele garoto ainda mais. Ele me mostrou a venda e se inclinou para a frente, amarrando-a na minha cabeça.

— Tudo bem. Consegue me ver? — perguntou. Neguei com a cabeça. — Ótimo. Agora abra a boca.

Abri a boca, e ele colocou um alimento nela. Meus lábios relaxaram. *Hummm... chocolate.*

Eu amava chocolate, assim como todas as pessoas inteligentes.

— Uma expressão de prazer, excelente. Próximo...

Meu rosto se contraiu com o próximo item, umas balinhas azedas. Ele não conseguia parar de rir.

— Queria que você pudesse ver o seu nariz franzido agora.

Os itens seguintes incluíam uvas, molho de macarrão, rodelas de limão e queijo — que eu tinha certeza que era envelhecido.

Quando tirei a venda, não podia estar mais animada, porque era a minha vez de torturá-lo. Amarrei a venda nos olhos dele, que riu, mordendo o lábio inferior.

— Safadinha.

Primeiro, coloquei purê de batata frio em sua boca, e ele gostou mais do que deveria. Depois, veio molho apimentado de macarrão, que ele não gostou muito, banana e outras coisas. Por fim, peguei um pedaço de chocolate, coloquei ketchup e espremi um pouco de limão por cima. Ele tentou cuspir na hora, mas cobri a boca dele com a minha mão, rindo enquanto ele retorcia o corpo tentando engolir aquilo.

— Que maldade, Maggie! Maldade! — Ele riu, esfregando a mão na boca. Eu me inclinei e o beijei, e ele mordiscou o meu lábio inferior.

Humm... Gosto disso.

Antes que pudéssemos nos beijar de novo, Calvin, Rudolph e Oliver entraram.

— Caralho! — gritou Calvin.

Levantei uma sobrancelha, e Brooks parecia tão confuso quanto eu.

— Ai, meu Deus, ai, meu Deus! — exclamou Rudolph, andando em círculos, suas mãos tremendo sem parar. Ele estava hiperventilando, mas isso não era incomum para ele. Não precisava de muita coisa para que ele ficasse agitado.

O que me assustou mais foi ver Oliver dando pulinhos. Ele não era o tipo que fazia isso. Nunca o vi tão animado.

— O quê? O que foi? — perguntou Brooks, confuso.

Calvin parou.

— Você está com uma venda?

Os gêmeos assoviaram em uníssono.

— Safadinho...

Brooks arrancou a venda.

— Esqueça isso. O que está acontecendo?

Os três garotos ficaram em silêncio por um tempo antes de voltarem ao nível anterior de animação.

Calvin correu até Brooks, colocou as mãos no seu ombro e começou a sacudi-lo.

— Caralho! Caralho! Caralho...!

Calvin entregou o celular para Brooks.

Meu namorado semicerrou os olhos ao ler. Corri para trás dele para ler também. Cada palavra era um soco mais forte no meu estômago.

— CARALHO! — gritou Brooks, as mãos trêmulas.

Peguei o celular para reler.

— Como isso é possível?

— Eles viram o *cover* que fizemos da música deles no YouTube, então, olharam as nossas músicas originais e citaram a gente no Twitter!

— E houve mais de quarenta mil retweets nas últimas duas horas — berrou Rudolph, seu nariz mais vermelho do que o normal por causa da animação.

— Mais de cinquenta mil, seu idiota — corrigiu Oliver.

Bati no ombro de Brooks e entreguei o telefone de volta, apontando. *Ai. Meu. Deus.*

— Cento e sessenta mil retweets! — exclamou Brooks.

Os garotos gritaram juntos, provavelmente ficando roucos.

— Eu nem sabia que você tinha nos colocado no YouTube, Calvin! — gritou Brooks.

Gritar era tudo que eles conseguiam fazer. Eles se consideravam alternativos, sempre se definiram como indies e descolados, mas, quando a indústria da música bateu na porta, eles simplesmente enlouqueceram.

— Não fui eu!

— Foi você, Rudolph? Oli? — perguntou Brooks.

— Não — responderam os gêmeos ao mesmo tempo.

— Então, quem...? — Ele se virou lentamente para mim, e eu dei um sorriso tímido. Os outros fizeram o mesmo, com olhos desconfiados. — Foi você? Você postou os vídeos que gravou da gente?

Assenti devagar e, segundos depois, todos estavam me abraçando e pulando.

— Você é legal pra caralho, Maggie! — exclamou Oliver, me apertando.

— Caramba, Mags, você não faz ideia de como acabou de mudar as nossas vidas — disse Calvin.

— Cara! — Oliver fez um gesto para Calvin. — Leia a mensagem que eles enviaram.

— Eles enviaram uma mensagem? — perguntou Brooks.

— Ah. — Calvin passou o dedo pela tela do celular. — Enviaram.

Ele pigarreou, e os gêmeos o imitaram, com a mensagem na ponta da língua.

— "Prezado Calvin, sou Mark, o empresário da The Present Yesterdays. Vimos o vídeo de vocês há alguns dias e não paramos de assistir. O som de vocês é limpo e afiado, algo que falta na indústria da música. Se estiverem interessados, eu adoraria me reunir com vocês para conversar sobre os seus planos futuros. Paz!" — disseram os três juntinhos, e meu coração praticamente saltou do peito.

The Present Yesterdays era a maior banda de pop-rock da atualidade. Os meninos já haviam mostrado a música deles para mim, e eu me apaixonei por eles mesmo antes do mundo saber que eles existiam. Como isso era possível?

Brooks se virou para os outros integrantes da banda com os olhos arregalados, e vi quando eles foram tomados pela compreensão de que sonhos se tornavam realidade, mesmo para garotos que ensaiavam em garagens de cidadezinhas do Wisconsin. Uma onda de emoção tomou conta de nós, e começamos a pular pelo quarto, comemorando.

Nunca fiquei tão feliz por ver o sonho dos outros se tornar realidade.

— Isso tudo é por sua causa, Magnet — afirmou Brooks, me puxando para um abraço. — Porque você usou a sua voz para que fôssemos ouvidos.

Ele me lembrou, naquela noite, que eu tinha uma voz, mesmo que as palavras nunca saíssem da minha boca.

Eu ainda tinha uma voz.

* * *

No fim da tarde seguinte, meu banho de uma hora demorou mais do que o normal. Segui a mesma rotina de sempre: li, me ensaboei e então deslizei para debaixo d'água para me lembrar de que o que tinha acontecido na floresta não era culpa minha. Minha mente ainda guardava aquelas imagens, mas, recentemente, as visões estavam ficando embaçadas por outras lembranças mais atuais.

Sempre que eu tentava ver o rosto do diabo, eu via Cheryl rindo com um livro na mão. Quando eu corria pela floresta, eu me via correndo para os braços de Brooks. Sempre que eu caía, via a Sra. Boone me repreendendo.

As lembranças ruins não haviam desaparecido. Eu sabia que a imagem do diabo ainda residia em minha mente, mas eu estava conseguindo mantê-lo preso em um armário. Eu não tinha certeza se era graças a Brooks, a Cheryl ou ao tempo, mas, de qualquer forma, eu me sentia aliviada.

Depois de remoer as lembranças, emergi, respirei fundo e voltei para baixo d'água para sonhar.

O sonho de um futuro. Eu sonhava em explorar o mundo, escalar montanhas, visitar a Itália, comer escargot na França. Ver Brooks e o meu irmão tocarem em um grande estádio. Ter uma família. Descobrir o que significava estar viva. A água me limpava de toda a escuridão que tentava se prender em mim. Aos poucos, eu me sentia renovada. Estava começando a minha vida novamente...

— Maggie... Comprei alguns... Meu Deus! — gritou minha mãe, correndo para o banheiro e me tirando de dentro da água.

Seu movimento brusco me fez abrir a boca, e eu engoli água. Comecei a tossir, minha garganta queimando enquanto eu cuspia. O que estava acontecendo? As mãos dela tremiam, e ela começou a berrar, me abraçando com força. Meus ouvidos estavam cheios de água, e eu tentei tirá-la enquanto ela chamava o meu pai.

— Eric! Eric! — gritou, com um pânico muito maior do que o necessário. O que ela estava fazendo? Por que estava tendo um ataque? Será que ela pensou...

Meu Deus, não.

Não, mãe. Eu não estava tentando me afogar. Não estava. Meus olhos ficaram marejados enquanto eu via o pânico que ela estava sentindo. Ela me tirou da banheira e me enrolou em toalhas. Ela chorava, ainda gritando pelo meu pai, e ele chegou correndo no banheiro.

Eu não conseguia ouvir direito o que eles falavam por causa da água do meu ouvido. Tentei me levantar, mas minha mãe me segurou com força.

Com muita força.

— Ela tentou se afogar, Eric! — disse ela. Os olhos do meu pai ficaram pesados, e ele pediu a ela que repetisse aquilo. — Eu te disse. Disse que isso era demais para ela.

Neguei com a cabeça. *Não, pai.* Minhas mãos estavam pálidas. *Eu jamais faria uma coisa dessas. Eu não me mataria. Sou feliz, lembra? Eu sou feliz.*

Eu precisava de papel. Precisava escrever para eles. Precisava fazer com que soubessem.

Eu não estava tentando me matar. Os dois estavam chorando agora, e meu pai mal conseguia respirar quando seu olhar encontrou o meu. Ele afastou os olhos. Eu precisava que ele soubesse que mamãe estava enganada. Ela havia cometido um erro. Ela não sabia de todos os fatos. Ela me puxou para cima a fim de que eu respirasse, sem saber que eu respirava melhor embaixo da água.

***

Eles estavam brigando de novo.

Cheryl e eu estávamos na escada mais uma vez, assistindo à briga. Meu cabelo ainda estava encharcado do banho, e Cheryl o penteava enquanto a gente ouvia tudo.

— Ainda não acredita em mim? — indagou minha mãe, chorando, atordoada.

— Você está exagerando — censurou meu pai. — Ela disse que não estava tentando...

— Ela não falou nada, Eric. Ela não fala, mas suas ações dessa noite foram bem claras.

— Ela só estava mergulhando quando você entrou! Estava prendendo a respiração! Meu Deus, Katie! Essa é a Loren falando. Não você.

— Não coloque a minha amiga no meio disso. Não a culpe pelo que está acontecendo. Sei o que eu vi. Sua filha estava tentando se afogar.

— Minha filha? — perguntou meu pai, soltando um assovio. — Uau.

Também doeu em mim, pai — o soco no estômago.

— Você sabe o que eu quero dizer.

— Não, acho que não sei. Ultimamente, está sendo muito difícil entender qualquer coisa que você diz.

Minha mãe se afastou, voltando com uma taça de vinho.

— Ela está doente.

— Ela está melhorando.

— Ela está piorando, e sei que isso tem a ver com Brooks. Sei que tem...

Observei a minha mãe.

Analisei cada movimento que ela fazia. Meu pai não viu, porque estava apenas ouvindo as palavras paranoicas, ocupado demais cuspindo suas palavras raivosas. Ele não a viu retorcer as mãos, as pernas trêmulas e o ligeiro repuxar do lábio inferior. Ela estava com medo. Aterrorizada. O medo ia além de uma reação ao que tinha acontecido naquela noite. Tive a impressão de que ele estava ali havia anos.

Mas do que ela tinha tanto medo?

Meu pai levou a mão à nuca.

— Estamos andando em círculos aqui, Katie. O que você tem contra o namoro do Brooks e da Maggie? Porque você não pareceu ter nenhum problema até a visita do quarteto fantástico. Para quem reclama tanto de a Maggie não falar, você nem consegue encontrar a sua própria voz. Você corre para suas amigas e para as merdas que elas falam sobre a nossa família e bebe uma garrafa de vinho todas as noites. Diga-me, Katie: quem está precisando de ajuda?

Os olhos dela se arregalaram, chocada com as palavras dele. Meu pai também pareceu surpreso com o que disse. Ela saiu tempestivamente para o quarto. Ele a chamou para se desculpar, mas ela já estava voltando, com travesseiros e cobertas.

— Você pode ficar aqui na sala até eu conseguir a ajuda de que preciso — explodiu ela. — E, a propósito, quando ela terminar do mesmo jeito que a Jessica, fique sabendo que a culpa será sua. Você que fez tudo isso acontecer.

Quem é Jessica?

Ela saiu e não voltou mais. Meu pai saiu pela porta da frente. Por que tudo parecia desmoronar ao meu redor justo quando eu, pela primeira vez, sentia que estava ficando inteira de novo?

— Sei que eu quase não ficava em casa à noite... mas eles sempre brigaram assim? — sussurrou Cheryl. Fiz que não com a cabeça. Ela continuou penteando o meu cabelo. — É quase como se eles fossem estranhos.

Aquilo era de partir o coração.

— Maggie? — sussurrou ela de novo, com a voz falhando. — Mas você tentou...? Você tentou...

Eu me virei para olhar para ela, tirei a escova da sua mão e coloquei as duas palmas dela no meu rosto. Balancei a cabeça, olhando diretamente nos seus olhos. *Não. Não. Não. Não.*

Ela soltou o ar.

— Acredito em você. Nossa mãe também acreditaria se olhasse nos seus olhos.

Eu não conseguia parar de pensar que os meus pais estavam se afastando um do outro por minha causa. Eu não sabia bem o que fazer. Será que eu deveria terminar tudo com Brooks para que eles se tornassem um só de novo? Será que eu deveria continuar vivendo a minha felicidade egoísta? O que eu deveria fazer? Qual era a escolha certa? Como eu poderia consertar tudo?

Não queria que meus pais brigassem por minha causa. Foi um acidente. *Juro que foi um acidente...*

Pisquei uma vez e o vi.

O diabo — ele voltou para fazer uma visita.

Não...

Tentei piscar de novo para fazê-lo desaparecer. Eu estava melhorando. Estava ficando inteira.

— *Shhh* — *sussurrou. Meus olhos estavam arregalados de medo.* — *Por favor, não grite. Foi um acidente.* — *Ele moveu os lábios até a minha testa, encostando-os na minha pele.* — *Shhh* — *sibilou de novo. Levou-os ao meu ouvido, e eu senti a sua boca me tocar antes de ele sibilar novamente.* — *Shhh...*

Ele estava na minha cabeça. Eu conseguia sentir a sua presença. *Shhh... shhh... shhh...*

Capítulo 19

Brooks

Maggie me disse que não estava se sentindo bem nos últimos dias e se recusou a me ver. Tentei muito convencê-la a me deixar ir visitá-la, mas sempre que eu aparecia, a mãe dela me mandava embora dizendo que ela precisava de um tempo para se recuperar.

Depois de um ensaio uma tarde, eu não lhe dei muita escolha.

— Você não está doente de verdade, está? — perguntei quando ela estava saindo do banheiro e voltando para o quarto. Ela arregalou os olhos ao me ver, e notei certo pânico neles. — Está com raiva de mim? — Engoli em seco, ficando nervoso. Será que eu havia feito alguma coisa errada? — É porque eu me declarei pra você? Foi rápido demais? Eu te assustei? Sinto muito, eu só...

Ela negou com a cabeça e veio até mim. Pegou a minha mão e apertou-a uma vez. *Não.*

— Então, o que é?

Quando ela ergueu os olhos, eles ficaram marejados. Maggie começou a chorar, e eu não sabia mais o que fazer, então a abracei. Eu a segurei junto ao peito, e ela desmoronou nos meus braços. Comecei a catar os caquinhos de seu coração.

— Música? — perguntei.

Ela assentiu, e fomos para o quarto, fechando a porta atrás de nós. Ela começou a se acalmar ao ouvir a música. Ficamos na cama, e não demorou muito para ela adormecer nos meus braços e começar a ter pesadelos. Quando acordou, estava colada em mim, mas parecia estar a milhares de quilômetros de distância.

— Maggie, você pode se abrir comigo — assegurei, andando pelo quarto depois de ela ter acordado do sonho que a tinha feito chorar. Ela se sentou na cama, encolhida, balançando para a frente e para trás, sem olhar para mim.

Quando eu me aproximei novamente, ela se encolheu, como se temesse o meu toque, como se achasse que eu ia machucá-la.

— Maggie — implorei, minha voz falhando, o meu coração se partindo. — O que está acontecendo?

Ela não disse nada.

— Podemos fazer os cinco minutos — sugeri, agachando na frente dela. — Magnet, podemos fazer os cinco minutos. Se concentre, tudo bem? Você pode voltar para mim. Está tudo bem.

Ela não parava de engolir em seco, as mãos agarrando o pescoço. Seus olhos estavam arregalados, e eu sabia que ela estava longe demais para conseguir me ouvir.

— Sr. Riley! — chamei. — Sr. Riley! — gritei de novo, correndo pela casa. Quando ele saiu do quarto, olhou para mim com os olhos cheios de preocupação.

— O que foi? — perguntou.

— Maggie. Ela está no quarto. Não sei o que está acontecendo. Ela só...

Ele não esperou que eu completasse a frase. Correu escada acima até o quarto onde a filha estava fora de si. Alguns segundos depois, a Sra. Riley também chegou.

— Mags — chamou ele, aproximando-se devagar e com cuidado. — Está tudo bem — assegurou. Quanto mais ele se aproximava, mais tensa ela ficava, mas o Sr. Riley não parou. Ele ergueu a mão, mostrando que não ia machucá-la, e quando chegou perto, abraçou-a e a puxou para o próprio peito. Ela agarrou a camisa dele, soluçando em seus braços.

O que aconteceu com você?

Minha mente estava a mil por hora ao ver a minha namorada desmoronar nos braços do pai. Senti um aperto no estômago; odiava o fato de não ser capaz de protegê-la. Por que eu não conseguia ajudá-la? Por que eu não conseguia tirar a sua dor e torná-la minha? O Sr. Riley a carregou até o andar de baixo, e eu fui atrás dele.

Calvin e Stacey entraram em casa, rindo juntos, abraçados. Quando viram a comoção, pararam de rir.

— O que está acontecendo?

O Sr. Riley não respondeu. Só carregou Maggie até o quarto, com a Sra. Riley seguindo-o de perto.

Eu não conseguia me mexer. Não conseguia parar de tremer.

Calvin se aproximou de mim, colocando uma das mãos no meu ombro. Ele semicerrou os olhos, parecia confuso.

— Brooks? O que está acontecendo?

— Não sei — respondi. A minha garganta estava seca, e o meu peito queimava. — Ela acordou e... teve um ataque. Eu não sabia o que fazer. Não consegui fazer com que parasse. Não consegui fazer... — Meus olhos ficaram cheios de lágrimas, e levei as mãos ao rosto. Não conseguia mais falar. Calvin não insistiu. Ele e Stacey só se aproximaram e me abraçaram.

Eu odiava o conforto que eles estavam me dando, porque Maggie precisava mais daquilo do que eu.

Ela precisava que alguém entrasse nas lembranças dela e apagasse as águas escuras nas quais ela nadava todos os dias.

Eu me sentei na escada, esperando os pais de Maggie saírem do quarto. Cheryl, Calvin e Stacey se juntaram a mim.

Não dissemos nada. Eu ficava passando pelo iPod em busca de alguma música que pudesse fazê-la se sentir bem de novo. A música sempre a fazia sorrir.

Quando a porta do quarto se abriu, todos nós nos levantamos. O Sr. e a Sra. Riley vieram até nós.

— Ela está dormindo de novo — anunciou ele.

— Eu posso vê-la? — perguntei. Mostrei o iPod para o Sr. Riley. — Acho que um pouco de música pode ajudar. Sempre ajuda.

Os lábios dele se abriram para falar alguma coisa, mas a Sra. Riley interveio.

— Acho que todos podemos encerrar a noite por aqui.

Ela passou os dedos pelo cabelo, e o Sr. Riley fechou a boca.

Pensei em insistir, mas a Sra. Riley olhou para mim com uma expressão cansada, então apenas assenti.

— Bem, se o senhor puder dar isso a ela, talvez possa ajudá-la... Não preciso disso agora. — Entreguei o iPod para ele, que me deu um sorriso forçado.

Cada um foi para o seu quarto e fui obrigado a ir embora. Eu odiava o que estava sentindo. Odiava não saber como ela estava. Como eu poderia ir embora sem saber se ela estava bem?

— Brooks, posso falar com você um segundo? — pediu a Sra. Riley enquanto eu caminhava até a porta da frente. Seus braços estavam cruzados, e os olhos, pesados.

— Claro. O que houve?

Ela olhou ao redor para se certificar de que todos tinham saído antes de se aproximar de mim.

— Eu quero que você saiba que... a Maggie é doente. Pode não parecer, mas na mente dela... — Ela franziu o cenho. — O que quer que tenha acontecido com ela há tantos anos, isso a afetou. Mesmo nos dias em que ela parece bem, uma grande parte dela está faltando. Sei que você gosta dela, mas acho que o namoro de vocês não é algo inteligente. Ela está aos pedaços.

Eu estaria mentindo se dissesse que não fiquei chocado ao ouvir aquelas palavras. Ela estava falando da filha como se fosse uma aberração, uma excluída. Sim, Maggie tinha alguns dias ruins, mas quem não tinha? Olhei em volta e vi Maggie espiando pela fresta do quarto dos pais, ouvindo. Sorri para ela, mas ela franziu o rosto. Antes daquele momento, eu não sabia que uma testa franzida poderia ser mais bonita que um sorriso.

— Nem tudo que está em pedaços precisa ser consertado. Às vezes, só precisa ser amado. Seria uma pena se só as pessoas inteiras fossem merecedoras de amor.

— Brooks. — A Sra. Riley suspirou como se as minhas palavras fossem inúteis. — Você é jovem e tem a vida inteira pela frente. Não consigo deixar de pensar que você vai abrir mão de viver plenamente apenas para tentar fazer com que a Maggie se sinta incluída. Você vai para Los Angeles na semana que vem para dar um passo importante na sua carreira musical e vai ter todas essas novas experiências...

— Maggie e eu temos novas experiências todos os dias.

— Sim, mas você vai ter novas oportunidades, grandes oportunidades.

— E ela também.

A Sra. Riley suspirou, esfregando a nuca.

— Você não está entendendo, Brooks. Maggie nunca mais vai sair dessa casa. Nunca. Sei que você está tentando ter esperanças, mas chegou a hora de ser lógico. Você deveria terminar tudo com ela antes de causar mais problemas.

— Ela vai sair daqui. Sei que vai. A gente já conversou sobre isso, sabe? Ela tem sonhos também. Assim como você e eu. Ela tem sonhos.

— Veja bem, Brooks... entendo que ela seja sua amiga e que você ache legal compartilhar seu gosto musical com ela, mas isso não vai ajudá-la. Um relacionamento precisa de mais do que música para existir. Precisa de carne, não apenas ossos. Maggie não pode dar o que você precisa para um relacionamento de verdade.

— A senhora não sabe do que eu preciso.

— Com todo respeito, eu sei. Você é jovem e está apaixonado. Eu entendo. Mas a Maggie não é a melhor escolha para você.

Meu peito estava apertado, e eu sabia que, se ficasse mais um segundo que fosse, ia dizer alguma coisa da qual me arrependeria. Olhei para onde Maggie estava antes, mas ela tinha sumido, então abri a porta da frente e saí para a varanda, dando as costas para a Sra. Riley.

— Sinto muito, Brooks, mas vai ser melhor assim.

Virando-me novamente para ela, explodi:

— Com todo respeito, Sra. Riley, acho que está errada sobre ela. Maggie é inteligente. Ela é muito inteligente, boa e se expressa muito bem, mesmo sem falar. Ela diz tanta coisa que a senhora não consegue ouvir... Sim, a mente dela está um pouco comprometida, mas é mais profunda que um oceano. Ela enxerga as coisas de uma maneira diferente da maioria, mas por que isso tem que ser uma coisa ruim? E a senhora está errada sobre a música também. Se a senhora acha, por um segundo que seja, que a música não pode curar as pessoas, então não está ouvindo com atenção.

Comecei a me afastar, meu coração disparado.

— Ela tentou se matar — gritou a Sra. Riley, detendo-me.

Eu me virei, sentindo a negação crescer na minha mente.

— Não.

— Sim, ela tentou. Sei que posso parecer uma bruxa má, mas ela não está bem. Você está certo, a mente dela é mais profunda que um oceano, mas um dia as marés vão subir tanto que ela não vai ter escolha a não ser se afogar.

***

Ela tentou se matar.

Eu não conseguia respirar.

Ela tentou se matar.

Ela não faria uma coisa dessas.

Eu não conseguia respirar.

Fiquei dando voltas pela vizinhança, uma rua depois da outra, pensando que, talvez, eu tivesse feito alguma coisa errada. Talvez o jeito que eu a abracei ou a toquei tenha despertado algum flashback. Talvez eu tenha dito alguma coisa errada.

— É difícil, não é? — perguntou a Sra. Boone da sua varanda quando passei pela casa dela mais uma vez, tentando desanuviar a cabeça. Parei diante dela, enquanto Muffins brincava na grama. — Quando ela fica fora de si.

— Como a senhora sabe?

Ela sorriu enquanto balançava na sua cadeira de balanço.

— Conheço a Maggie, e conheço a expressão no rosto das pessoas quando ela se descontrola. Eu já vi no rosto dos pais dela mais vezes do que gostaria de admitir. Agora, venha aqui. Pare um pouco. Vamos entrar, e eu preparo uma xícara de chá.

Entrar? Nunca vi a Sra. Boone convidar ninguém para entrar na sua casa. Parte de mim pensou que, se eu aceitasse o convite, ela poderia me matar, mas outra parte estava curiosa para saber como seria a casa dela.

A porta de tela rangeu quando ela a abriu. Ela a segurou para que eu pudesse entrar e me acompanhou.

— Você pode me esperar aqui na sala. Vou ferver um pouco de água — avisou, dirigindo-se à cozinha.

Fiquei andando pela sala, observando a casa. Parecia um museu. Cada objeto parecia ter saído direto do século XIX, e todas as estátuas estavam dentro de um expositor de vidro. Tudo estava lustrado e limpo, e não havia nada fora do lugar.

— Tem certeza de que não precisa de ajuda? — perguntei.

— Eu faço chá há anos e nunca precisei de ajuda.

Passei a mão pela cornija acima da lareira, e meus dedos ficaram sujos de pó. Limpei a mão na calça jeans. A lareira era o único lugar da sala com poeira. Era quase como se ela juntasse toda a sujeira da casa e a colocasse ali. *Estranho.* Peguei um porta-retratos empoeirado e vi a Sra. Boone ao lado de um homem que presumi ser seu marido. Ela estava no colo dele, e os dois sorriam um para o outro. Eu nunca tinha visto a Sra. Boone sorrir como naquela foto.

Peguei outra fotografia, uma na qual o casal estava em um barco ancorado, com uma menina diante deles, rindo. O crescimento da menina nas fotos era algo doloroso de se ver. Ela mudou de uma criança que ria para alguém que sempre tinha o rosto sério, e então passou a não demonstrar nenhuma emoção. Os olhos pareciam vazios. Devia haver umas trinta fotografias na cornija, cada uma mostrando momentos diferentes do passado da Sra. Boone.

— Quem é a garota? Nas fotos? — perguntei.

Ela veio até a porta para espiar antes de voltar para a cozinha.

— Jessica, minha filha.

— Não sabia que tinha uma filha.

— Você alguma vez perguntou?

— Não.

— É por isso que não sabia. Vocês, jovens idiotas, nunca fazem perguntas. Só falam, falam, falam e ninguém nunca os ouve. — Ela voltou para a sala, mexendo as mãos de forma inquieta antes de se sentar no sofá. — A água está no fogo.

Peguei um disco de vinil empoeirado e soprei um pouco do pó.

— "Sittin' On the Dock Of The Bay", de Otis Redding? — perguntei.

Ela concordou com a cabeça.

— Meu marido e eu tínhamos uma casa no norte do lago. Eu ainda a tenho... deveria vendê-la, mas não consigo. Foi o último lugar onde a minha família foi feliz — relembrou. — Todas as noites, Stanley e eu nos sentávamos na beirada do píer para vermos o pôr do sol ao som desse disco, e Jessica corria pelo gramado, tentando pegar libélulas.

Eu me sentei na cadeira em frente a ela e sorri.

Ela não retribuiu o sorriso, mas não me importei. A Sra. Boone era conhecida por não sorrir.

— Então... — Pigarrei, sentindo-me estranho naquele silêncio. — Sua filha vem visitá-la?

Ela baixou os olhos e retorceu as mãos, que estavam apoiadas na perna.

— A culpa é minha, sabe? — lamentou, com voz melancólica.

— O que é culpa sua?

— A noite do incidente... o que aconteceu com a Maggie... foi culpa minha.

Empertiguei-me na cadeira.

— Como assim?

— Ela passou aqui no meu jardim naquela noite. Perguntou se podia colher flores para o casamento. Gritei com ela e a expulsei, dizendo que não voltasse mais. — A Sra. Boone ficou olhando para as mãos trêmulas. — Se eu não tivesse sido tão cruel... tão dura... ela teria ficado mais tempo aqui. Não teria saído para perambular pela floresta. Ela teria ficada a salvo do que quer que tenha roubado parte da sua mente naquela noite.

As lágrimas começaram a escorrer dos olhos dela, e senti a sua dor. Entendia a culpa porque eu a senti também, tantos anos antes.

— Eu pensava a mesma coisa, Sra. Boone. Eu deveria ter me encontrado com ela aquela noite na floresta. Cheguei atrasado. Se eu não tivesse demorado tanto para escolher uma gravata, eu poderia estar lá para proteger a Maggie. Eu poderia tê-la salvo.

Ela olhou para mim e enxugou os olhos, balançando a cabeça.

— A culpa não foi sua.

Ela disse aquilo muito rápido, obviamente temendo que eu voltasse a me sentir culpado. Era triste ver como a Sra. Boone estava disposta a assumir a culpa sozinha, como estava disposta a me livrar dela a todo custo.

Dei de ombros.

— Também não foi sua.

Ela se levantou e foi até a lareira, olhando para as fotos.

— Ela era exatamente como Maggie quando criança, a minha filha. Falante... até demais. Levada. Livre. Também não tinha medo de ninguém. Via o melhor no pior tipo de pessoa. O seu sorriso... — A Sra. Boone riu, pegando uma das fotos que mostrava Jessica sorridente. — O sorriso dela curava as pessoas. Ela era capaz de entrar em um lugar, contar uma piada péssima e fazer a pessoa mais mal-humorada do mundo rir tanto até a barriga doer.

— O que aconteceu com ela?

Ela colocou a foto no lugar e pegou outra, na qual o sorriso de Jessica tinha desaparecido.

— Meu irmão veio fazer uma visita. Ele estava se divorciando e precisava de um tempo, então veio ficar com a gente. Uma noite, estávamos cozinhando no quintal, e Henry estava bebendo muito e ficando cada vez mais irritado. Ele começou a discutir com meu marido, Stanley, e eles estavam prestes a começar uma briga de verdade quando a minha doce Jessica chegou com suas piadas bobas e fez todos rirem, até mesmo o bêbado do Henry. Mais tarde, naquela noite, Stanley foi ao quarto de Jessica. Ele encontrou Henry lá, com uma garrafa vazia na mão. Ele estava desmaiado, bêbado e nu em cima da minha filha, paralisada de medo.

— Meu Deus. Sinto muito.

Eu disse as palavras, mas, quando saíram da minha boca, eu sabia que não seriam suficientes. Nenhuma palavra seria capaz de expressar o meu sentimento. Morei a vida toda no mesmo quarteirão que a Sra. Boone e nunca soube das tormentas pelas quais ela havia navegado.

— Jessica nunca mais falou depois disso. Pedi demissão do trabalho como professora e dei aulas para ela em casa, mas a sua luz tinha sido roubada. Ela nunca mais foi a mesma depois do que o Henry fez. Ela parou de falar e nunca mais sorriu de novo. Mas eu não a culpava. Como você pode falar quando uma pessoa em quem você confia rouba a sua voz? Jessica sempre parecia ter vozes na sua mente, demônios que tentavam acabar com ela. Quando ela completou vinte anos, finalmente não resistiu. Deixou um bilhete dizendo que amava Stanley e eu e que não era culpa nossa.

Meus olhos se fecharam, lembrando-me das palavras da Sra. Riley.

Ela tentou se matar.

A Sra. Boone se virou para mim e demonstrou preocupação ao ver minha expressão de sofrimento.

— Minha nossa. Eu deveria distraí-lo dos seus problemas e acabei fazendo você se sentir ainda pior.

— Não, não. Eu só sinto muito. Não sei nem o que dizer em relação a tudo isso.

— Não se preocupe. Eu também não saberia. — A chaleira começou a apitar na cozinha e ela gritou: — Stanley, pode pegar o chá para mim?

Fitei a Sra. Boone com estranheza, e ela parou. Instantes depois, ela se deu conta do próprio erro e se apressou a ir até a cozinha. Logo voltou com o chá. Tomei um gole do chá repugnante em silêncio e, quando chegou a hora de ir embora, eu me levantei e agradeci a Sra. Boone por ter me convidado para entrar na sua casa e por ter compartilhado sua história comigo.

Quando ela abriu a porta para mim, fiz uma última pergunta.

— Foi por isso que a senhora se ofereceu para visitar a Maggie? Por que ela a fazia se lembrar da sua filha?

— Sim e não. Maggie tem muito em comum com a minha filha, mas existem grandes diferenças

— Quais?

— Jessica desistiu de viver. A Maggie tem esses flashes de esperança, que eu vejo serem cada vez mais recorrentes. Ela vai ficar bem. Sei que vai. Tenho que acreditar nisso. Você sabe a maior diferença entre as duas?

— Qual?

— Jessica não tinha ninguém. Ela se fechou e deixou todo mundo do lado de fora. Mas a Maggie? Ela tem amigos. A Maggie tem você.

— Obrigado, Sra. Boone.

— Imagina. Agora pare de se culpar, está bem?

Eu sorri.

— A senhora também.

Ela assentiu.

— É, eu sei, eu sei. No fundo, sei que não é minha culpa, mas, às vezes, quando estamos sentados sozinhos, nossos pensamentos vagam para lugares que não deveriam ir. Às vezes, somos os nossos piores inimigos. Temos que aprender a discernir nossos pensamentos. Temos que ser capazes de distinguir a verdade e a mentira na nossa mente. Caso contrário, viramos escravos das correntes que nós mesmos colocamos em nossos tornozelos.

Capítulo 20

Maggie

Eu já não falava com ele havia cinco dias, e pareciam os mais longos da minha vida.

— O que você está lendo agora? — perguntou a Sra. Boone, sentada diante de mim na sala de jantar.

Quando pedi ao meu pai que avisasse a Sra. Boone que eu não estava me sentindo muito bem, ela me chamou de criança ridícula que precisava de um pouco de chá. Também pôs a culpa pela minha falsa doença no fato de que eu sempre deixava o cabelo molhado depois do banho.

Segurei o livro junto ao peito e dei de ombros, então eu o virei para que ela visse o título.

— Hum. *Antes que eu vá*, de Lauren Oliver. Sobre o que é a história?

Ela sempre fazia isso. Sempre fazia perguntas que sabia que eu não poderia responder. Considerando que ela nunca permitia que eu escrevesse, isso parecia nada mais, nada menos que pressão, e era a última coisa de que eu precisava.

Coloquei o livro na mesa e tomei um gole do chá nojento, fazendo uma careta.

— Então, hoje você voltou a odiar o chá, hein? — provocou.

Dei de ombros de novo.

— Onde está o seu namorado?

Dei de ombros mais uma vez.

Ela revirou os olhos.

— Se você fizer isso com seus ombros mais uma vez, ele vai ficar assim para sempre. Que infantilidade. Ele está preocupado com você, sabia? Afastá-lo assim não vai ajudar ninguém. Na verdade, é falta de educação. Ele é tão legal.

Legal? Em toda a minha vida nunca ouvi a Sra. Boone dizer nada de bom sobre ninguém.

— Brooks, você pode vir agora — disse ela na direção da cozinha. Brooks apareceu na porta e ergueu a mão, acenando timidamente.

O que ele está fazendo aqui?

— Eu o convidei — continuou ela, lendo os meus pensamentos mais uma vez. — Sente-se, Brooks.

Ele obedeceu.

— Agora chegou a hora em que eu falo e vocês dois escutam. Vocês dois são idiotas. — Ah, essa se parecia mais com a Sra. Boone que eu amava odiar. — Vocês dois se gostam, não é? Então deixem que isso seja o suficiente. Parem de pensar demais o tempo todo. Sejam felizes. Maggie, pare de agir como se não merecesse ser feliz. Se só as pessoas com o passado perfeito fossem felizes, então o amor nunca poderia existir. Agora se beijem e façam as pazes.

— O que está acontecendo aqui? — perguntou a minha mãe, entrando na sala de jantar. Parecia cansada, como se não dormisse há dias, e seu cabelo estava despenteado. Os olhos dela pousaram em Brooks, e uma expressão de decepção e choque passou pelo seu rosto. — Você não deveria estar aqui.

A Sra. Boone se empertigou.

— Agora, Katie, antes de você brigar com eles, quero que saiba que fui eu que fiz isso.

— Você? Você o convidou para vir aqui?

— Sim. Eles estavam tristes, então achei...

— É melhor você ir embora — disse minha mãe.

— Ah, não seja ridícula, deixe o rapaz...

— Não, estou me referindo a você, Sra. Boone. É melhor que você vá embora. Você passou dos limites hoje e não é mais bem-vinda nesta casa.

Eu me levantei da cadeira, surpresa com a minha mãe, que parecia cada vez mais uma estranha. *Não!* Bati as mãos na mesa. Bati e bati até as palmas ficarem vermelhas, e continuei batendo.

— Brooks, você também tem que ir embora. Você e eu já conversamos, e acho que fui bastante clara. Maggie, vá para o seu quarto.

Não! Não!

Brooks abaixou a cabeça e saiu. A Sra. Boone se levantou e fez que não com a cabeça.

— Isso não está certo, Katie. Esses garotos... eles estão se ajudando.

— Sem querer ofender, Sra. Boone, mas a Maggie não é sua filha, e eu preferia que você parasse de tratá-la como se fosse sua responsabilidade. Ela não é a Jessica, e você não pode fazer escolhas por ela. Eu me recuso a deixar que a minha filha termine como...

— *Como o quê?* — explodiu a Sra. Boone, claramente muito ofendida. Pegou a bolsa e a apertou com força. — Como a minha filha?

Uma expressão de culpa passou pelos olhos da minha mãe antes de ela piscar.

— A partir de hoje, não haverá mais chá. Sou grata pelo tempo que você passou com a Maggie, Sra. Boone, sou mesmo, mas acabou.

Enquanto a Sra. Boone caminhava para a porta, minha mãe a seguiu, e fui atrás.

— Sei o que você está tentando fazer, Katie. Sei mesmo. Também tentei fazer o mesmo com a minha filha. Você acha que está ajudando mantendo-a longe do mundo, do que pode magoá-la, mas não está. Você a está sufocando. Você está calando a pouca voz que ela ainda tem. A liberdade de escolha. A escolha dela de amar, de se abrir. Você está roubando isso dela.

Minha mãe abaixou a cabeça.

— Adeus, Sra. Boone.

Ela mandou o meu namorado e a minha melhor amiga para longe de mim, e eu não conseguia entender o que eu tinha feito para merecer aquilo. Comecei a bater na parede mais próxima para chamar a atenção da minha mãe. *Olhe para mim! Preste atenção em mim!*
Ela se virou, sem se importar com os sons.
— Vá para o seu quarto, Maggie.
Não. Bati mais e mais, e ela veio para cima de mim, me agarrando. *Não!*
— Pare com isso — ordenou. — Pense no tipo de vida que você vai dar para o Brooks. Você realmente quer que ele abandone os sonhos dele para ficar aqui com você? Como você acha que vai poder ter um relacionamento quando ele estiver viajando pelo mundo, construindo a própria vida? Por que você vai querer fazer isso com ele? Isso não é certo para você nem para ele. Ele merece mais do que encontros nesta casa. E você merece ficar sozinha para que possa se recuperar!
Para que eu possa me recuperar?
E se eu não estiver doente? E se eu for assim?
Onde estava o meu pai? Eu precisava que ele voltasse para casa. Precisava que ele viesse me ajudar. Que trouxesse a razão de volta à minha mãe. Eu precisava que ele consertasse isso. Eu continuava lutando para me soltar enquanto ela me arrastava pelas escadas.
— Isso é para o seu bem, Maggie. Sinto muito, mas é para o seu próprio bem.
Resisti, mas ela não me soltava. Não me deixava livre. Pisquei e o vi. O diabo.
Ele se desculpou por ter me machucado, por ter cravado os dedos no meu pescoço, dificultando a minha respiração.
— Mãe! Solte a Maggie! — pediu Calvin, saindo do quarto. Ele tentou afastá-la de mim, mas ela o empurrou.
— Fique fora disso, Calvin. A sua irmã está bem.
Não, não estou. Você está me machucando.

Cheryl saiu do quarto, e vi o medo em seus olhos. Tive certeza de que ela o viu nos meus também.

Me ajude.

— Mãe... — começou ela, mas nossa mãe também a fez calar a boca.

Ela me arrastou para o meu quarto, me empurrou lá para dentro e, rapidamente, fechou a porta e a segurou por fora.

— Você vai ver, Maggie, estou fazendo isso por você. Estou te protegendo.

Qual era o problema dela? Por que ela estava agindo como louca? Soquei a porta, tentando abri-la, mas não consegui. Atirei o corpo contra ela várias vezes. *Deixe-me sair! Deixe-me sair!* Minhas mãos foram ao pescoço, eu conseguia senti-lo ali comigo. Ele estava me sufocando. Ele ia me matar. *Deixe-me sair! Deixe-me sair!*

Eu não conseguia respirar. Não conseguia respirar... Eu não tinha opção.

Não sabia mais o que fazer, então fiz a única coisa que passou pela minha cabeça.

Desabei no chão.

De cara no tapete.

Abri a boca.

E gritei.

Capítulo 21

Maggie

Pisquei.

A porta se abriu, e meu pai correu na minha direção. Eu estava em um canto do quarto, as mãos tapando os ouvidos.

Pisquei.

Minha mãe o seguiu, e ele se virou, gritando com ela, mandando-a sair dali.

Pisquei.

Ela chorou e tentou se aproximar de mim, mas Calvin e Cheryl a seguraram.

Pisquei.

Meu pai se agachou e me olhou nos olhos, verificando se eu estava bem.

— Maggie? — sussurrou, ofegante. — Maggie.

Pisquei.

Ele passou os dedos pelo meu cabelo e me levantou.

— Deixe-me chegar perto dela — implorou minha mãe.

Meu pai me colocou na cama e a mandou sair do quarto.

Pisquei.

Eu conseguia senti-lo. Parecia tão real. Ele me sufocava de novo. Roubava todo o meu ar. Ele estava de volta. Era real. Ele era real.

Pisquei.

Meu pai saiu do quarto para ir gritar com ela. Tudo que eles faziam era gritar. Calvin e Cheryl entraram.

Pisquei.

Os dois vieram até a cama e me abraçaram. Eles me abraçaram apertado, e eu tremia.

Pisquei.

Cheryl ficava repetindo que eu estava bem, e Calvin concordava com ela. Eu chorava em meio aos lençóis, me sentindo em pedaços, confusa. Com medo. Muito medo.

Shhh...

Shhh...

Por que a minha mãe fez aquilo? Por que ela me arrastou? Por que o diabo fez aquilo? Por que ele matou aquela mulher? Por que ele tentou me matar?

Pisquei.

Fechei os olhos. Eu não queria sentir. Eu não queria ser. Eu não queria mais piscar. Mantive os olhos fechados. Eu não queria ver, mas ainda o via. Eu o via. Eu o sentia. Eu sentia o gosto dele. Eu via a minha mãe também. Eu a via. Eu a sentia. Eu a amava.

Eu a odiava.

Por que ela me machucou?

Por que ela mandou quem eu amava embora?

Tudo ficou sombrio.

Tudo virou sombras.

Tudo virou escuridão.

Capítulo 22

Maggie

— Você está bem hoje, Magnet? — perguntou Brooks na porta do quarto.

Ele foi proibido de ir à nossa casa na última semana. Como minha mãe não estava, presumi que meu pai o havia deixado entrar. Ela foi passar alguns dias com a irmã, a pedido do meu pai. Fiquei feliz por ela sumir um pouco.

Ver Brooks parado ali, encostado no batente, partiu o meu coração. Como era possível?

Como era possível sentir saudade de uma pessoa que estava a apenas alguns passos?

Ele não me perguntou se podia entrar no quarto, como sempre fazia; ficou ali, com as mãos enfiadas nos bolsos.

— Vamos pegar o avião amanhã de manhã. Vamos nos encontrar com o produtor para falar sobre o nosso futuro.

Ele sorriu, mas seu rosto demonstrava contrariedade. Isso me entristeceu ainda mais do que eu achava possível. A música era o sonho dele, e esse sonho estava se tornando realidade. Mesmo assim, ele parecia triste.

Estou muito orgulhosa de você.

Ele deu um riso abafado e olhou para o chão, fungando.

— O que está acontecendo, Maggie May? O que se passa na sua cabeça?

Não sei.
Ele entrou no quarto.
— Você me ama?
Amo.
— Mas não quer ficar comigo.
Hesitei para escrever, porque sabia que as minhas palavras seriam confusas para ele. Eu não poderia ficar com Brooks, principalmente agora. O sonho dele finalmente estava se tornando realidade, e a última coisa que ele precisava era que eu me intrometesse com os meus problemas. Como poderíamos namorar, com os meus pais se afastando um do outro? Como poderíamos continuar apaixonados com ele do outro lado do país? Mesmo que eu odiasse admitir, minha mãe estava certa. Brooks merecia mais que isso. Ele merecia ser amado a plenos pulmões, e o meu amor era um sussurro no vento, algo que, obviamente, só ele conseguia ouvir.

Ele pigarreou, como se o fato de eu não responder representasse as palavras que ele temia ouvir.
— Você me ama?
Amo.
Ele se virou de costas por um segundo para secar as lágrimas. Quando olhou para mim, deu um sorrisinho e veio na minha direção.
— Posso segurar a sua mão?
Eu as estendi a Brooks, e, quando ele entrelaçou seus dedos nos meus, a sensação de estar em casa, em meu lar, passou pelo meu corpo. Um prédio com paredes não era um lar. Lar era o lugar onde vivia o tipo mais cálido de amor entre duas pessoas. Brooks representava isso para mim.

Tive que me esforçar muito para não chorar.
— Sabe aquele momento em que você descobre uma nova música? Você pensa, não é nada demais, já ouvi um monte de músicas novas, e essa vai ser como todas as outras. Mas quando as primeiras notas chegam aos seus ouvidos e atravessam o seu corpo, você a sente nos ossos. Então chega o refrão, e você sabe. *Você*

simplesmente sabe. Sabe que aquela música vai mudar a sua vida para sempre. Você nunca vai conseguir se lembrar da sua vida sem aquele ritmo, sem aquela letra, sem aqueles acordes. Quando a música acaba, você se apressa para tocá-la de novo e, a cada vez que ouve, ela parece melhor do que você se lembrava. Como isso é possível? Como as mesmas palavras podem ter diferentes significados a cada vez? Você a toca inúmeras vezes, até que ela fique impregnada, até que atravesse o seu corpo, se tornando a batida do seu coração.

Minhas mãos estremeceram na dele, e as dele, na minha. Nós nos aproximamos, e ele encostou a testa na minha.

— Maggie May, você é a minha música favorita.

Não consegui lutar contra as lágrimas, e ele não conseguiu lutar contra as dele. Nossos rostos estavam apoiados um no outro.

— Estou tão dividido, Maggie. Parte de mim quer ir para Los Angeles e correr atrás desse sonho, mas outra parte sabe que *você* é o meu sonho. É, sim. Então, me diga o que você quer. Diga-me que você me quer. E vou ficar. Juro que vou ficar.

Dei um passo para trás, soltando as mãos dele.

O sonho dele estava em Los Angeles.

Minha mãe estava certa.

Eu não era a melhor vida para ele.

— Me diga para ficar, e eu vou ficar. Fale para eu ir, e eu vou, mas não me deixe nesse limbo, Maggie May. Não me deixe sem saber. Não me faça nadar por águas desconhecidas, porque tenho certeza de que é no desconhecido que eu vou me afogar.

Vá.

Ele leu a palavra no meu quadro, e seus olhos se estreitaram. Brooks pareceu chocado com a minha resposta. Magoado. Com o coração partido. O sofrimento em seus olhos me surpreendeu. Corri até ele e tentei abraçá-lo.

— Para, Maggie. Tá tudo bem.

Não. Não estava. Ele estava sofrendo por minha causa. Seu coração estava se despedaçando graças a mim. *Por favor. Você precisa entender. Por favor.*

Ergui a mão.

Cinco minutos.

Era tudo que eu precisava. Mais cinco minutos.

Ele suspirou e concordou.

— Tudo bem. Cinco minutos.

Eu o abracei e o obriguei a me abraçar.

Brooks conteve o choro.

— Isso não é justo. Não é justo. A gente era feliz.

Eu o abracei ainda mais apertado e olhei para ele. Nossos lábios roçaram um no outro, e nos beijamos. Foi um beijo suave no início, mas depois ficou mais intenso. Nós nos beijamos com nossas esperanças e nossos pedidos de desculpas, tudo de uma vez. Fiquei impressionada de ver como antes cinco minutos pareciam durar a eternidade, mas, naquele momento, cinco minutos passaram como um borrão.

— Maggie May — sussurrou Brooks com a voz falhando. — Como você faz isso? Como você parte o meu coração e o conserta logo em seguida, só com um beijo?

Eu também sentia aquilo. Sempre que nossos lábios se tocavam, os beijos doíam e nos curavam. Éramos tempestade e dias de sol, tudo ao mesmo tempo. Como fazíamos isso um com o outro? Por que fazíamos isso? E como poderíamos dizer adeus?

Ele tocou o pingente de âncora que eu nunca tirei antes de me soltar e dar um passo para trás.

— Não posso ficar... Tenho que ir. Tenho que te deixar.

Em questão de segundos ele saiu do quarto e da minha vida.

Depois que ele foi embora, Cheryl veio e se sentou ao meu lado na cama.

— Por que fez isso, Maggie? Por que você o deixou ir embora?

Apoiei a cabeça no ombro da minha irmã, sem saber ao certo como responder. Meu coração dizia que era errado deixá-lo partir, mas ele tinha que correr atrás dos seus sonhos sem mim. Quando se ama alguém, você o deixa voar para longe, mesmo que não voe junto.

— Não é justo — lamentou ela. — Porque o jeito como ele olha para você e você olha para ele... esse é o meu sonho. É isso que eu quero um dia.

Abri a boca para falar, mas nada saiu. Tentei sorrir para ela, e ela sorriu para mim.

— Acho que é esse tipo de ativista que quero ser. Quero lutar por você, por pessoas como você. Quero lutar por aqueles que não têm voz, mas estão gritando para serem ouvidos.

* * *

Calvin e os garotos foram convidados a ficar em Los Angeles por mais alguns dias. Ofereceram a eles um contrato com a gravadora Rave Records, e eu quase conseguia sentir a animação deles lá na Costa Oeste.

Brooks me ligou para contar a notícia.

— Sei que a gente não devia se falar... mas... a gente conseguiu, Magnet. — A voz dele estava baixa. — Conseguimos um contrato. Em algumas semanas, vai ser oficial e vamos assinar com a Rave. Você fez isso por nós. Você fez isso acontecer.

Lágrimas escorreram pelo meu rosto. Tudo que eu queria era que coisas incríveis acontecessem com eles. Aqueles garotos mereciam isso. Mereciam tudo que conquistassem.

— Eu te amo, Maggie — sussurrou ele, antes de desligar.

Foi a última vez que Brooks falou comigo por um longo tempo. Calvin ligou para contar à família que o produtor queria que eles gravassem algumas músicas no estúdio enquanto fechavam os detalhes do contrato e, antes que eu percebesse, os dias viraram semanas, que viraram meses. A vida deles começou a passar a toda a velocidade, e eu ainda estava paralisada no mesmo lugar.

Quando setembro chegou, a banda foi convidada para abrir o show da The Present Yesterdays na turnê mundial.

Parecia que, em um piscar de olhos, a vida deles tinha mudado completamente.

Eu me esforcei ao máximo para não sentir saudade dele. Eu lia. Tomava os meus banhos e ouvia o iPod que ele deixou para trás. Também tocava o violão dele. Descobri que sentir saudade de alguém nunca fica mais fácil, só mais tranquilo. Você aprende a viver com a dor da saudade dentro do peito, se entristece pelos instantes que compartilharam e, às vezes, se permite sofrer um pouco também.

Houve muitos momentos em que abri o celular e olhei para o número dele, houve tantas vezes em que quase liguei para ver como ele estava... Dizia a mim mesma que eu ia ligar só uma vez, só para ouvir a voz dele de novo, mas nunca tive coragem de fazer isso. No fundo, eu sabia que, se ligasse uma vez, não ia conseguir viver sem ligar todos os dias.

Na maior parte do tempo, eu nem saía do meu quarto, com medo de encontrar a minha mãe.

Ela e meu pai estavam se tornando completos estranhos um para o outro diante dos meus olhos. Sempre que estavam no mesmo aposento, um deles saía. Antes, quando ele ia para o trabalho, dava um beijo na testa dela, mas esses beijos eram apenas lembranças agora.

As estações chegaram, mudaram, e sempre que a banda voltava para a cidade, Brooks não estava em lugar algum. Achei que talvez tivesse encontrado sua próxima aventura na estrada. Talvez o nosso amor tenha sido apenas algo passageiro.

— Está tocando! — gritou minha mãe uma noite, correndo pela casa. — Está tocando!

Todos saíram dos quartos e, pela primeira vez em meses, a minha família parecia unida em volta do rádio na sala de jantar, ouvindo a primeira música da The Crooks no rádio. Senti um aperto no peito e segurei o pingente de âncora que nunca deixava o meu pescoço enquanto eu ouvia a letra tão familiar. A nossa música...

Ela se apoia no meu peito quando a chuva começa a cair.
Parece tão frágil, sem destino, as paredes fazem-na se retrair.
Ela implora por um momento em que possa respirar.
Em que sua alma dolorida e silenciosa possa se alegrar.

Serei a sua âncora.
Vou te abraçar nas noites difíceis.
Vou ser o seu porto seguro
nas marés solitárias e escuras
Serei o seu apoio, a sua luz, prometo que bem você vai ficar.
Serei a sua âncora,
e juntos vamos ver essa batalha acabar.

Ouvir aquelas palavras era o beijo que eu tanto desejava. Elas pareciam uma promessa de que ele voltaria para mim. Todos na sala começaram a comemorar e a se abraçar — algo que não fazíamos havia bastante tempo. Quando os braços de minha mãe envolveram meu pai, ele a abraçou com mais força. Juro que vi o amor que eles sentiam um pelo outro. Aquele sentimento se foi no instante em que se separaram, mas eu o vi, o que significava que, em algum lugar dentro deles, o amor ainda existia.

Foi só na noite em que recebi um pacote pelo correio que me permiti chorar pela partida de Brooks.

Um livro.

Água para elefantes, de Sara Gruen.

Dentro do exemplar havia Post-its amarelos cobertos com a letra dele, marcando as melhores partes do livro. No final, havia um bilhete, que eu ia reler todos os dias dos anos que estavam por vir. O bilhete era a prova de que eu jamais amaria outro cara.

* * *

Para a garota que me mandou embora
De: Brooks Tyler Griffin
22 de outubro de 2018

Maggie May,

Já se passaram dois anos desde que vi seu rosto pela última vez. Vinte e quatro meses de saudade, de sonhar e desejar você ao meu lado. Tudo me faz lembrar você e, sempre que volto para a cidade, fico na casa do meu irmão, sem coragem de encontrá-la. Se eu a vir, talvez não consiga mais partir. Sei que não conseguiria. Minha vida está acelerada demais. Às vezes, acho que não vou conseguir acompanhá-la. Nesses dias, eu me lembro de como você me mandou embora. Era isso que você queria, e tenho que cumprir a sua vontade. Anos antes de eu saber o que significava amar você, eu me deitei na sua cama e fiz uma promessa. Dei a você o cordão com o pingente de âncora e prometi ser seu amigo não importando o que acontecesse. Tenho pensado muito, me perguntando se ainda posso ser seu amigo e, ao mesmo tempo, respeitar o seu espaço. E a melhor maneira veio à minha mente. Vou continuar enviando livros a você. Espero que isso te ajude a se lembrar de que nunca está sozinha. Se você se sentir assim, leia os bilhetes nos livros.

    Se um dia você me chamar, eu estarei aí.

    Eu te amo, Magnet, como amante e como amigo. Essas duas coisas nunca vão mudar, mesmo quando o meu coração precisar de um tempo.

Sempre seu,

Brooks Tyler.

P.S.: Sempre estarei por aí para ouvir o seu silêncio.

* * *

Para o cara que está na televisão
De: Maggie May Riley
1º de agosto de 2019

Brooks,

Hoje eu vi você no *Good Morning America*. Seu cabelo está um pouco mais comprido, não é? Além disso, você fez uma tatuagem no braço direito? Não consegui ver muito bem, mas eu poderia jurar que era uma tatuagem. O que é? Estou enviando os meus comentários sobre *Deuses americanos*, do Neil Gaiman. Mas tenho que confessar uma coisa: eu já o tinha lido três vezes antes de você me mandar o exemplar. Ver a sua opinião fez parecer que era uma nova leitura. Os livros dele são sempre uma ótima escolha.

Terminei de ler *A sociedade literária e a torta de casca de batata*, de Mary Ann Shaffer e Annie Barrows, e estou torcendo para você gostar. Eu amei, mas sei que você não gosta tanto de romances históricos quanto eu. A história se passa durante a Segunda Guerra Mundial, e mesmo que destaque os efeitos da guerra, ainda há certo charme e doçura na narrativa. E é engraçado também. Eu já contei que a Muffins faleceu? Pedi ao papai que prestasse minhas condolências à Sra. Boone. A resposta dela foi: "Aquela maldita gata viveu um milhão de anos. Agora não preciso mais desperdiçar meu dinheiro com ração para gatos."

O que ela quis dizer era que sentia mais falta dela do que as palavras poderiam expressar. Também sinto.

Sempre,

                                                Maggie.

P.S.: O disco novo da The Crooks está em primeiro lugar de novo esta semana. Não estou surpresa. Estou ouvindo-o direto nas últimas cinco semanas. A música de vocês é a minha preferida.

* * *

Para a garota que relê livros para se divertir
De: Brooks Tyler Griffin
5 de janeiro de 2020

Magnet,

A banda está em Tóquio esta semana, e Rudolph sem querer comeu orelhas de porco fritas achando que eram picles orgânicos fritos. Acho que foi o melhor momento que já testemunhei. Há uma onda de gripe por aqui, e eu fui vítima da praga. A quantidade de remédio que já tomei é preocupante, mesmo assim, o show tem que continuar. Espero passar a gripe para o Calvin também, só para rir dele. O livro: *A passagem,* de Justin Cronin.

O número de Post-its: cento e dois.

Ouvi que a Cheryl entrou para a Boston State University e está cursando jornalismo com foco em estudos do feminismo. Da próxima vez que se falarem por Skype, diga que estou orgulhoso dela.

Brooks

* * *

Para o garoto que pode ir para o inferno
De: Maggie May Riley
14 de junho de 2021

Brooks Tyler,

Sério? *A culpa é das estrelas*?
Acabei de chorar tomando um pote de sorvete de chocolate com menta. Surpreendentemente, as lágrimas salgadas o deixa-

ram mais saboroso. Com isso, troco o seu romance do John Green por *A cidade do sol*, de Khaled Hosseini. Cheryl me fez lê-lo, e não sou mais a mesma desde então.

Boa sorte.

Maggie

* * *

Para a garota que eu odeio
De: Brooks Tyler Griffin
12 de agosto de 2021

M,

Puta que pariu, Maggie May Riley.
    Puta que pariu.
    Adoro chorar lendo um livro na frente de um monte de marmanjos. Isso elevou muito o meu conceito com eles.

B

P.S.: Você está fazendo aulas a distância para ser bibliotecária? Que máximo. No último bilhete, você escreveu: "Espero que um dia eu saia de casa para ser bibliotecária."
    Não precisa ter esperanças.
    Aqui estão apenas os fatos.
    Você será a melhor bibliotecária da história das bibliotecárias, e eu visitaria a sua biblioteca para ler todos os livros.

* * *

Para o garoto que ganhou um Grammy
De: Maggie May Riley
28 de fevereiro de 2024

Brooks,

Estou tão orgulhosa de você.
    Estou maravilhada com o seu talento.
    Espero que a turnê mundial seja mais que maravilhosa.
    O livro: *Ah, Os Lugares Aonde Você Irá!*, de Dr. Seuss.
    Os Post-its: dezoito.

Maggie.

* * *

Para a garota que eu respeito
De: Brooks Tyler Griffin
18 de julho de 2025

Magnet,

Sinto muito não ter mandado nada por um tempo. As coisas estão meio doidas com os ensaios, reuniões e entrevistas. Estou cansado. Estou sempre cansado ultimamente. Ainda amo tudo isso, mas, às vezes, queria que as coisas fossem mais devagar.
    Sinto que tenho que te contar uma coisa, mas não sei como, então, aqui vai.
    Conheci uma pessoa.
    O nome dela é Sasha.
    Ela é modelo e um doce. Um doce mesmo.
    Canta muito mal e não sabe dançar, mas dá risadas, o que é mais do que posso dizer sobre a maioria das pessoas que conheci nessa jornada.

Não sei porque senti a necessidade de te contar isso, mas achei que você deveria saber por mim, não pelos tabloides.

Brooks

P.S.: Reli *O caçador de pipas*. Foi o primeiro livro que você me deu, lembra? Eu não me lembro de ter chorado da primeira vez que li, mas talvez o tempo mude a nossa perspectiva das histórias. Talvez a gente cresça, e as experiências de vida mudem o significado dos livros. Talvez eu não seja mais a mesma pessoa que era tantos anos atrás, quando o li.

Ou talvez eu só esteja com saudades de casa...

Parte três

Capítulo 23

Maggie

8 de abril de 2026 — Vinte e oito anos de idade

Todas as noites, meus pais e eu jantávamos juntos. Eles mal se olhavam. Pareciam estranhos um para o outro.

Meu pai quase não contava mais piadas e, quando ia ao meu quarto, reclamava de como minha mãe estava sempre bebendo.

Era difícil acreditar que um dia eles tinham sido apaixonados um pelo outro. Era difícil imaginá-los dançando na sala.

Mesmo assim, jantávamos juntos todas as noites, ainda que sempre fosse constrangedor para todos nós. As noites de sexta-feira eram as minhas favoritas, porque, depois do jantar, Cheryl sempre me ligava por Skype.

Eu limpava o prato e corria para o quarto, ansiosa para ligar o computador. Desde que se formou na faculdade, Cheryl está em uma jornada para conhecer o mundo. Começou com um mochilão pela Europa e Ásia, e não parou de viajar desde então. Já visitou vários lugares, descobriu todo tipo de cultura e testemunhou mais confeitos do que eu jamais poderia ter imaginado, em partes tão remotas do mundo que passavam quase despercebidas.

Ela estava em Bangkok, na Tailândia, quando me chamou pelo Skype naquela noite.

— Oi, mana! — cumprimentou. A conexão não estava tão boa quanto na semana anterior, mas ver o rosto dela, ainda que embaçado, me fazia feliz. — Você está bonita.

Sorri e digitei: *Você também.*

— Hoje fui ver Phra Phuttha Maha Suwana Patimakon. Aposto que pronunciei errado, porque, quando eu disse isso mais cedo, o guia turístico me falou que eu tinha acabado totalmente com o idioma, mas e daí? É aquele Buda dourado grandão, sabe? E é incrível. Ah! — Ela andou pelo quartinho do *hostel* e pegou um livro. — E comprei o seu primeiro livro da Tailândia! Não sei exatamente sobre o que é, mas acho que deve ser ótimo, se você souber ler em tailandês.

Sorri para minha irmã boba. Sentia tanta saudade dela.

Cheryl ergueu uma sobrancelha.

— E aí, desde que parti você começou a falar e a xingar como um velho marujo?

Neguei com a cabeça.

— Um dia, quero que você abra os braços e grite o "foda-se" mais alto que alguém já gritou. Vai ser revigorante, eu acho.

Acho que não.

— Seria melhor se você fosse um pouco mais revoltada. Menos perfeita, sabe? Tipo, eu sei que você tem esse lance de ser muda e não conseguir sair de casa, mas isso parece tão pequeno comparado a uma mulher solteira viajando sozinha por esse mundo tão cheio de perigos... Você realmente faz com que seja muito difícil ser sua irmã.

Eu ri. *Sinto muito.*

Fiz faculdade a distância na University of Wisconsin-Milwaukee e me formei em Letras. Depois disso, me inscrevi em diversas faculdades que ofereciam mestrado a distância, mas não fui aceita em nenhuma. Meu currículo maravilhoso provavelmente não valia muita coisa, considerando que fiz pouca coisa na vida.

Há um ano, quando eu estava prestes a desistir, meu pai me convenceu a tentar uma inscrição na UW-Milwaukee para o mestrado em biblioteconomia e ciência da informação. Quando fui aceita no programa de ensino a distância, chorei.

Minha mãe disse que era perda de tempo e dinheiro. Meu pai disse que era um passo rumo ao meu final feliz.

Está tudo bem na faculdade. O semestre já está quase acabando, o que é bom.

— E você meio que paquera algum dos seus colegas nos grupos de discussão? — perguntou Cheryl com a voz aguda.

Revirei os olhos, mesmo sabendo que ela estava falando sério. Uma vez, ela tentou me convencer a conhecer alguém pela internet. Até fez o meu perfil em alguns sites de namoro.

— Só estou dizendo, Maggie, que você é educada. É linda. E...

E moro com os meus pais.

— É, mas não no porão. Você vive no andar de cima, e isso é diferente.

Também tem a questão de eu ser muda e nunca sair de casa.

— Fala sério! Homens adoram quando as mulheres ficam de bico calado. Além disso, já que você nunca sai de casa, deve ser muito barato namorar com você. E os homens adoram não ter que gastar muito dinheiro! Você deveria acrescentar essas características nos sites de namoro. — Ela deu uma piscadela.

Eu ri, e Cheryl continuou insistindo no assunto até eu perguntar se ela havia falado com o Calvin.

— Falei com ele por Skype mais cedo, e ele estava me contando que viu uma banda no YouTube chamada Romeo's Quest. Muito legal e com uma pegada bem inovadora. Ele me mandou um link para assistir, e eu quase caí para trás. Vou te encaminhar o link porque *sei* que eles foram feitos para *você*. Vou mandar por texto. E olha isso: todas as músicas deles são feitas com base em peças de Shakespeare!

Você não sabe nada sobre Shakespeare.

— Sei disso, Maggie, mas essa não é a questão! A questão é que eles são diferentes e inexperientes e... — Ela fez uma pausa. — "Ser ou não ser, eis a questão." Viu? Conheço um pouco de Shakespeare! Eu me formei na faculdade, senhorita.

De que peça é?

— Minha nossa! Isso é um jogo de perguntas e respostas ou alguma coisa assim? Saia do meu pé, mana. De qualquer forma, depois que desligarmos, ouça a música deles. Acho que Calvin está tentando alguma coisa para a banda, uma espécie de retribuição, já que eles também foram descobertos on-line.

Legal.

— Também falei com o Brooks — disse ela, fazendo com que eu inclinasse a cabeça. Tentei ignorar o frio na barriga.

Ele está bem?

— Está, sim. E lindo. Feliz, sabe? Só cansado. Ele tem esse lance doido de pelos na cara, como se não fizesse a barba há anos ou algo assim. Foram só alguns meses, mas ele ficou bonito. Parece adulto.

E feliz?

Ela assentiu.

— E feliz.

Ótimo. Queria que ele fosse feliz. Brooks merecia ser feliz. Depois que descobri que ele estava com Sasha, não consegui mais escrever para ele. Doía muito saber que, quando ele recebia meus livros, ela poderia estar sentada ao seu lado. E isso também não seria justo com ela. Fechei os olhos, tentando imaginar a nova aparência dele. Eu o vi pela última vez no Grammy, quando a banda ganhou o prêmio de melhor disco do ano. Ele também parecia feliz, quase como se tivesse realizado todos os seus sonhos.

— Você está feliz, Maggie? — perguntou minha irmã.

Sorri e fiz que sim com a cabeça, mas ela não notou quando bati uma vez na perna por baixo da mesa.

A felicidade era algo difícil de se encontrar sozinha no meu quarto, principalmente quando a pessoa amada estava do lado de fora dele, amando outra pessoa.

Enquanto Cheryl e eu conversávamos, minha mãe começou a gritar:

— Eu não quebrei, Eric! Estava tentando consertar. Você disse que ia consertar há semanas, mas não fez isso.

— Eu disse a você que não mexesse em nada. Agora estragou ainda mais — retrucou meu pai.

Cheryl franziu o cenho.

— Por que estão brigando dessa vez?

A máquina de lavar louça.

Ela não fez mais perguntas. Eles só tinham duas versões de relacionamento: a silenciosa e a zangada.

Quando não estavam em silêncio, estavam gritando.

Quando não estavam gritando, passavam um pelo outro como fantasmas.

Cheryl e eu conversamos um pouco mais antes de ela começar a bocejar e ir para a cama.

Depois que encerramos a ligação, passei a assistir aos vídeos da Romeo's Quest. Tamborilei, ouvindo a parte instrumental. Cheryl compreendia a minha mente e a minha alma e, quando o vocalista começou a cantar, senti... uma flecha no coração.

Assisti a todos os vídeos on-line, diversas vezes. A minha música favorita era "Broken Nightmares", porque era triste, mas, de alguma forma, esperançosa.

> *Encontre-me na escuridão, porque é onde estou.*
> *Abra o seu coração e deixe as sombras entrarem.*

Pisquei algumas vezes, tentando imaginar o que a banda estava sentindo quando escreveu a letra, essas palavras. A música era um dos melhores lembretes de que eu não estava sozinha neste mundo.

Aquele momento poderoso em que eu ouvia os sons e a letra. Parecia que o artista havia se esgueirado pela minha mente solitária e composto uma música exclusivamente para mim, me lembrando de que, em algum lugar no mundo, alguém estava se sentindo exatamente como eu.

Tinha certeza de que Brooks ia adorar a banda.

Capítulo 24

Brooks

— Birmingham, vocês foram incríveis hoje à noite! Somos a The Crooks, e obrigado por nos deixarem roubar seus corações! — gritou Calvin no microfone no nosso segundo show esgotado em Birmingham, Inglaterra. Mais de dezesseis mil ingressos vendidos, mais de dezesseis mil fãs gritando nosso nome e cantando nossa música.

Eu tinha certeza de que nunca me cansaria disso, de me apresentar diante de pessoas que permitiam que você vivesse o seu sonho em alto e bom som.

Nós quatro estávamos vivendo esse sonho havia dez anos. Começamos abrindo os shows da nossa banda favorita e agora éramos a banda principal. Nossa vida estava longe de ser normal.

— E vamos gritar um feliz aniversário para o meu parceiro de crime que está fazendo vinte e oito anos hoje! — pedi. — Feliz aniversário, Calvin! Sua voz deixa o mundo um pouco mais bêbado...

A multidão gritou, berrou e pediu bis, mas não podíamos, porque tempo era dinheiro e isso era algo que nossos agentes odiavam perder.

Saímos correndo do palco, e me deitei no camarim. Logo fui interrompido por Michelle, a minha assistente pessoal, que chegou com uma lista de aparições na TV marcadas para a próxima semana.

— Ótimo show, Brooks — elogiou, sorrindo e equilibrando um iPad, um iPhone e um saquinho de Skittles nas mãos. — Hoje vai ter uma festa na Urban.

— A mesma Urban do ano passado onde, de alguma forma, Rudolph se envolveu em uma briga porque um prato tinha sido feito com carne de golfinho? — perguntei, indo até a pia para pegar um pano molhado para passar no rosto.

— Esse mesmo. Eles organizaram uma festa de aniversário para Calvin hoje à noite.

Suspirei. Eu odiava boates, mas amava o meu melhor amigo.

— Então tenho que ir.

— Sim, tem que ir, pelo menos até tirarem as fotos. Depois disso, pode ir embora quando quiser. De manhã, você precisa estar na KISS 94.5 por volta das cinco para dar uma entrevista. E então vamos para o The Morning Blend às sete. Às nove, seguimos para o The Mix 102.3 para uma gravação ao vivo e, então, ao meio-dia, vamos ao programa de entrevistas do Craig Simon. Voltamos para o palco às três para passagem de som, encontro e fotos com fãs das quatro e meia às seis, e um jantar com sessão de fotos com alguns repórteres antes do show, às oito. Alguma pergunta?

— Hum, e quando posso dormir?

Ela riu e começou a digitar no telefone.

— Você conhece o meu lema, Brooks...

— Podemos dormir quando estivermos mortos — respondi, ecoando suas palavras. Eu me sentei na cadeira e peguei um pacote que havia embalado naquela tarde antes do show. — Você pode encontrar uma agência dos Correios para enviar isso amanhã?

Michelle me olhou de cara feia.

— E quando é que eu vou ter tempo para fazer isso?

Eu ri.

— Você conhece o meu lema: por que não encontrar um motivo para ir todos os dias aos Correios?

— Esse não é o seu lema, mas pode deixar comigo. — Ela pegou o livro da minha mão e semicerrou os olhos. — Isso te incomoda?

— O quê?

— Que ela nunca mais tenha mandado nenhum livro?

Maggie não me mandava mais livros desde o ano anterior, quando contei que estava saindo com a Sasha. Isso me incomodava? Todos os dias. Eu demonstraria que isso me magoava? Não mesmo.

— Não. Eu já não espero mais resposta.

— Você deve ter feito alguma coisa horrível para ela parar de responder.

— E por que acha que a culpa é minha?

Ela sorriu.

— Por causa do pau no meio das suas pernas. — Ela se dirigiu para a porta. — Eu realmente espero que essa garota dos livros tenha uma biblioteca enorme, tipo a de *A Bela e a Fera*. Porque ela vai precisar de espaço, com todos esses livros que você tem mandado. Você tem vinte minutos para tomar banho antes de ir para a Urban.

Com isso, ela saiu do camarim.

Eu me sentei em frente ao espelho e respirei, pensando em todas as mudanças em mim. Eu estava com olheiras aos vinte e oito anos. E não eram sutis. Era um inchaço bem notável que o nosso maquiador conseguia esconder bem. Meus braços estavam cobertos de tatuagens, herança dos anos de bebedeira, quando fizemos shows por todos os Estados Unidos. A minha barba não parava de crescer, já estava maior do que deveria, mas o meu empresário, Dave, disse que barbas estavam na moda e, sendo assim, ele se recusava a me deixar fazê-la.

Fiquei me perguntando o que Maggie ia achar dela.

Fiquei me perguntando o que Maggie pensaria de mim.

Fiquei me perguntando se ela pensava tanto em mim quanto eu pensava nela.

— Ei, barbudão — alguém chamou, me arrancando dos meus pensamentos.

Eu me virei para olhar para Sasha e fui tomado por uma onda de culpa. Eu odiava que a minha mente vagasse para Maggie May quando Sasha estava por perto. Não parecia justo com ninguém.

Sasha se aproximou de mim e se sentou no meu colo.

— Hoje foi demais. Você é demais! — sussurrou, beijando a ponta do meu nariz.

A culpa desaparecia quando ela se aproximava. Sasha era linda, não apenas por fora, mas também por dentro. Não se encontrava tantas pessoas bondosas e gentis no reino da fama.

— Valeu — respondi, dando um beijo no seu queixo. — A gente vai ter que dar um pulo na Urban esta noite.

Ela gemeu. Sasha odiava boates tanto quanto eu.

— Sério? Eu esperava que a gente pudesse voltar para o hotel, tomar um banho na banheira de hidromassagem e pedir serviço de quarto.

— Ah, não me tente.

Seus lábios deslizaram para os meus. Senti gosto de vinho tinto, sua bebida favorita sempre que estava nos bastidores dos nossos shows.

— Meu voo é de manhã. Tenho uma sessão de fotos em Los Angeles e um desfile em Nova York.

— Você *acabou* de chegar! — reclamei.

Desde que a turnê começou, Sasha e eu só nos vimos umas cinco vezes, mas sempre encontrávamos um tempinho para nos falarmos pelo FaceTime todas as noites. Ela havia chegado a Birmingham quatro dias antes e, ainda que estivéssemos na mesma cidade, eu vivia correndo de um lado para o outro. Não era justo com o nosso relacionamento, mas Sasha sabia como eram as coisas. Eu pegava um avião para vê-la nos dias de folga, mas ela estava batalhando pela sua carreira tanto quanto eu.

— Eu sei. Sinto sua falta. Sinto sua falta mesmo quando você está bem aqui do meu lado.

Eu a puxei para mais perto e apoiei a testa na dela.

— Que tal se a gente fizer uma parada rápida na Urban por uma horinha, mais ou menos, depois voltamos para o hotel e curtimos a noite inteira na hidromassagem e pedimos serviço de quarto?

Ela se empertigou e abriu um sorriso animado.

— Você não tem compromissos amanhã? Quando você vai dormir?

— Posso dormir quando estiver morto — brinquei, citando Michelle. — Mas sério. Prefiro ficar cansado e passar tempo com você do que ter um dia totalmente descansado.

Ela levou as mãos ao meu rosto e me beijou.

— Sou louca por você, Sr. Griffin. Vá tomar um banho para se aprontar para esta noite.

Fomos ao Urban e ficamos por uma hora e meia — mais tempo que pensamos em ficar, mas valeu a pena. Calvin se divertiu muito, e foi a melhor sensação do mundo vê-lo tão feliz. Stacey estava ao seu lado, exatamente onde esteve desde o oitavo ano.

Havia algo entre nós quando saíamos juntos — as pessoas notavam a gente. Éramos a animação de todo evento. Ríamos, bebíamos e dançávamos. Nossas bocas estavam sempre em movimento, conversando com as pessoas, e éramos ótimos em terminar a frase um do outro. Ser sociável com Sasha Riggs ao meu lado era fácil. A gente se completava tão bem que era impossível que alguém achasse que não estávamos destinados a nos conhecer.

O casal do momento, era como as revistas se referiam a nós.

Os queridinhos da América.

Havia muita expectativa em cima de nós, mas passávamos por tudo isso com o nosso charme. Eu não conhecia mais ninguém que conseguisse acompanhar as minhas palavras — a minha voz.

Quando voltamos ao hotel, estávamos bem bêbados. Sempre que ela estava de porre, ficava com soluço, e era a coisa mais fofa do mundo. Nós nos beijamos até chegar ao quarto, e quando entramos, ela chutou as sandálias para longe, correu para a hidromassagem e a ligou.

— Pegue o cardápio do serviço de quarto, peça o que quiser e uma porção de batatas fritas. Muitas batatas fritas.

Fui até o telefone para fazer o pedido, mas parei quando vi *O caçador de pipas* na mesinha de cabeceira.

Senti um aperto no peito quando comecei a virar as páginas e li os Post-its da Maggie.

— Vou colocar espuma. Não sei se deveria, mas vou — gritou ela.
Não respondi, só continuei virando as páginas.
— Essa noite foi muito legal, não foi? Eu adorei o pessoal, tinha tanta...

Ela continuou falando, mas eu não estava mais ouvindo. A culpa começou a voltar enquanto eu lia as anotações que Maggie havia feito. Eu não deveria estar me sentindo daquele jeito. Não deveria sentir saudades dela. Não deveria ser arrastado de volta para ela cada vez que eu abria um dos livros que ela havia me mandado.

— Já pediu? — perguntou Sasha, vindo na minha direção. Abri a gaveta da mesinha de cabeceira e enfiei o livro lá dentro, fechando-a depressa.

— Hã?
— Já pediu a comida?
— Ah, ainda não.

Ela arqueou uma das sobrancelhas.
— O que houve? Está tudo bem?

Não.

— Venha aqui — pedi, me sentando na cama king size. Ela se sentou também, de frente para mim. Peguei a mão dela. — Podemos tentar fazer uma coisa?

— Você está me assustando...
— Desculpe, é só que eu queria tentar fazer os cinco minutos.
— O que é isso?
— A gente fica olhando um para o outro por cinco minutos.

Ela deu um sorriso torto.
— Por quê?
— Por favor, Sasha? Eu só... preciso que você tente.

Ela assentiu.
— Tudo bem.

Durante o primeiro minuto nos esforçamos para manter o contato visual. No segundo, ela comentou sobre como era estranho ficar em silêncio. No terceiro, ela soltou as minhas mãos.

— Não entendo, Brooks. Não sei o que está acontecendo com você. Tipo, a gente teve uma noite tão legal e, quando voltamos para o hotel, você fica todo estranho.

— Eu sei, sinto muito.

Ela semicerrou os olhos.

— É sobre a garota dos livros?

— Quem?

Ela mordeu o lábio inferior.

— A garota dos livros. Você acha que nunca notei que ou você está com o seu violão ou com um livro, escrevendo bilhetes que nunca são para mim? Às vezes, quando você está lendo, eu poderia ficar nua e rebolar na sua frente que você nem ia notar.

Ela respirou fundo.

— Eu te amo, Brooks — declarou, com os olhos cheios de esperança e um pouco de preocupação.

Meus lábios se abriram, e eu fiz menção de falar alguma coisa, mas nenhuma palavra saiu. Tudo que consegui pensar foi:

— Obrigado.

Sasha se levantou da cama.

— Uau. Tudo bem. Vou embora.

— Sasha, espere!

— Esperar? Esperar pelo quê? Acabei de declarar o meu *amor* por você pela primeira vez e você disse *obrigado*. Meu Deus! Você é um idiota! — gritou ela. — É horrível vir em terceiro lugar na sua vida, mas continuei com isso porque pensei que talvez, em algum momento, eu fosse subir de posição.

— Terceiro?

— Você tem a música, a garota dos livros e, depois, o resto do mundo. E não importa o quanto o resto do mundo tente atrair a sua atenção, você nunca está totalmente presente.

Eu *era* um idiota. Um idiota mesmo.

— Sinto muito, Sasha.

— A gente é tão bom juntos. Todo mundo vê isso. Nós combinamos um com o outro.

Concordei. Ela não estava errada. Nós éramos perfeitos para o mundo inteiro. Só queria que fôssemos perfeitos para o meu coração também.

Ela mordeu o lábio inferior.

— A gente está terminando, não está?

— Acho que sim.

— Você a ama? — sussurrou ela, com algumas lágrimas escorrendo pelo rosto.

Meus polegares enxugaram os vestígios da tristeza de Sasha, mas segundos depois surgiram outros.

— Tentei esquecê-la. Queria que isso desse certo. Eu queria que a gente desse certo.

Ela deu de ombros.

— Mereço mais que isso, sabe?

Assenti. Eu sabia disso.

— E só para deixar bem claro, sou eu que estou terminando tudo aqui, e não o contrário. Estou dando um pé na sua bunda. Porque eu sou um ótimo partido, Brooks. E mereço alguém inteligente, engraçado e charmoso. Alguém que não fique distante quando estivermos no mesmo quarto. Que me enxergue e me ame total e completamente.

— Merece, sim. Você realmente merece isso.

Ela secou as lágrimas e se empertigou, pegando a bolsa antes de partir.

— Mas o que eu mereço mesmo... o que todo mundo merece... é alguém que olhe para mim do mesmo jeito que você olha para esses livros.

Capítulo 25
Maggie

Nos últimos anos, eu ficava olhando para a janela da casa da Sra. Boone, onde ela se sentava e tomava o chá. Minha mãe não amoleceu em relação a ela. Quando meu pai disse que ela sempre seria bem-vinda em nossa casa, a Sra. Boone se recusou a vir nos visitar, dizendo que não queria causar mais confusão. Mesmo assim, tomávamos o nosso chá. Ela sempre erguia o olhar ao meio-dia e sorria para mim enquanto eu segurava a minha xícara na mão. Era a minha hora favorita do dia, a coisa pela qual eu mais ansiava.

Ultimamente, ela não estava aparecendo.

Nos primeiros dias, não me preocupei. O carro dela não estava na garagem, e achei que talvez tivesse viajado, mesmo que viajar fosse algo que a Sra. Boone não costumava fazer. Na semana seguinte, comecei a me preocupar quando ela não voltou.

Quanto mais dias se passavam, mais nervosa eu ficava. Meu pai saiu à sua procura, pedindo ajuda aos vizinhos. Também reportou o desaparecimento à polícia, mas eles não sabiam se havia algo que pudessem fazer para ajudar.

Eram cinco da manhã quando meu pai me deu a notícia.

— Houve um acidente, Maggie. A Sra. Boone estava no carro e foi levada às pressas para o hospital Mercy. Ela...

Ele continuava falando, mas eu não conseguia ouvi-lo. As palavras entravam e saíam dos meus ouvidos. Não chorei. Estava chocada demais para chorar. Ela estava inconsciente e muito mal. Meu pai disse que ela estava dirigindo rápido demais e que testemunhas disseram que ela parecia confusa e perdida.

Quando ele saiu do quarto, o choque de realidade foi ainda maior. Eu tinha que ir vê-la. Ela não tinha ninguém para visitá-la. Não tinha família. Eu era tudo que ela tinha.

Então, precisava ir até lá.

— Tem certeza, Maggie? — perguntou meu pai na sala, pronto para me levar ao hospital.

Assenti.

Minha mãe ergueu a cabeça, olhando para mim, parada na porta. Seus olhos semicerrados me encaravam intensamente, quase como se ela esperasse que eu fracassasse. Quase como se *quisesse* que eu fracassasse.

— Ela não vai conseguir — argumentou com um tom de voz duro. — Ela não está pronta. Não vai a lugar nenhum.

— Não — discordou meu pai com voz firme. — Vai, sim. — Seu olhar encontrou o meu, seus olhos estavam cheios de esperança e compaixão. — Ela me disse que vai e ela vai. Certo, Maggie?

Bati na porta duas vezes, e ele sorriu.

Minha mãe se virou e cruzou os braços. Seu nervosismo era visível, mas mesmo assim meu pai não notou.

— Isso é mentira — disse ela. — Pode ficar olhando. Ela vai voltar para o quarto. Tudo bem, Maggie. Pode voltar lá para cima. Não deixe seu pai pressioná-la.

— Katie, pare com isso — reclamou ele.

Ela deu um sorriso torto e ficou em silêncio, mas eu conseguia sentir o seu olhar fixo em mim.

Minhas mãos estavam suadas, e meu coração, disparado no peito. Papai sorriu para mim.

— Não se preocupe, Mags. Você consegue fazer isso — incentivou ele.

Shhh...

Dei um passo para trás; ele notou e deu um passo na minha direção. Meneou a cabeça.

— Não, não, não. Maggie, você consegue. Aqui... — Ele estendeu a mão para mim e usou a outra para bater na porta duas vezes. — Viu? Você se lembra? Você disse que queria vir comigo.

Meu olhar pousou em sua mão trêmula e, quando finalmente o encarei, a esperança que estivera lá havia sido engolida completamente pela confusão e pela preocupação.

— Maggie? — sussurrou ele, estendendo a outra mão para mim.

Dei mais um passo para trás e bati na mesa, fazendo que não com a cabeça.

— Vamos lá, Maggie. A gente tem que ir — implorou ele.

Bati na mesa mais uma vez. *Não.*

Qual era o meu problema? Eu já era velha demais para ter medo. Velha demais para continuar destroçada. Vi nos olhos do meu pai algo que ele vinha escondendo de mim fazia anos — sua exaustão. Seus cabelos já estavam completamente grisalhos, as olheiras eram profundas, e o seu sorriso estava mais para um cenho franzido. Quando ele tinha deixado de sorrir? Ele estava cansado. Cansado de se preocupar. Cansado de esperar. Cansado de mim.

Seu olhar ficou pesado.

— Não... — Ele passou os dedos pelo cabelo. — Não. Não faça isso comigo. Por favor.

Minha garganta se fechou, e senti os dedos do diabo ao redor dela de novo. Ele estava cortando o meu oxigênio. Ele estava me sufocando. Meus dedos foram ao pescoço e ofeguei, pedindo ajuda. Minha mãe estudou os meus movimentos e ergueu uma das sobrancelhas, observando o meu pânico, vendo as sombras do passado emergirem. Os dois começaram a falar — a *gritar*. De novo. Os lábios se moviam, apressados, e eu não conseguia entender o que falavam, porque o diabo estava falando alto no meu ouvido, me afogando de novo. Minhas mãos foram aos ouvidos, e eu fechei os olhos com força. *Vá embora, vá embora, vá embora...*

— Não insista, Eric — berrou ela finalmente, passando o braço pelos meus ombros. Eu não conseguia me lembrar da última vez que ela tinha me abraçado daquele jeito, de forma protetora. — Ela não precisa sair. Deixe para lá.

Ele tirou os óculos, esfregando os olhos.

— Sinto muito, não quis pressionar você, filha. Só pensei... — Ele soltou um suspiro pesado. — Não sei o que pensei.

Quando ele saiu, fechei os olhos, ouvindo seus passos se afastarem.

E então compreendi algo terrível: eu nunca mais seria capaz de sair daquela casa.

Quando aquilo tinha acontecido?

Quando o meu refúgio tinha se tornado o meu inferno particular?

A Sra. Boone estava sozinha, e eu não era forte o suficiente para ir vê-la. Desabei no quarto. Naquela noite, fiz a única coisa que eu sabia que tornaria as coisas melhores.

Liguei para ele.

— Maggie? — Brooks bocejou. Eu não tinha pensado que horas deveriam ser na Europa; eram quase oito da noite nos Estados Unidos, então, deveria ser bem tarde para ele. — O que houve? Aconteceu alguma coisa?

Meus lábios se abriram, e comecei a chorar. Chorei por me sentir perdida e por perceber como a voz dele me trouxe de volta a meu porto seguro tão rápido.

— Tudo bem — sussurrou, sem saber o que estava acontecendo, mas ciente de que eu, certamente, precisava dele. — Já estou indo.

Ele chegou à cidade dezoito horas depois, e não veio sozinho. A banda inteira voltou com ele. Mas Brooks não veio à minha casa, e eu não tinha certeza do motivo. Não sabia o que doía mais — a proximidade ou o fato de ainda sentir como se ele estivesse longe demais. Rudolph, Oliver e Calvin vieram direto para o meu quarto e ficaram comigo o tempo todo. Eles não saíram do meu lado desde que pousaram na cidade.

— Somos uma equipe, sabe, Maggie? E se não fosse por você, não teríamos chegado aonde chegamos — lembrou Rudolph, sentando-se na beirada da minha cama.

— Quando Brooks disse que estava voltando, foi impossível impedi-lo. E a banda... Nós somos um só. Não poderíamos nos apresentar sem ele. Além disso, *além disso,* a família vem sempre em primeiro lugar, certo? — disse Oliver.

— Nós sempre vamos estar prontos para te ajudar, mana, mesmo que a gente esteja longe. Tipo, sei que o nosso empresário provavelmente vai nos abandonar por um tempo, mas não estou muito preocupado com isso.

Ficamos ali, em silêncio. Os três nem sabiam o quanto o silêncio deles me ajudava a respirar melhor.

— Ele ainda te ama — disse Calvin. — Você sabe disso, não sabe?

Dei de ombros. Tive esperanças com relação a isso por muito tempo, mas com base nos posts dele no Twitter e no jeito como as fãs caíam aos seus pés, eu não sabia se o amor era o suficiente. A coisa mais triste do mundo era que você poderia encontrar a pessoa que mudou a sua vida para sempre e, ainda assim, acabar não ficando com ela. As pessoas que te ensinavam a amar nem sempre eram as que ficavam ao seu lado.

Por que ele não está aqui?

Calvin leu a minha pergunta.

— Depois que falamos com o papai, e ele disse o que estava acontecendo, Brooks entendeu que você precisava dele em outro lugar. Assim que chegamos ao aeroporto, ele pegou um táxi e foi direto para o hospital ficar com a Sra. Boone.

Cobri a boca com as mãos e, naquele momento, eu o amei ainda mais. Era incrível como ele conseguia fazer isso sem nem estar perto de mim.

Eu o amo.

Calvin assentiu.

— Eu sei. E se existem duas pessoas que merecem estar apaixonadas, são vocês dois. Só gostaria que a vida parasse de ficar sempre no meio do caminho.

Fechei os olhos e me deitei na cama com os pés pendurados na beirada, e Calvin se deitou ao meu lado. Os gêmeos se deitaram no chão, e Rudolph colocou uma música para tocar no telefone. Ficamos em silêncio, deixando a música nos envolver enquanto esperávamos Brooks voltar para casa e para mim.

Capítulo 26

Brooks

Estava sentado na mesma cadeira, no mesmo quarto, pelas últimas doze horas, olhando para Sra. Boone e os tubos e acessos intravenosos conectados a ela. Seu corpo estava todo machucado, mas não havia nenhum osso quebrado. Eu não conseguia nem imaginar o que ela havia passado sozinha, dirigindo e batendo o carro. O que tinha passado pela cabeça dela? Que coisas uma pessoa vivencia quando passa por esse tipo de pânico? Será que ela havia pensado nos entes queridos? Ou se esquecido das coisas naquele momento? Quem sabe sua mente havia se perdido tanto naquele instante que todas as suas lembranças ficaram fora do alcance?

— Sinto muito, Sr. Griffin, mas o horário de visita acabou — disse uma jovem enfermeira, entrando no quarto. — Sei que pode parecer inapropriado, mas será que você poderia tirar uma foto comigo? — perguntou ela, com a voz cheia de esperança.

Antes que eu tivesse tempo de responder, outra enfermeira, Sarah, entrou no quarto.

— Você está certa, Paula. Isso é *extremamente inapropriado*. Ainda bem que a sua ficha caiu e você decidiu sair imediatamente do quarto.

Sem dizer mais nada, Paula saiu do quarto, envergonhada.

— Sinto muito por isso — desculpou-se Sarah. — Essas meninas estão enlouquecidas por você estar aqui. O que não faz sentido. Ouvi a sua música no intervalo, e é horrível. — Ela deu uma piscadinha. Era a enfermeira-chefe e havia passado várias vezes durante o dia para verificar se estava tudo bem com a Sra. Boone e comigo. Era uma mulher de mais de sessenta anos e tinha um tom de voz suave e tranquilizador, até mesmo quando te insultava. — Bem, odeio ser a bruxa má, mas o horário de visita está acabando...

— Não se preocupe. Obrigado. Será que posso ficar mais um minutinho?

Ela assentiu.

— Claro. Tudo bem.

— Ah, mais uma coisa. Tenho uma pergunta que pode parecer idiota.

— Pode perguntar o que quiser, filho.

— Ela pode ouvir o que eu digo? — perguntei, enfiando a mão no bolso. — Tipo, ela poderia ouvir o que estou dizendo?

— Alguns dizem que não, outros dizem que sim. Cá entre nós? — Ela se aproximou de mim. — Às vezes, falamos por nós mesmos, para dar vazão aos nossos sentimentos. É sempre melhor falar as coisas em vez de prendê-las dentro de nós. E se os nossos entes queridos puderem nos ouvir, melhor.

Sorri e agradeci.

Quando Sarah se virou para sair, parou.

— Música também. As pessoas dizem que música ajuda. Mas tenho certeza de que você já sabe disso.

Ela não poderia ter dito palavras mais verdadeiras.

Quando ela saiu, puxei a cadeira mais para perto da cabeceira da Sra. Boone e segurei a sua mão.

— Tenho um pedido egoísta, Sra. Boone. Então, estou presumindo que este seja o momento em que a senhora me chamaria de idiota ou algo assim, mas preciso pedir isso. Volte. Você precisa acordar, não por mim, não pela senhora, mas pela Maggie. Ela precisa de um tempo. De uma vitória. Ela já passou por tanta merda, por *tanta coisa*. Então, eu a proíbo de fazer isso. Eu a proíbo de ficar assim. Não sei se sabe disso, mas você é a melhor amiga dela. A senhora é a única coisa que ela tem, e não posso permitir que desista dela, porque se desistir, acho que ela fará o mesmo e não posso aceitar isso. Preciso que vocês fiquem bem. Preciso que vocês se curem. Faça isso por mim. Vou ficar em dívida com a senhora, tudo bem? Só volte para nós, Sra. Boone. Volte para nós.

Funguei e puxei a cadeira ainda mais para perto dela, me lembrando das últimas palavras de Sarah. Eu me aproximei do ouvido dela e comecei a cantar suavemente "Sittin' On The Dock Of The Bay", de Otis Redding, a música dela com Stanley.

Rezei, em silêncio para que ela pudesse me ouvir.

* * *

Não fazia a mínima ideia do motivo de estar tão apavorado por ver Maggie. Depois de um voo de dezoito horas e mais doze no hospital, achei que estaria preparado para encará-la, mas, no instante que pisei na sua varanda, minhas mãos começaram a tremer. Toquei a campainha e, quando a Sra. Riley abriu, franziu o cenho. Não nos falávamos havia anos, desde que ela me proibira de entrar na sua casa, mas, dessa vez, ela deu um passo para o lado e me deixou entrar.

— Obrigado, Sra. Riley.

Ela me deu um breve sorriso como resposta e desapareceu dentro de casa.

Fui até o quarto de Maggie; a porta estava escancarada, mas ela não estava lá. Entrei e vi a pilha de livros que mandei para ela — aqueles que ela nunca mandou de volta. Abri cada um deles, passando pelas páginas, vendo os Post-its cor-de-rosa em todos eles. Ela respondeu a todos os meus comentários, mas eu não compreendia. Por que ela não os tinha enviado de volta?

Quando me virei com um livro na mão, lendo o que ela havia escrito, parei e ergui o olhar.

Maggie.

Ela estava linda.

Linda pra caralho.

Ela segurava um livro junto ao peito e o abraçou com mais força. Ficamos parados, olhando um para o outro. Senti um aperto no peito, dei um passo para trás e coloquei o livro que estava em minhas mãos em cima da escrivaninha.

— Sinto muito — murmurei.

Ela piscou algumas vezes e puxou as pontas dos cabelos molhados, ainda me olhando. Isso era tudo que eu poderia dizer a ela? *Sinto muito?* Eu não a via fazia anos. *Anos!* Eu tinha cruzado um oceano por ela. Não ficávamos de frente um para o outro há tanto tempo, e agora a primeira coisa que saía da minha boca era "sinto muito"?

— Como estão as coisas? — perguntei, e ela inclinou a cabeça, ainda me encarando.

Notei que algumas coisas em Maggie estavam diferentes de quando eu parti. O seu cabelo estava mais curto, mas ainda abaixo dos ombros. Ela deu um sorriso, mas não mostrou os dentes. Comprimiu os lábios e os curvou para cima, um sorriso delicado como sua compleição física. Seus olhos azuis pareceram solitários também. Essa foi a parte mais difícil para mim, olhar nos seus olhos. Ela quase não piscou, mas, quando o fez, foi mais rápido que a maioria das pessoas, como se não quisesse perder um segundo sequer.

— Como estão as coisas? — perguntei de novo. Não obtive resposta. — Você está bem hoje, Maggie May?

Ela se retraiu e deu de ombros.

Ainda era tão bonita quanto antes, mas agora tinha um tipo de beleza inesquecível, que desperta alegria e tristeza ao mesmo tempo.

Dei um passo para a frente, querendo colocar a mão no seu braço para me lembrar de como era tocá-la, mas, quando me aproximei, ela deu um passo para trás.

— Desculpe — murmurei. — Vou te deixar sozinha.

Ela franziu o cenho. Eu tinha me esquecido de como seu rosto ficava ainda mais bonito assim do que quando ela sorria. Passei por ela. Nossos braços se tocaram, e senti que ela estremeceu. Ou talvez tenha sido eu. Era difícil distinguir nós dois. Um pouco antes de sair, parei.

— Senti saudades — confessei, um pouco magoado, sincero e confuso. — Sinto sua falta e não sei o porquê, já que você deixou claro que queria que eu fosse para Los Angeles há tantos anos. Sinto sua falta, porque você parou de me mandar livros. Sinto sua falta, e não sei o porquê, já que você está bem na minha frente. Você está a alguns passos de distância, mas ainda parece que existe algum tipo de muralha entre nós. Como posso sentir saudades quando você está tão perto de mim?

Maggie continuou de costas para mim, e vi quando ela colocou o livro no chão diante de si. Quando se levantou devagar, ela se virou para mim e saltou para os meus braços.

Maggie literalmente saltou. Ela voou em minha direção, e eu a peguei nos braços e a abracei bem apertado.

Meu Deus.

Isso era tão bom.

Era tão bom tê-la nos meus braços. Segurá-la bem perto de mim. Sentir o cheiro do seu cabelo, que sempre tinha aroma de flores e mel. Sentir seus lábios nos meus ombros. Abraçá-la.

Minha Maggie May...

— Não me solte — sussurrei no seu cabelo. — Por favor, não me solte.

Ela me abraçou mais apertado.

Naquela noite, ficamos na cama dela, ouvindo música no seu iPhone, cada um com um dos fones de ouvido. Era incrível como parecia natural estar ali, ao lado dela. Dizem que o tempo mudava as pessoas, e isso era verdade. Não éramos mais os mesmos, mas, de alguma forma, evoluímos como um só. Mesmo com centenas de quilômetros entre nós.

Mas o que mais amei em relação àquela noite foi como algumas coisas pareceram nunca ter mudado.

Amei o fato de os meus momentos preferidos continuarem os mesmos.

Inclinando a cabeça em direção a ela, fiz a pergunta:

— Por que parou de me mandar os livros?

Ela se levantou, semicerrou os olhos e pareceu um pouco confusa. Quando pegou o quadro, esperei pacientemente por uma resposta.

Sasha.

— O que tem ela? — perguntei.

A carta que você mandou, me contando sobre ela. Sabia que deveria parar de responder.

— Porque isso te fazia sofrer?

Maggie negou com a cabeça.

Porque ver cartas de outra garota a teria magoado.

E lá estava novamente: a mulher mais gentil do mundo.

— A gente terminou — falei.

Maggie me lançou um olhar interrogativo, e eu cocei a barba.

— Bem, ela meio que terminou comigo, acho. Disse que odiava vir sempre em terceiro lugar.

Terceiro?

— A música e... bem... — Dei um sorriso triste, e ela sorriu para mim também com tristeza. *A música e você.* — Não é justo, sabe? Porque toda vez que tentei seguir em frente, o seu amor continuava me arrastando de volta.

Ela se virou, ficando em cima de mim, e seus lábios colaram nos meus. Quando começamos a nos beijar, não tínhamos planos de parar. Foi, sem dúvidas, a melhor coisa que fiz nos últimos dez anos — voltar para casa, para o seu amor.

Naquela noite, dormimos nos braços um do outro, e sempre que eu acordava, a puxava mais para perto. A ideia de perdê-la de novo era demais para mim. Antes de voltar para a turnê, eu precisava que ela soubesse que eu ia voltar para casa e para ela. Precisava que ela tivesse certeza de que íamos dar um jeito de fazer as coisas funcionarem. Não importava o que acontecesse. Eu precisava que ela soubesse que sempre seria o meu maior sonho.

Capítulo 27

Maggie

Quando acordei, Brooks tinha ido embora, mas meu quadro estava ao lado da cama. *Fui visitar a Sra. Boone. Volto mais tarde. Eu te amo.*

Usei as mãos para apagar as palavras, e todas sumiram, exceto as três últimas.

— Parece que a Sra. Boone acordou há meia hora — avisou Calvin ao entrar no quarto.

Pulei da cama, os olhos arregalados, esfregando-os para espantar o sono.

— Os médicos disseram que ela vai ficar bem. Vão fazer alguns exames para verificar se está perdendo a memória, se tem Alzheimer, demência ou algo assim. Não sei os detalhes, mas ela está bem. Ela está acordada, Maggie.

Sério?

— Sério. Brooks mandou uma mensagem para todo mundo. Acho que você ainda não viu o seu celular, caso contrário eu teria ouvido você comemorar em silêncio.

Ele deu uma piscadinha.

Revirei os olhos e joguei um travesseiro nele. Calvin o pegou e o atirou de volta, me fazendo tropeçar. Em questão de segundos, ele subiu na minha cama e ficou pulando no colchão. O alívio era incomparável a qualquer outra coisa que já senti. Saber que ela estava bem, que estava respirando e ia viver — só isso já era maravilhoso.

— Bem, vamos voltar para o Reino Unido segunda-feira de manhã. Nosso empresário nos deu uma grande bronca por termos faltado a dois shows — contou Calvin. — Parece que eles não gostam muito quando as pessoas voltam para casa para cuidar da avó... Bem, pelo menos foi o que dissemos a eles, que a Sra. Boone era nossa avó... o que é mais ou menos verdade. Os empresários estão putos da vida com isso, sabe? Tempo é dinheiro, mas, bem... vamos recomeçar a turnê em Birmingham na semana que vem.

Nossa... sinto muito. Isso é culpa minha.

— Não é culpa de ninguém. A vida é assim. Você tem que vivê-la. Esses últimos anos foram uma loucura. A gente realmente precisava de uma pausa. Além disso... tenho um segredo.

Arqueei a sobrancelha, perguntando-me o que poderia ser.

Ele abriu um sorriso.

— Ainda não contei a ninguém. Decidi contar primeiro a você, porque é a melhor pessoa para guardar segredo por causa de todo esse lance de... — Ele levou os dedos à boca, imitando um zíper se fechando. — ...Mudez.

Sorri.

Ele também sorriu, enfiou a mão no bolso de trás da calça e pegou uma caixinha. Levei as mãos à boca. Ele finalmente ia pedir a Stacey em casamento.

Calvin abriu a caixa, e eu prendi a respiração por um instante, meus olhos se enchendo de lágrimas. Ele me deu um empurrão de leve.

— Fala sério, mana. Não chore.

Peguei a caixinha da sua mão e analisei o lindo anel de diamante, impressionada com sua beleza.

— Você acha que ela vai gostar?

Ela vai amar.

— Vou mostrá-lo aos nossos pais antes de ir ao hotel me encontrar com a Stacey. Nunca fiquei tão nervoso na vida, sabe? Parece que meu coração vai sair do peito.

Ele pegou o anel de volta e olhou para ele quase como se estivesse nervoso, pensando que poderia haver uma chance de Stacey recusar o pedido. Mas essa chance não existia. Nunca vi duas pessoas mais perfeitas uma para a outra quanto aqueles dois. Mesmo quando Calvin pediu um tempo anos antes, aquilo não acabou com o relacionamento. Na verdade, o fortaleceu ainda mais. Droga, eles usavam anéis de compromisso com as iniciais gravadas desde a formatura do ensino fundamental.

Stacey e o meu irmão foram feitos para viverem felizes para sempre. Eram destinados a isso.

Apertei o joelho dele, que parou de olhar para o anel e se virou para mim. Sorri e ele sorriu também, embora ainda houvesse uma sombra de medo em seu olhar.

— Valeu, Maggie. Vou lá mostrar para os nossos pais. — Ele se levantou da cama e saiu do quarto. Um segundo depois, apareceu de novo na porta. — E Maggie? Eu amo você. Acho que não digo isso tantas vezes quanto deveria, mas sei lá. Tudo que aconteceu com a Sra. Boone me fez pensar... A vida é tão inesperada, então, acho que a gente sempre deve dizer para as pessoas como a gente se sente, sabe?

Meu irmão, o músico sensível.

Peguei o quadro no qual estava escrito *Eu te amo* e acrescentei um *também* no meio da frase.

Depois que ele saiu, levou apenas dois minutos para minha mãe gritar do quarto:

— *Ai, meu Deus!* Meu filho vai se casar!

— Calma, mãe. Ainda não fiz o pedido.

— Meu Deus, meu Deus! Meu DEUS! Tem tanta coisa para fazer! Tanta coisa para planejar! — gritou. — Esperei por esse dia a vida inteira!

Sorri, sabendo que ela não estava brincando. Sorri também porque há anos ela não parecia tão feliz.

* * *

— Você está bem hoje, Magnet? — Minhas palavras favoritas. Brooks entrou no quarto naquela noite com uma sacola na mão e se juntou a mim na cama. — Estão dizendo que vai haver um casamento. Acho que uma garota que ama um cara disse sim e aceitou o anel. Saí com o pessoal para o jantar de comemoração e tudo que eu conseguia pensar é que eu queria que você estivesse lá. Então, vim embora mais cedo e trouxe o jantar para você.

Eu me inclinei e o beijei. Começamos comendo mais batatas fritas do que qualquer um deveria comer e, em seguida, devoramos hambúrgueres enormes.

— Já pensou em se casar, Maggie May?

Sim.

— Com alguém como eu?

Peguei a mão dele e a apertei duas vezes.

Eu me aconcheguei mais ao seu corpo, e ele me abraçou.

— Um dia, vou me casar com você. Vamos viver juntos e seremos as pessoas mais felizes do mundo. Então teremos os bebês mais fofos do universo, daqueles que sorriem o tempo todo porque os pais estão sempre sorrindo. E teremos um cachorro chamado Skippy e um gato chamado Jam. Também vamos ter uma casa grande, com um lugar no quintal para você tomar vinho quando precisar de um descanso das crianças. Uma cabana de mulherzinha. Você vai se empenhar em realizar os seus sonhos, quaisquer que sejam, e vai ser muito feliz, Magnet. Consigo visualizar tudo isso na minha cabeça, a nossa vida juntos. Vamos ser felizes para sempre.

Amei as palavras dele, sua esperança, seus planos. Os planos dele eram os meus planos. Tudo que ele desejava, eu desejava ainda mais. Eu acreditava que tudo aquilo aconteceria com a gente também. Nós dois merecíamos. Assim como o meu irmão e a Stacey, Brooks e eu merecíamos um felizes para sempre. *Dessa vez é para sempre.*

Ouvi dizer que vocês tiveram problemas por cancelar os shows. Sinto muito. Eu não queria atrapalhar a música de vocês.

— Não foi nada de mais — garantiu ele com suavidade, sentando-se ao meu lado, a perna roçando na minha. — É só música. — A música era a vida dele, e ele tinha deixado aquilo por mim. — Além disso, existem sonhos maiores. — Seus olhos encontraram os meus, e ele não precisou dizer mais nada. Seu sorriso de canto de boca e seu silêncio disseram tudo. Eu o ouvi claramente, e esperava que ele conseguisse ouvir a minha voz também.

Também te amo, Brooks.

Adormecemos nos braços um do outro depois de fazermos amor. Era de madrugada quando acordei com o seu toque, suas mãos me acariciando, seus lábios colados nos meus.

— Maggie — sussurrou ele, ofegante, deitando em cima de mim na escuridão.

Nossas roupas foram jogadas em um canto do quarto, e eu sentia sua respiração quente no meu pescoço enquanto ele me beijava. Sua boca viajou pelo meu corpo, tocando cada pedacinho, deixando minha respiração ofegante, mas não tinha problema. Naquele momento, respirar parecia perda de tempo. Suas mãos foram até as minhas pernas e as abriram devagar. Vi quando ele se tocou com uma das mãos. Com a outra, enfiou dois dedos em mim, me fazendo enterrar as unhas no lençol. Quando ele os retirou, deslizou para dentro de mim. Senti o corpo relaxar a cada arremetida, a cada gemido.

Isso. Isso...

Ele se inclinou e me beijou com suavidade.

— Tudo bem? — perguntou.

Assenti.

Tudo bem. Tudo bem...

Ele mergulhava ainda mais em mim, saindo devagar e entrando novamente, sem parar, deixando-me estupefata. Rápido e vigoroso, lento e profundo.

Brooks...

Como? Como movimentos tão simples podiam me fazer tão... *Uau...*

Ele fez amor comigo como se estivesse se desculpando por todos os anos que estivemos separados. Cada arremetida era uma promessa silenciosa de que ele nunca mais amaria outra pessoa, e cada beijo meu prometia o mesmo.

— Não precisa falar — sussurrou, passando a língua pelo meu lábio inferior, me amando profunda e vigorosamente, rápido e devagar. Sua boca roçou na minha orelha antes de mordiscá-la suavemente. — Mas se sinta à vontade para gritar.

Capítulo 28

Maggie

— Casamento ao ar livre ou em um salão? — perguntou minha mãe para Calvin e Stacey na manhã seguinte. A mesa de jantar estava completamente coberta por revistas de casamento e planejamentos. Ela não parou desde que soube que Calvin ia pedir a mão de Stacey, e assim que ele ligou para contar que ela tinha dito sim, minha mãe entrou no modo papa-léguas. — Ah, vocês já pensaram em se casar em outra cidade? Paris. Ah! Bora Bora! E que tal um casamento no outono? Ou na primavera? Os casamentos na primavera são tão lindos. Adoro os tons de pêssego. Já escolheram as cores?

Stacey riu, se encostando na bancada e folheando uma revista. Ela não precisava se esforçar para ser linda, com a pele cor de caramelo e cabelo cacheado cor de mel. Estava sempre perfeita, com um sorriso lindo e olhos castanhos incríveis que pareciam sorrir ainda mais do que os lábios. Eu estava na cozinha, ao lado da geladeira, a alguns passos da comoção, tomando um copo de suco de laranja. Eles não tinham se virado para ver que eu estava a poucos metros de distância da sala de jantar. Estavam ocupados demais comendo *donuts* cheios de açúcar e admirando o anel de noivado.

Eu me empertiguei e tomei mais um gole de suco de laranja. Meu pai entrou na cozinha com um livro na mão e sorriu para mim. Ele se aproximou e me entregou a próxima leitura: *Quem é você, Alasca?*, de John Green.

— Uma garota estava lendo ontem na aula — contou em voz baixa antes de pegar um *donut* e enfiar na boca. — Deve ser bom, considerando que ela ignorou a minha aula inteira.

Sorri e passei a mão pela capa do livro. Eu me virei e sorri de novo.

Obrigada, pai.

— Não precisa agradecer, filha. — Ele se encostou na geladeira e olhou na direção da minha mãe e dos noivos. — Planejando o casamento?

Concordei com a cabeça.

— Eu meio que queria que eles fugissem para se casar. Vamos ter uma mãe do noivo enlouquecida por aqui nos próximos meses.

Ficamos lá, observando a mãe do noivo enlouquecida fazer um monte de perguntas. Para ser sincera, eu não a via animada assim fazia muito tempo. Stacey permaneceu calma e doce, como sempre, enquanto se esforçava para responder à futura sogra.

— A gente ainda não teve muito tempo para decidir nada, Katie, mas isso tudo é tão emocionante, não é?

Minha mãe bateu palmas e fez uma dancinha.

— É mesmo! Esperei muito por esse dia, e essa é a única chance de casar um dos meus filhos.

— Mãe, fala sério — sussurrou Calvin. Senti um nó na garganta.

— Não fale isso.

— Só estou dizendo que não sei se suas irmãs vão se casar. Cheryl só quer saber de viajar por aí, e Maggie... Bem, nunca vou ter a chance de planejar um casamento para aquelas duas. — Minha mãe se virou para Stacey, pegou as mãos dela e as apertou. — Mas, pelo menos, tenho uma futura nora com quem fazer isso. Sinto como se finalmente fosse ter a filha que me foi prometida. Deus sabe que perdi muitos momentos importantes com a Cheryl, e agora ela é uma aventureira, viajando pelo mundo; duvido que casamento passe pela cabeça dela. E você sabe o que as pessoas na cidade falam da Maggie? "Que história terrível. O pior pesadelo de uma mãe. Ela é reclusa e estranha." É difícil não acreditar neles. Ela é doente, e não vai melhorar. Talvez seja melhor que ela nunca saia de casa. É mais seguro para ela aqui.

Ai.

— Katie — sibilou meu pai da cozinha.

Todas as cabeças se viraram para nos ver parados ali. Todos franziram o cenho ao olhar para mim.

Um tom de vermelho tingiu o rosto da minha mãe.

— Maggie May, você sabe que deve bater quando está em um aposento para anunciar sua presença. Caso contrário, é como se estivesse ouvindo escondida, e isso não é legal.

Legal? Ela sabia tudo sobre ser legal naquela tarde.

Bati na bancada quatro vezes.

Estou aqui. Estou aqui. Estou aqui. Estou aqui.

Eles continuaram me olhando. E eu fiquei ali, em pé, me sentindo cada vez mais desconfortável.

Então me virei e fui para o quarto.

* * *

Havia um pássaro no peitoril da minha janela, lembrando-me da liberdade que eu perdi. Fiquei sentada ali, lendo e relendo a minha lista de coisas a fazer, até que senti que já a conhecia de trás para a frente. Fechei o livro e o coloquei no peitoril, repassando as palavras da minha mãe.

Eu deveria ir embora. Vou embora.

Eu deveria ter arrumado uma mala com algumas coisas e saído de casa há muito tempo. Ter vivido aventuras e descoberto o amor, e ter me casado em uma grande catedral, com um coral e um padre fazendo piadas ruins. Eu deveria ter sido famosa como o meu irmão, ou pelo menos algo mais do que eu era naquele momento — nada.

Eu me levantei da cadeira, saí do quarto e peguei uma mala na despensa. Arrastei-a até o meu quarto, me sentei no chão e comecei a guardar as minhas roupas. Por cima delas, guardei alguns dos meus livros favoritos. Por cima de tudo, coloquei a lista de coisas para fazer.

Eu vou embora.

Eu vou viver.

Meu coração começou a disparar, e tentei manter a minha mente focada. *Não pense muito, apenas arrume as malas e vá. O primeiro passo vai ser o mais difícil, mas o mais recompensador. A Sra. Boone estava certa. Tenho que viver agora ou nunca mais. Tenho que viver para minha mãe voltar a ter orgulho de mim. Eu tenho que viver por causa do Brooks.*

Quando as primeiras lágrimas caíram sobre o exemplar de *Jogos vorazes*, eu tentei conter o choro. Minha cabeça se esforçava para me convencer a ficar, me lembrando dos horrores que eu encontraria do lado de fora dessas paredes, do silêncio que me amaldiçoou tantos anos antes.

Shhhh...

Shhhh...

Balancei a cabeça e continuei arrumando minhas coisas.

Seja melhor, seja mais forte, Maggie May.

Quando a porta do quarto se abriu, eu me sobressaltei, assustada, até ver meu pai parado ali. Seus olhos recaíram na mala, e ele caminhou até a janela que dava para a rua.

— Venha até aqui, Maggie — pediu.

Eu me levantei e fui até lá. Ele se permitiu alguns instantes de silêncio antes de voltar a falar.

— Emily Dickinson não gostava de conhecer pessoas, sabe? — É claro que ele conhecia a vida dela. — Ela só saiu da casa do pai algumas vezes, poucas. Ela sempre se vestia de branco e não era de falar muito.

Olhei lá para fora e vi crianças brincando de pique, andando de bicicleta, vivendo mais do que vivi em todos esses anos. Enxuguei outra lágrima para que ele não a visse.

Meu pai olhou para mim e sorriu. Sempre que ele via minhas lágrimas, sorria — mas era sempre um sorriso triste, um sorriso magoado.

— Só porque ela era diferente, isso não a tornava uma aberração. As pessoas também a chamavam de reclusa e estranha, sabia? As pessoas chamavam Einstein de idiota e retardado.

Sorri, mas, de alguma forma, ele ainda via a tristeza dentro de mim.

— Maggie May, você é boa exatamente do jeito que é.

Uma frase típica do meu pai.

— Dá para perceber que você se importa. Você se importa com o que as pessoas pensam de você. Com o que sua mãe e eu pensamos. O que, para dizer a verdade, é uma perda de tempo. Podemos ser mais velhos, mas isso não nos torna mais sábios. Ainda estamos evoluindo. Não importa do que as pessoas te chamem: reclusa ou estranha. Nenhuma dessas palavras importa. O que importa são as palavras que você usa para se referir a si mesma quando está sozinha. Se um dia você escolher sair e explorar o mundo, então, por favor, faça isso, mas não para fazer a mim ou sua mãe feliz, porque acho que isso pode fazer você perder a sua própria felicidade. Vá quando estiver pronta, não quando se sentir pressionada. Entendeu?

Assenti.

Entendi, pai.

Ele beijou a minha testa.

— As batidas do seu coração fazem o mundo continuar girando.

— Ele se virou para sair, mas, antes, pigarreou e coçou o queixo. — Ah, e tem uma surpresa para você na sala de jantar.

Desci as escadas e, sentada à mesa, havia uma idosa com dois sanduíches de peito de peru e duas xícaras de chá.

— Bem — começou ela, segurando uma xícara —, acontece que a minha memória não é mais como antes. — Ela se levantou e caminhou até mim com um andador, mancando um pouco. Havia alguns hematomas no seu rosto. Mesmo assim, ela estava linda, com o seu estilo arrumado demais. Sorrindo, ela me deu um esbarrão no ombro. — Mas poderia ser pior — disse, em tom de brincadeira. — Eu poderia ser muda.

Dando uma risada, esbarrei no ombro dela também.

Acho que nunca dei um abraço tão apertado em alguém.

— Com licença, será que estou interrompendo? — perguntou Brooks, entrando na sala e se deparando com o meu abraço na Sra. Boone.

— Não, não. Qualquer garoto que cante para uma velha senhora deitada em uma cama de hospital pode nos interromper.

Brooks abriu um sorriso de canto de boca.

— Você me ouviu?

— Minha nossa, o hospital inteiro ouviu. Todas as noites, depois que você ia embora, as enfermeiras enlouqueciam com a sua voz e a sua barba, o que não consigo entender mesmo. A voz até que é decente, mas você parece um monstro peludo. Você pode fazer a barba, sabe? Vou comprar um barbeador para você, se quiser.

Fui até Brooks e acariciei a barba. Eu gostava desse novo estilo. Os braços dele estavam musculosos, como se ele malhasse há anos. Ele parecia tão adulto e forte.

A Sra. Boone gemeu.

— É claro que você gosta, mas a sua opinião não conta. De qualquer forma, aqui, Brooks. — Ela enfiou a mão na bolsa e pegou um molho de chaves.

— Para que isso? — perguntou ele.

— É um agradecimento por ter tomado conta de mim. Calvin me disse que vocês vão passar o fim de semana aqui e também que estão muito estressados. Então achei que vocês poderiam ir à minha cabana para passar o fim de semana e fazer o que quer que vocês jovens fazem hoje em dia.

— Uau, isso é demais, Sra. Boone. Obrigado.

Ouvi uma batida na porta, e meu pai foi abri-la, revelando uma mulher com um sorriso gentil. Quando a Sra. Boone viu quem era, revirou os olhos.

— *Argh*, você de novo.

— Oi, eu sou Katelynn — apresentou-se a mulher. — Sou a nova cuidadora da Sra. Boone. Mas é um pouco difícil acompanhá-la. Está sempre saracoteando por aí.

— A única coisa que quero é me livrar de você. Pare de me seguir — murmurou a idosa.

Eu ri. *Boa sorte, Katelynn.* Ela ficaria muito ocupada cuidando da velha senhora.

As duas voltaram para a casa da Sra. Boone, e Brooks sacudiu as chaves.

— A gente não precisa ir. Ainda não passei tempo suficiente com você e quero aproveitar cada segundo.

Fiz que não com a cabeça. Teríamos muito tempo para aproveitar. A banda merecia se afastar um pouco de tudo e ter um tempo só para eles. Demorei um pouco para convencer Brooks, mas ele concordou em viajar para o lado norte do lago. Prometeu voltar na tarde de domingo para passar o último dia comigo.

Depois, ele me prometeu mais e mais dias no futuro.

Capítulo 29

Brooks

Antes que eu e o pessoal fôssemos para a cabana, tínhamos que fazer uma parada obrigatória. A loja James' Boat. Se íamos para a cabana da Sra. Boone, precisávamos de um bom barco. Tanta coisa mudou desde que Calvin e eu fomos até lá com o Sr. Riley que era bom ver que a loja continuava igualzinha. Incluindo um Wilson muito mais velho, que ainda latia bem alto no portão.

— Quieto, Wilson! — gritou James, saindo pela porta. — Esse maldito cachorro não para de latir há anos. — O cachorro ganiu ainda mais alto, como se estivesse mandando o dono calar a boca. James coçou o cabelo grisalho. — Preciso dizer que não é todo dia que uma banda vencedora do Grammy liga para ver se pode alugar um barco. É um prazer conhecê-los. — Ele riu e apertou as nossas mãos.

Calvin apertou a mão de James e disse:

— Você já conheceu o Brooks e eu há uns dez anos, quando meu pai veio vender o barco dele, e o seu filho nos mostrou aquele iate enorme.

— Jenna — assentiu, com o orgulho estampado nos olhos. — Só pode ser. Mas vocês não estão aqui para alugá-lo, não é?

Eu ri.

— Não. Acho que precisamos de algo um pouco menor. Algo só para sair para pescar.

— Bem, acho que não vamos discutir sobre isso. Hum... acabamos de receber esta embarcação aqui para alugar. É ótima para pesca, tem sofás e cadeiras bastante confortáveis. Tem um ar luxuoso, mas nada excessivo. Acho que vão gostar.

— Você tem alguma coisa... menor? — perguntei. — Queríamos pescar como antigamente.

James assentiu.

— Que tipo de barco vocês tinham?

— Um barco com console central — respondeu Calvin. — Não era muito grande, mas dava para o gasto.

— Ah, então está decidido. Um barco com console central, já que vocês não têm medo de ficar próximos demais.

— Não — retrucou Oliver, dando um mata-leão em Rudolph. — A gente gosta de se abraçar.

— Meu Deus, como eu te odeio — resmungou Rudolph.

— Fala sério, maninho. Já falei que não precisa me chamar de deus. Vossa Majestade já é o suficiente.

Revirei os olhos para meus colegas de banda, que nunca mudaram. James nos disse para acompanhá-lo até o escritório para preenchermos os documentos. Enquanto conversávamos, Oliver comeu todas as balas de alcaçuz que havia na mesa de James, fazendo Rudolph gemer.

— Sabe que isso é um veneno, não sabe? Tipo, você compreende que isso é péssimo para o seu corpo?

Oliver jogou mais algumas balas na boca e deu de ombros.

— Bala de alcaçuz é comigo mesmo.

— Você me dá nojo — retrucou o irmão.

— Preciso ser sincero, Oli. Rudolph está certo dessa vez. Ninguém com um pingo de juízo gosta de bala de alcaçuz — intervi.

— Obviamente esse cara gosta, já que está oferecendo aos seus clientes! — exclamou Oliver enquanto comia mais.

James riu, passando-nos os documentos para assinarmos.

— É verdade. É o meu doce favorito. Como um pacote por dia, e meu filho me odeia por isso. Disse que isso ainda vai me matar. Mas eu lembro a ele que o cigarro, provavelmente, vai me matar antes do alcaçuz. — James deu uma piscadela, e nós rimos.

Ele alugou para nós um barco de tamanho perfeito para o fim de semana e um reboque para o prendermos ao nosso carro. Logo depois começamos a nossa longa viagem. A cabana ficava a quatro horas dali, mas, ao chegar, percebemos que cada minuto valeu a pena.

— Não acredito que a Sra. Boone tem um lugar como esse e nunca usa. — Calvin parecia indignado quando paramos em frente à cabana.

Quando ela disse que ficava em um lago, esqueceu-se de mencionar que o lago mais parecia um oceano. Olhando pelo píer, era difícil enxergar o outro lado.

Ela também tinha um barracão com seis canoas.

A casa em si era enorme e incrível. Havia doze cômodos, incluindo três banheiros e cinco quartos. A sala tinha uma cabeça de alce enorme em cima da lareira de pedra e, em um dos cantos da sala, havia um grande jukebox que tocava músicas antigas. Por uma moeda, a pessoa poderia selecionar cinco músicas entre cinquenta e cinco canções disponíveis.

Ao lado, havia um vitrola e uma prateleira cheia de discos de vinil. Era o melhor canto da casa.

Cada quarto era decorado com um tema do mundo. Um tinha a decoração inspirada no Reino Unido, enquanto, ao entrar em outro, o hóspede parecia ter chegado à Tailândia, e assim por diante. Ir de um quarto a outro era como viajar ao redor do mundo em dois minutos.

Parecia que a Sra. Boone tinha decorado a casa com base em todas as aventuras pelas quais ela e o marido passaram. A vida inteira deles estava reunida entre as paredes da cabana, e parecia que eles haviam tido uma linda vida.

— Não acredito que ela só tenha contado sobre esse lugar agora — lamentou Rudolph, saindo do carro com uma tonelada de protetor solar caseiro no nariz. — Imaginem só as festas que poderíamos ter dado aqui.

Eu ri.

— Provavelmente foi por isso que ela nunca disse nada. Nós teríamos destruído o lugar.

— Stacey ia amar — comentou Calvin, arrastando a mala para dentro da casa.

— FALTA! — gritaram os gêmeos, apontando o dedo para o meu melhor amigo. Era engraçada a sincronia daqueles dois, mesmo sendo tão diferentes.

— Nenhuma menção à sua futura esposa ou vai virar uma dose de bebida — alertou Rudolph, sério.

— Isso serve para todo mundo — completou Oliver, apontando o dedo para cada um de nós. — Não haverá nenhuma menção a mulheres ou terão que virar uma dose. Se forem pegos conversando com uma garota, terão que virar duas doses, e se conseguirem, de alguma forma, trazer uma garota para cá, terão que beber o mijo do Rudolph.

— Podem acreditar em mim, provavelmente é o mijo mais limpo da casa. Na verdade, tomar o meu mijo seria uma honra para vocês.

Um fim de semana só com homens. Nada de garotas ou tem que beber mijo, uma regra simples de seguir.

***

Por volta do meio-dia, estávamos de porre e conversando sobre música. Tudo estava perfeito. Tudo que nos restava fazer era pegar o barco alugado e levá-lo para a água.

— Foda-se o barco — resmungou Oliver, meio dormindo no sofá.
— Vou ficar aqui, sem fazer nada, até a hora da pizza.

— Fala sério, você pode ficar sem fazer nada no barco. O dia está perfeito.

— Se a sua ideia de um dia perfeito é um céu com nuvens, vá em frente. Vou manter o meu grande traseiro bem aqui no sofá e não vou sair daqui até a hora da pizza.

— Tudo bem. Onde está o seu irmão?

Três segundos depois, vejo Rudolph conversando com uma planta artificial no canto. Não apenas conversando, mas dando em cima da planta.

— E aí, você vem sempre aqui? — perguntou, acariciando as folhas de plástico.

Olhei para o relógio.

— Cara, ainda é uma da tarde! Como vocês já estão tão bêbados assim?

Peguei uma garrafa vazia de uísque Fireball e recebi a minha resposta.

— Calvin! Preciso de um parceiro para ir ao lago comigo e levar esses dois idiotas lá fora. Calvin? — gritei, andando pela casa.

Ele não estava em lugar nenhum.

Procurei duas vezes em cada quarto. Só quando me afastei um pouco da cabana foi que o encontrei, ajoelhado atrás de uma moita, sussurrando:

— Tudo bem, amor, tenho que ir, estou ouvindo alguém chegar. Eu também te amo.

— Seu canalha. — Eu ri ao ver Calvin desligar o telefone e se levantar.

— Não sei do que você está falando — defendeu-se ele.

— Ah, mas você sabe. Estava conversando com a Stacey no telefone!

— O quê? Claro que não! Esse fim de semana é só para os homens. Nada de mulheres.

Semicerrei os olhos.

— Vou deixar passar se você me ajudar a preparar o barco e colocar os gêmeos dentro dele.

Ele fez uma careta.

— Eu não estou muito a f...

— GENTE! CALVIN ESTAVA CONVERSANDO COM...

Ele correu até mim, cobrindo a minha boca com a mão.

— Cara, tudo bem, tudo bem! Não sei se você notou, mas os gêmeos servem as doses em copos descartáveis grandes.

— Bem, então é melhor se arrumar, cara! Vamos pescar. Bebidas, amigos e suas varas!

— Parece um título infeliz para os acontecimentos que estão por vir. Estou preocupado com esses acontecimentos.

— Preocupado? — perguntei, com um sorriso astuto. — Ou animado?

Calvin começou a dar pulinhos como um garotinho dramático de cinco anos.

— Animado! Muito animado! Vou pegar as bebidas e os caras. Você pega aquela sua vara comprida.

— Não precisa falar duas vezes.

Ele seguiu para a cozinha, mas parou.

— Só para esclarecer, estou falando da vara de pescar, Brooks, não do seu pau.

— Chame do que quiser, cara. De qualquer forma, ele também estará lá. Ah, pegue o violão. Podemos repassar alguns acordes e letras para o próximo disco.

O rosto dele se iluminou. Nunca conheci alguém tão empolgado com o trabalho... Bem, a não ser eu.

Uma hora depois saímos com o barco e desliguei o motor no meio do lago. Era um lugar silencioso, não havia mais nada por perto. Então, começamos a beber mais. Não havia nada melhor do que beber com amigos em um barco no Wisconsin. Era um requisito para se viver naquele estado.

— Sabe, estou um pouco preocupado com a banda — confessou Oliver enquanto pescávamos. Os três estavam completamente bêbados e, por algum motivo, fiquei responsável por evitar que se matassem. Toda vez que virávamos uma dose, eu tinha a minha fiel latinha de cerveja ao lado para cuspir a bebida.

— É mesmo, Oli? Por quê? — perguntei.

— Veja bem, nunca quis ter uma garota no grupo, e é muito preocupante o fato de que três quartos da banda está virando mulherzinha.

— O quê?

— É meio patético e, para falar a verdade, estranho pra cacete. Tipo, você nem conseguiu ficar vinte e quatro horas sem ligar para a Stacey, Calvin. Brooks, acha que eu não notei você no Snapchat com a Maggie? E o meu gêmeo está apaixonado por uma planta. Embora eu não esteja nem um pouco surpreso, conhecendo seu estranho amor pela mãe natureza.

Olhei para Rudolph, que estava abraçando o vaso de planta que levou para o barco.

— O nome dela é Nicole, e ela é linda — disse ele com a voz arrastada e cheia de orgulho.

— Viu o que estou dizendo? Meus amigos estão virando bebezinhos, e eu temo que logo a gente comece a escrever músicas sobre casamentos e fraldas.

Eu ri.

— Não é tão sério assim, Oliver.

Ele fez um gesto no ar.

— Brooks Tyler Griffin. Você estava no Snapchat, colocando a língua para fora. Imitando a porra de um cachorro.

Semicerrei os olhos e continuei pescando.

— Só para esclarecer as coisas. Sim, eu estava no Snapchat, mas estava falando com fãs. Você se lembra deles? As pessoas que nos amam? É importante dar a eles um pouco de atenção, Oli. Você deveria se esforçar um pouco. É por isso que os fãs gostam mais de mim do que de você.

— Ah, duvido muito. Além disso, quando é que você começou a dizer "eu te amo, Maggie" com cara de cachorrinho para os fãs? Eu entendo. Alguns fã-clubes têm nome. A Demi Lovato tem os Lovatics. Justin tem os Beliebers. A Beyoncé tem o seu Beyhive. Mas, sério, "Eu te amo, Maggie", não tem o mesmo charme.

Virei-me para dar um soquinho em Oliver, mas ele me deu dois. *Touché.*

O céu estava ficando mais pesado, e a água estava calma. A única coisa que quebrava o silêncio eram os nossos gritos quando achávamos que tínhamos pegado um peixe — o que não aconteceu. Olhando para trás, eu mal conseguia enxergar a cabana e, olhando para a frente, eu notava o contorno das lojas da cidade. Local perfeito. Tudo que conseguíamos ouvir era a água se movendo calmamente.

— Brincadeiras à parte, estou muito feliz por você e Stacey, Calvin. — disse Oliver, pegando o violão de Calvin sem ter a menor ideia de como tocar um acorde.

— Você acha que os empresários vão ficar putos? — perguntou Calvin.

— É claro que sim. Um dos vocalistas da The Crooks ficou noivo, partindo centenas de corações no mundo todo. É claro que os nossos empresários vão fazer de tudo para que você mude de ideia.

— É, eu sei. Mas, bem, eles já estão putos por termos cancelado os shows. Podem muito bem ficar ainda mais putos. Assim veremos quantos cabelos brancos somos capazes de dar a eles.

Calvin tirou o violão de Oliver e veio na minha direção enquanto eu me acomodava atrás do leme. Peguei o meu violão também e comecei a tocar a introdução da nossa música "Split Ends". Ele se juntou a mim. Oliver começou a cantar a letra, e Rudolph continuou conversando com a planta. Trabalhar com seus melhores amigos podia causar problemas, mas isso não aconteceu em nossa banda. Apesar de os gêmeos discutirem um com o outro, trabalhávamos juntos sem problemas. É claro, às vezes a gente discordava, mas nunca sobre algo que não conseguíssemos resolver.

Ficamos no lago a tarde toda. À medida que foi escurecendo, começamos a trabalhar na letra de novas músicas. Era praticamente impossível deter nossa criatividade quando estávamos na nossa feliz zona de conforto musical. Quando as primeiras gotas de chuva caíram, Calvin sugeriu que terminássemos na cabana, então liguei o motor do barco e comecei a jornada de volta para a casa.

Levou apenas alguns minutos para o céu escurecer completamente e a chuva começar a cair com tudo em cima de nós. Rudolph ficou de pé e ergueu Nicole.

— Sim, querida. Beba tudo! Beba a água da mãe natureza.

— É uma planta artificial, seu idiota — berrou Oliver por sobre a chuva. — Ela não precisa de água.

— Não dê ouvidos a ele. Ele é só um solitário, Nicole. Meu irmão nunca se apaixonou na vida. A não ser por *tacos*.

— *Tacos* são vida! — gritou Oliver, com punhos cerrados quando um raio iluminou o céu bem acima de nós. — Eu amo vocês, *tacos*!

— Então — começou Calvin, balançando sobre os calcanhares para a frente e para trás ao meu lado. — Quer ser meu padrinho de casamento? — gritou por sobre o vento.

Tirei a água do rosto.

— Já comprei o smoking, cara. Eu sabia que ia ser o padrinho.

Ele riu.

— Eu sei, mas achei educado perguntar.

— Isso é porque está nascendo uma vagina em você. Vaginas são muito mais educadas do que pintos.

— É mesmo. Foi o que a sua mãe me disse ontem à noite.

— Engraçado, a sua mãe não falou muita coisa da última vez que a vi. Mas estava de boca cheia, então falar não era uma opção.

Ele pegou a minha lata "vazia" de cerveja para jogar em mim, mas, quando ia fazer isso, parou, estreitando os olhos.

— Você está bebendo isso há umas quatro horas e ainda está cheia.

— Eu...

Ele cheirou a lata.

— FALTA! FALTA! Brooks cuspiu as doses que virou na lata de cerveja!

Os gêmeos começaram a gritar:

— FALTA! FALTA!

Quanto mais alto gritavam, mais forte ficava a tempestade. As águas estavam ficando cada vez mais turbulentas à medida que a chuva aumentava e ficava mais intensa.

— Não se preocupem! — Rudolph cambaleou com Nicole em seus braços. — Ainda temos mais uma garrafa de Fireball aqui.

Enquanto seguia na minha direção, eu o vi cambalear para muito perto da beirada. Pulei do meu assento, pedi a Calvin que assumisse o leme e corri até o meu amigo bêbado.

— Cuidado, aí, Rudolph! Você está muito perto da beirada.

Ele riu e apertou a minha bochecha.

— Você está virando uma mulherzinha mesmo, Brooks Griffin.

Ri alto, completamente encharcado.

— Esse foi o maior elogio que alguém já me fez.

— Isso só porque a linda Maggie May não fala. Se falasse, diria alguma merda superpoética, aposto. — Rudolph parou e arregalou os olhos. — FALTA! Mencionei uma garota. Preciso de uma dose. FIREBALL!

Ele se jogou na direção da garrafa de bebida e, ao fazer isso, a embarcação balançou. Seu corpo se curvou na beirada, e precisei me segurar. Agarrei Rudolph com força e o puxei de volta ao meio do barco. Joguei-o em um lugar seguro, mas a tempestade nos sacudiu, me fazendo tropeçar.

— Merda! — gritei, antes de atingir as ondas turbulentas. A água estava gelada quando afundei.

— Brooks! — gritaram todos, correndo até a beirada do barco e atirando o salva-vidas na minha direção.

— Não é uma viagem entre amigos até alguém cair na água, certo? — gritei, rindo enquanto meus braços seguravam a boia. Os rapazes riram comigo e começaram a me puxar de volta, até que não houve mais motivo para rir.

Quando eu me aproximei do barco, e a dor tomou conta do meu corpo.

— *Merda!*

Aconteceu em um estalar de dedos, em um instante. O motor atingiu a lateral direita do meu corpo.

Em um milésimo de segundo, o riso se transformou em terror.

Minha vida mudou enquanto eu começava a me afogar.

Sangue. Não dava para ver, mas doía muito para eu não ter sido cortado.

A dor tomava o lado direito do meu corpo.

Ficou difícil respirar, e meus pensamentos se tornaram confusos.

Eu estava me afogando. Tentei pedir ajuda, mas comecei a beber água.

Minha mão direita foi até o lado direito do corpo. *Merda*. De novo.

O motor me atingiu de novo.

Pânico. A minha mão. O meu ombro. O meu pescoço.

A minha vida.

As ondas me jogaram para trás nas águas turbulentas e agitadas.

Um raio caiu.

Um trovão rugiu.

Meus amigos gritaram o meu nome, mas eu não conseguia responder.

Tudo aconteceu em um estalar de dedos, em um instante.

Em um milésimo de segundo, o riso se transformou em terror.

Em um milésimo de segundo, minha vida mudou, e comecei a afundar.

Em um milésimo de segundo, as ondas me engoliram como se eu fosse nada.

Eu me tornei nada.

Capítulo 30

Maggie

— Maggie, venha logo! Desça rápido. Temos que ir.

Ergui a sobrancelha ao ouvir gritarem o meu nome. Eu estava na cama tocando violão, arranhando os acordes das músicas do último disco da The Crooks. Eu me levantei, fui até as escadas e me deparei com a Sra. Boone em pânico.

Desci correndo.

Ela estava agitada como eu nunca havia visto antes.

— Venha agora. Coloque os sapatos. Vamos logo.

Ir? Aonde?

— Maggie, por favor. — A Sra. Boone agitava as mãos na barra do seu andador. — Aconteceu um acidente na cabana. Brooks... Ele está ferido. Temos que ir.

Cambaleei para trás, como se alguém tivesse me empurrado.

Brooks... Ele está ferido.

Absorvi aquelas palavras. Minha cabeça ficou a mil por hora. Como ele se machucou? O que aconteceu? Como estavam os outros?

Meu pai chegou correndo do quarto dos fundos, e minha mãe veio da cozinha. Os dois segurando os telefones, provavelmente com mensagens de Calvin.

— Eles o levaram para o hospital St. John. Vai entrar em cirurgia — avisou meu pai, falando rápido e com a voz assustada. — Estou indo para lá.

— Eu também — disse minha mãe.

— E a Maggie — completou a Sra. Boone. — Ela vai vir com a gente. Venha — pediu, sacudindo as mãos na minha direção. — Não temos tempo a perder. É um longo caminho.

— Não — disse a minha mãe, com voz firme. — Não. Ela não precisa ir. Ela quase teve um ataque de pânico quando tentou sair para visitá-la, Sra. Boone.

— Mas aquela era eu, e foi muito legal ela ter tentado, mas isso é diferente. Não sou dela. Não sou o Brooks. Venha agora.

Fechei os olhos.

As duas começaram a discutir, suas vozes foram ficando cada vez mais altas, e meu pai começou a gritar na tentativa de acalmá-las. Meu coração estava disparado, tentando acompanhar a comoção. Minha cabeça se esforçava para manter o diabo longe de mim, mas ele continuava tentando me encontrar.

Shhhhh... Shhhhhh....

— Pare! — gritou a Sra. Boone, alto o suficiente para que eu abrisse os olhos. Ela começou a bater com o andador no chão repetidas vezes. — Pare com isso! É ridículo. Pelo amor de Deus, Katie! Não sei quem tem mais medo da Maggie sair de casa, você ou ela.

— Está passando do limite, Sra. Boone — repreendeu minha mãe. Mesmo assim, seu corpo estremeceu. Por um momento, eu mesma me perguntei: será que ela queria que eu saísse de casa um dia?

— É claro que estou passando do limite! Sempre passei, e isso não mudou. Mas isso não é sobre mim. Katie, sei que você me disse que essa garota não é da minha conta. Você me disse isso várias vezes, mas isso é maior que você. É maior que você, Eric e eu. Isso é sobre o Brooks e a Maggie. Agora, Maggie May — a Sra. Boone virou-se na minha direção —, se você me disser com toda a honestidade que os demônios do seu passado são maiores que o amor que você sente por aquele garoto, então por favor, me perdoe por ter passado do limite, pois interpretei errado todos os momentos em que me lembro de vocês dois juntos. Mas se, por acaso, o seu amor for maior, se por acaso esse amor estiver começando a inundar sua alma, então você tem que sair. Tem que vir com a gente nesse instante. Brooks é um bom garoto, e ele foi a sua âncora por todos esses anos. Agora é a sua vez de ser a dele.

Esfreguei os olhos enquanto os três começavam a discutir de novo.

Cinco minutos.

Ergui a mão, e os três pararam. Subi as escadas correndo, fui até o banheiro e enchi a pia com água. Enfiei a cabeça lá dentro e prendi a respiração.

Eu precisava de cinco minutos para acalmar a minha mente. Cinco minutos para abafar as vozes de fora e encontrar a minha própria.

Precisava de cinco minutos para respirar.

Vi o rosto dele — do diabo. Ele estava me sufocando, tentando me matar, como tinha matado aquela mulher. Ele ia me matar.

— *Shhh...*

Eu me perdi.

Ele me roubou de mim mesma naquele momento.

Eu me senti suja.

Usada.

Presa.

Parecia real. Todos os dias, mesmo depois de todos aqueles anos, ainda parecia tão recente. Mas enquanto o meu rosto continuava submerso, eu me lembrei de mais coisas.

— *Maggie May! Onde você está?* — gritou Brooks, *arrancando o diabo de seus pensamentos.*

Enquanto eu mantinha o rosto embaixo da água, eu me lembrei dele. Eu me lembrei do meu Brooks.

— *Você é minha melhor amiga, Magnet, mas...* — *Seus lábios se aproximaram, e juro que eu os senti roçarem os meus. Seus dedos acariciavam as minhas costas em movimentos circulares, e eu me derretia cada vez que um círculo se completava.* — *E se ela estiver certa? E se Lacey realmente notou alguma coisa? E se houver mais do que amizade entre a gente?* — *Ele segu-*

rou as minhas costas com mais força. Nossos lábios roçaram novamente, e senti um frio na barriga.

Tirei a cabeça da água, encharcada, mas agora eu sabia onde eu precisava estar. Corri até o quarto e peguei os sapatos.

— Maggie May, não faça isso — pediu minha mãe na porta do meu quarto, me olhando com firmeza. — Não saia.

Semicerrei os olhos, confusa. Ela veio até a minha cama e se sentou, batendo no colchão para que eu me sentasse ao seu lado. Eu nem conseguia me lembrar da última vez que ela entrou no meu quarto, quanto mais de quando se sentou e conversou comigo.

— Vou me certificar de que ele esteja bem, que melhore e que saiba que você queria estar lá, Maggie, mas por favor... Não vá.

Pegando o meu quadro, comecei a escrever:

Por que não?

Ela baixou a cabeça e olhou para os dedos inquietos.

— Se você for... Se finalmente começar a seguir em frente... Como vou poder protegê-la? Eu nem sabia que você tinha saído de casa naquele dia, eu estava lavando roupa. Eu deveria estar tomando conta de você. Mantendo-a em segurança. E se você for embora... Se for explorar o mundo... Como vou protegê-la?

Lá estava: os segredos e os medos mais profundos da minha mãe.

Todo mundo tem uma parte de si que escolhe silenciar.

A da minha mãe era a culpa.

Peguei a caneta e comecei a escrever as palavras mais importantes que eu já tinha escrito na vida.

Não foi culpa sua.

Minha mãe engoliu em seco antes de começar a chorar. Levando as mãos ao rosto, ela se encolheu, e eu a abracei bem apertado. Ela chorou o máximo que suas lágrimas lhe permitiram. Depois, enxugou o rosto e o nariz com as costas da mão e se empertigou.

— Olhe para mim. Sou um desastre. Sinto muito, Maggie May. Por tudo que fiz você passar... Eu só me preocupo. Só isso. — Ela fungou, e apoiei a cabeça no seu ombro. Ela entrelaçou os dedos nos meus. — Você vai fazer isso mesmo, não vai?

Apertei a mão dela duas vezes.

Ela suspirou e se sentou mais reta.

— Tudo bem. Então vamos fazer o seguinte: vamos descer as escadas e seguir direto para a porta da frente. Quando aqueles pensamentos vierem, você tem que continuar andando. Tudo bem?

Assenti. *Tudo bem, mãe.*

— Mesmo que esteja com medo, continue andando. E, quando as vozes ficarem mais altas, corra. Corra, Maggie May. Corra até estar do lado de fora.

Respirei fundo.

— Está com medo?

Apertei a mão dela duas vezes.

E você?

Ela apertou a minha mão duas vezes.

— Tudo bem. Vamos.

***

— Feche os olhos e respire — sussurrou minha mãe, segurando a minha mão. — Seu pai e eu vamos levá-la até o carro.

Quando dei os primeiros passos, senti a garganta fechar. Queria levar as mãos ao pescoço para tentar respirar, mas não consegui, porque meus pais estavam segurando-as com força. Eu estava bem? Eu conseguia respirar?

Meu pai apertou a minha mão duas vezes. *Sim.* Como ele conseguia ouvir as palavras que eu não dizia?

Os próximos passos que dei foram ainda mais difíceis. Eu precisava levar a mão ao pescoço. Precisava tirar as mãos do diabo dali. Eu precisava respirar. *Não consigo respirar.*

Minha mãe apertou a minha mão duas vezes. *Sim, você consegue.*

— Estamos quase chegando — tranquilizou-me meu pai, seguindo em frente.

Quanto mais andávamos, mais frouxas as mãos do diabo ficavam ao redor do meu pescoço. Pensei em Brooks. No seu sorriso. Na sua risada. No seu amor. E, quanto mais andávamos, mais fácil era respirar.

Parei de caminhar e abri os olhos. Meus pais me olharam, nervosos.

— Tudo bem, Maggie? — perguntou papai.

Soltei a mão deles e levei as minhas até o coração. Com uma inspiração profunda, absorvi o mundo, experimentando o ar, sentindo o vento, permitindo-me soltar os grilhões lentamente.

Com uma expiração longa, peguei as mãos deles e apertei duas vezes.

Sim.

Estou bem.

Agora tinha chegado o momento de ver se Brooks estava bem.

Enquanto seguíamos para o hospital, notei tudo. O toque do tecido do assento do carro, e como o motor soluçava depois de alguns minutos. Senti cada buraco ou lombada e olhei para todas as luzes que brilhavam. Era surreal sair de casa e ver coisas que eu nunca tinha visto. Prédios, árvores e animais. Era tudo tão impressionante, quase como um sonho. Mas era real. Meu peito estava apertado durante o percurso. Fiquei encolhida no banco de trás, mas não conseguia parar de olhar pela janela. Havia tanta coisa no mundo que eu nem sabia que existia... Tanta coisa da qual eu sentia falta...

Chegamos ao hospital horas depois, e Brooks ainda estava em cirurgia. O local estava cercado de fãs da The Crooks — parecia que a notícia tinha viajado rapidamente. Os pais de Brooks e o irmão dele também estavam lá, se esforçando para não desmoronar.

As luzes eram fortes demais e machucavam os meus olhos. Eu não me lembrava de já ter estado perto de luzes tão fortes. O cheiro também era estranho. Como se produtos de limpeza tivessem sido usados por cima de outros produtos de limpeza. Havia muita comoção em todos os lugares — enfermeiras esbarrando umas nas outras, coisas caindo, famílias caminhando pelos corredores.

Fechei os olhos e tentei me concentrar. Era muita coisa, rápido demais. Eu precisava acalmar a minha mente. E se o diabo estivesse aqui? E se ele pudesse me ver? E se pudesse me tocar de novo? *Não.* Eu precisava me concentrar em algo bom, algo que pudesse me manter firme. Precisava encontrar paz. Meus dedos foram até o meu pingente.

Brooks. A minha âncora. A minha força.

— Maggie — disse Calvin, saindo da sala de espera. — Você... você está aqui. — Ele me abraçou. — Você está aqui.

Em questão de segundos, os gêmeos se juntaram ao abraço, e ficamos ali por um tempo.

— Ele está muito mal — continuou Calvin, nos dando todas as informações. — O motor o atingiu do lado direito e o cortou. Os médicos disseram que ele talvez perca dois dedos. Também atingiu o pescoço. Mas... não sei. Tudo aconteceu muito rápido. Em um piscar de olhos, tudo mudou. A gente estava no barco se divertindo. E tudo estava bem. Mas agora... — Ele levou a mão até a parte superior do nariz, como o meu pai sempre fazia. — Agora tudo mudou. E tudo que podemos fazer é esperar para saber o quanto.

Meus pais se afastaram para pegar café para todos, já que teríamos uma longa noite pela frente. Em seguida, eles levaram a Sra. Boone para o hotel mais próximo para descansar. Em um canto, Rudolph estava tendo um ataque, se culpando pelo acidente. Oliver ficou ao seu lado, dizendo que a culpa não era dele. Cutuquei Calvin, os olhos interrogativos.

— Brooks impediu que Rudolph caísse na água. A tempestade balançou o barco, e ele quase caiu, mas Brooks conseguiu puxá-lo de volta. Depois que ele fez isso, o barco balançou de novo, e dessa vez Brooks caiu.

Uau...

— Rudolph está sofrendo, se culpando. Mas foi uma merda de um acidente. Não é culpa de ninguém. Foi o momento errado.

Depois de um tempo, encontrei uma cadeira em um canto e me encolhi ali.

Enquanto esperava, vi e ouvi tudo. O movimento e as vozes das pessoas. Notei todos os objetos do ambiente. Tudo parecia tão próximo, tão real desde que saí de casa. Se uma enfermeira deixava uma caneta cair, minha cabeça acompanhava o som.

Deixar a minha casa era mais difícil do que eu havia imaginado, mas era ainda mais difícil não saber se Brooks estava bem.

Então, sempre que o diabo tentava aprisionar a minha mente, eu me fechava dentro de mim e respirava fundo, me lembrando de que o amor falava mais alto do que o passado.

* * *

— Ele saiu da cirurgia. — Ouvi o médico dizer aos pais de Brooks. Eu me empertiguei para ouvir. — Ele está bem. Teve muita sorte, porque o corte lateral não foi tão profundo. Se tivesse sido um pouco mais, ele teria morrido.

— Meu Deus — murmurou a mãe dele, com os olhos cheios de lágrimas.

— O problema maior foi com a mão. — O médico trocou o pé de apoio antes de cruzar os braços. — Sinto muito. Tentamos ao máximo salvar os dois dedos, mas os danos causados pelo motor foram extensos demais. Tínhamos a esperança de salvá-los, mas não conseguimos e tivemos que amputá-los para melhorar o quadro geral.

Qual mão? Eu me perguntei, sentindo um nó no estômago.

— Qual mão? — perguntou Jamie, atrás dos pais.

O médico ergueu uma sobrancelha, olhando para o irmão de Brooks.

— Como?

— Perguntei qual das mãos.

Hesitando, o médico olhou para os pais de Brooks, sem ter certeza se deveria falar alguma coisa na frente de todo mundo. Quando eles assentiram, dando autorização para que falasse livremente, ele respondeu que eram da mão esquerda. Todos soltaram um gemido.

— Merda — sibilou Rudolph, socando a parede. — Merda!

Brooks usava a mão esquerda no braço do violão. Ele não conseguiria mais tocar. E todos na sala ficaram devastados.

— Sei o quanto isso pode ser difícil, considerando a carreira dele, mas temos que ficar felizes por ele ainda estar aqui conosco. Temo que talvez seja impossível que ele volte a tocar violão. Com o ferimento no pescoço, voltar a cantar pode ser árduo, mas acredito que ele consiga com o tempo. Vai ser difícil, mas com um trabalho de fisioterapia e fonoaudiologia, acredito que a voz volte ao normal. — O médico deu um sorriso triste para todos. — Ele vai descansar por um tempo, mas quando chegar o horário de visita, as enfermeiras virão chamar vocês.

Quando ele saiu, a sala ficou no mais completo silêncio, a não ser pelo som de Rudolph socando a parede e dizendo:

— Merda, merda, merda.

* * *

Quando levaram Brooks para outro quarto, tivemos permissão para vê-lo, duas pessoas de cada vez. Fui ficando para trás, pois queria ser a última a visitá-lo. Ele estava dormindo quando entrei no quarto, e me senti aliviada. Fiquei no canto, observando o seu sono. A respiração estava pesada e parecia ser difícil engolir. A cicatriz ia da clavícula até a mandíbula. A mão esquerda estava enfaixada, e ele tinha alguns hematomas no corpo, mas estava vivo. Nada mais importava.

— Você não vai machucá-lo — garantiu a enfermeira ao verificar os sinais vitais dele.

Eu não tinha saído do canto pelos últimos trinta minutos, tempo que permitiram que eu ficasse no quarto.

Ela sorriu.

— Se segurar a mão direita dele, não vai machucá-lo. Deram a ele um remédio para ajudá-lo a descansar um pouco. Ele estava um pouco inquieto no sono, o que dificulta o processo de cura. Então ele vai dormir por um tempo. Mas se quiser ficar ao lado dele... — Ela fez um gesto em direção à cadeira do lado direito de Brooks. — Pode segurar sua mão.

Assenti e fui até o lado de Brooks. Sentei-me e lentamente entrelacei os dedos nos dele. *Estou aqui, Brooks. Estou aqui.*

A enfermeira abriu um sorriso.

— Volto mais tarde para ver como ele está.

Assim que ela se afastou, apoiei a cabeça no braço de Brooks. Seu peito subia e descia a cada poucos segundos, e eu contava todas as vezes que isso acontecia. Eu me aproximei ainda mais, querendo que ele sentisse o calor da minha pele contra a sua. Querendo que ele soubesse que eu estava ali.

Estou aqui.

Não conseguia parar de olhar. Não conseguia desviar os olhos dele. Tinha medo de que ele parasse de respirar se eu me afastasse.

— Sinto muito, não sabia... — uma voz começou a falar, fazendo com que eu levantasse a cabeça da cama de Brooks. Eu me virei e vi uma mulher segurando um vaso cheio de flores. — Eu... — Sua voz falhou, e ela franziu o cenho. — Não me disseram que havia alguém aqui com ele.

Sasha.

Eu já a tinha visto antes, porque eu a seguia on-line, via cada fotografia que ela postava no Instagram. Ela era linda e não precisava se esforçar para isso. Sem maquiagem. Sem roupas elegantes. Só ela e suas flores.

Seu olhar pousou na minha mão, que ainda segurava a de Brooks. Eu a soltei.

— Sinto muito. Só vou deixar as flores e vou embora. — Ela colocou o vaso na cômoda. Quando se virou para sair, parou.

— É você, não é?

Semicerrei os olhos, confusa.

— Ah, não banque a idiota. Você é a garota. A garota que enviava os livros para ele.

Eu me levantei, me sentindo estranha por não conseguir me comunicar com ela.

— Então, nada? Você não tem nada a dizer? Não estou tentando ser grosseira nem nada. Eu só... — Ela fez uma pausa — Você não é a única que se importa com ele, sabe?

Apontei para o pescoço, e ela estreitou os olhos, confusa.

— O quê?

Olhei ao redor, procurando algo que pudesse usar para escrever. Quando olhei para parede, vi o quadro branco das enfermeiras e fui até ele.

Não consigo falar.

Sasha cruzou os braços.

— Só hoje ou... nunca?

Nunca.

Uma nuvem de culpa passou pelos seus olhos.

— Sinto muito. Não sabia. Qual é o seu nome?

Maggie.

— Maggie. — Ela passou os dedos pelo cabelo castanho cor de chocolate e, depois, colocou as mãos na cintura. — Você é louca por ele, não é?

Eu não sabia o que responder, porque sentia que poderia magoá-la. Ela sorriu.

— Tudo bem, eu sei. É difícil não ser. Vou embora. Se puder, gostaria que não contasse a ele que eu estive aqui. Não por ele, por mim. Prefiro que ele não saiba.

Tem certeza?

— Tenho. Só cuide dele, por favor? Ele vai ficar arrasado por não poder mais tocar violão. É a vida dele. Além de... Bem... — Suas palavras morreram, e ela me deu outro sorriso. — Vou embora. Só não o deixe acessar a internet, tá? A imprensa pode te amar um dia e te odiar no outro. É fácil uma celebridade se perder depois de uma tragédia. Dessa vez, a imprensa está sendo bem rápida em virar as costas para ele. Você sabe como o coração dele é bom... Não sei se ele vai aguentar o baque. Tome conta dele. Mesmo que pareça que você nunca está sozinho sob os holofotes, ninguém nunca fala sobre como é um lugar muito solitário. Lembre-o de que o valor dele não é decidido pela manchete da semana.

Prometi tomar conta dele.

Ela saiu do quarto, e eu apaguei as palavras do quadro. Sentei ao lado de Brooks de novo e peguei a mão dele mais uma vez. Deitei o rosto em seu braço e comecei a absorver todos os movimentos que ele fazia.

— Ah, e Maggie? — chamou Sasha, entrando no quarto de novo. — Só queria que você soubesse que eu percebi... — Ela apoiou o peso do corpo no outro pé e fez um gesto na nossa direção. — Você olha para ele do mesmo jeito que ele olhava para aqueles livros. Obrigada por não ser o monstro que inventei na minha cabeça. Eu só queria que você fosse um pouco feia, só isso — confessou, com certo charme.

Eu ri. *Idem.*

Capítulo 31

Brooks

Meus pais e Jamie disseram que eu ia ficar bem. Que tive muita sorte por ter saído do acidente com ferimentos superficiais. Superficiais — meu irmão escolheu muito mal as palavras e, quando se deu conta disso, se desculpou:

— Sinto muito, não quis dizer que não tinham importância, só quis... — Sua voz falhou. — Eu só estou feliz por você estar aqui com a gente.

Meus olhos pousaram na minha mão, que estava completamente enfaixada. Eu não tinha falado nada. As pessoas entravam e saíam do quarto, dando aquele sorriso que os adultos dão quando uma criança perde seu bichinho de estimação.

Patético.

Eu me sentia patético.

A banda veio e se sentou comigo por um tempo, e o ar ficou pesado com a culpa. O que magoava mais era que eles me lembravam da música. Eram um lembrete de tudo que eu tinha perdido em um piscar de olhos. Quando os empresários chegaram, quase perdi a paciência.

— Definimos um plano completo. A imprensa está enlouquecida. Precisamos de uma declaração — determinou Dave.

— Precisamos de um tempo — interveio Calvin, sendo grosseiro com Dave. — Você está agindo como se o Brooks não tivesse acabado de passar por um trauma sério.

— Mas ele sobreviveu — retrucou o homem, com um sorriso astuto. — E é essa a mensagem que queremos passar. E temos que mostrar como ele é forte e que vai voltar...

Voltar?

Eu me mexi e resmunguei.

Todos olharam para mim.

Horas antes, eu tinha sofrido um acidente, e agora eles estavam esperando uma recuperação milagrosa e a minha volta triunfal?

Dave franziu o cenho.

— Sabe o que mais? Acho melhor esperarmos um ou dois dias. Vamos dar um tempo.

Quando todos saíram do quarto, suspirei, sem nem saber por onde minha mente vagava. Parecia que eu ainda estava na água. Se fechasse os olhos, jurava que podia sentir as ondas.

A porta do quarto se abriu de novo, e desejei que ela tivesse permanecido fechada. Estava cansado de ver as pessoas, cansado de ouvi-las falar sobre o milagre que era eu estar vivo e como eu tive sorte.

Meu corpo se virou para a porta, e eu quase caí da cama.

Maggie.

Ela estava na porta do quarto, olhando para mim, com os braços em volta do corpo. Seus olhos azuis estavam cansados e avermelhados, como se tivesse chorado por horas. O cabelo estava preso em um coque bagunçado. Ela nunca prendia o cabelo.

Mas também nunca saía de casa.

Será que era um sonho?

Se fosse, eu esperava não acordar.

Abri a boca para perguntar o que estava acontecendo, mas senti a garganta queimar. Doía abrir a boca, mexer o braço esquerdo e virar para a direita. Doía respirar.

Ela me deu um sorriso triste e veio até a cabeceira da cama. Pegou a minha mão direita, deu um beijo na palma, e eu fechei os olhos. Tentei limpar a garganta para falar, mas ela apertou a minha mão uma vez, dizendo-me que não fizesse isso. Então fiquei ali, de olhos fechados, com Maggie May segurando a minha mão.

* * *

Ela quase não saiu do meu quarto de hospital. Quando lhe ofereceram um quarto de visitante, como em um hotel, ela recusou, segurando a minha mão com mais força ainda. Ela se encolhia no pequeno sofá do quarto todas as noites e adormecia ali. Maggie sorria durante o dia, mas à noite, quando estava presa em seus sonhos, eu a observava se revirar no sono e, às vezes, acordar coberta de suor. Seus demônios não tinham sumido só porque ela tinha saído de casa — mas ela estava se esforçando ao máximo para mantê-los sob controle.

— Tudo bem, chegou a hora de você se levantar e começar a se movimentar, Brooks — avisou uma enfermeira ao entrar no quarto uma tarde. Eu odiava aquela parte do dia. Eles me obrigavam a andar pelos corredores com um andador. Maggie sempre ia comigo e, quando meu lado esquerdo começava a fraquejar, ela estava ali do meu lado, pronta para me ajudar. A enfermeira, porém, dizia a ela que não podia fazer isso.

— Você pode vir para dar apoio, mas não pode ajudar. Não se preocupe, não vou deixá-lo cair.

Na metade do corredor, meu peito parecia apertado, e a minha respiração ficava ofegante.

— Volte — eu pedia com dificuldade e voz rouca. Queria voltar para o quarto e me deitar.

— Nada disso. Você não se lembra? Vamos dar a volta completa antes...

Bati com o andador várias vezes no chão, meu pescoço latejando de dor. *Volte. Volte. Volte.*

Era constrangedor me sentir tão fraco. Minha mão doía. A lateral do meu corpo queimava. Minha mente estava perturbada.

A enfermeira deu um sorriso amarelo antes de olhar para Maggie.

— Acho que é uma boa hora para um cochilo.

Ela deu uma piscadinha para Maggie, que franziu o cenho, e sua preocupação estava clara no olhar.

Resmunguei um pouco mais. Começamos a voltar para o quarto e, depois que fui colocado na cama, Maggie pegou um bloco e se sentou ao meu lado.

Você está bem hoje, Brooks?

Apertei a mão dela uma vez.

A verdade era que eu estava com raiva. Estava com raiva porque os empresários perguntaram quais eram os planos para o resto da turnê — mesmo que eu não pudesse tocar. Eles apresentaram todo tipo de plano que conseguiram imaginar, inclusive de a banda tocar sem mim, me substituindo por outro artista por um tempo enquanto eu fazia terapia intensiva para recuperar a voz.

As cicatrizes no meu corpo não estavam nem perto de se curarem, mas eles já me tratavam como se eu não existisse mais. Para os empresários, mesmo depois de dez anos de dedicação, eu não passava de um meio de ganhar dinheiro.

— A gente não vai fazer isso — argumentou Calvin. — Vamos esperar até ele melhorar — repetia o meu amigo sem parar.

— Sim. Sem o Brooks somos literalmente a The Coo. E quem é que vai querer ouvir uma banda chamada The Coo? — perguntou Oliver.

Rudolph não dizia muita coisa. Ele mal me olhava. Eu tinha a sensação de que ele se culpava pelo acidente. E eu odiava o recanto obscuro da minha mente que também o culpava. A cada dia, eu me parecia menos comigo mesmo. E a cada dia eu ficava mais amargurado. Detestava que Maggie estivesse ali, vendo isso acontecer. Odiava que ela fosse testemunha da minha destruição.

Quando chegou a hora de deixar o hospital, Maggie e eu nos sentamos no quarto enquanto a enfermeira ia buscar a cadeira de rodas. Meus pais queriam que eu fosse para casa com eles para me recuperar. Queriam contratar uma enfermeira para ficar comigo, para que eu pudesse me concentrar na minha recuperação. Mas eu não queria fazer isso.

— Vou voltar para a cabana — sussurrei, porque tudo que eu dizia saía naquele tom baixo. Minha voz sempre soava rouca quando eu falava, e eu odiava aquilo.

Maggie olhou para mim, surpresa.

— Não quero ir para casa. Não quero ficar parado e ver todos sentindo pena de mim. Não quero isso.

Ninguém sente pena de você.

— Todos sentem pena de mim. Agem como se eu fosse surdo. Ouço o que falam. E eles me culpam também. Pelo menos a imprensa me culpa. Eu não sei. Só preciso de um tempo. Para ficar sozinho.

Eu sei como é estar em um lugar cheio de gente falando como se você não estivesse ali. Vou com você.

Franzi o cenho.

— Não, Maggie. Você tem a sua lista de coisas para fazer. Não estou em posição de... — Suspirei. *De poder ficar com você.* — Por que sempre parece que é o momento errado para nós?

Ela baixou a cabeça para o quadro e começou a escrever, as lágrimas manchando suas palavras.

Por favor, não me deixe de novo.

Ergui a mão esquerda para consolá-la e parei, olhando para o curativo. Eu a queria. Eu a queria tanto, mas sabia como estava a minha mente. Sabia dos ataques de pânico que eu tinha à noite, ao me lembrar do acidente. Sabia dos ataques de pânico que eu tinha durante o dia, ao perceber que estava atrapalhando a banda, decepcionando os fãs, perdendo patrocinadores da nossa turnê.

Perdendo centenas de milhares de dólares por causa da minha insistência em sairmos de barco.

Não queria deixar Maggie May, mas sabia que tinha que fazer isso. Ela havia passado uma vida inteira tendo os próprios ataques de pânico. A última coisa que ela precisava agora era ter que lidar com os meus.

Capítulo 32

Maggie

— Adivinha quem está de volta? Cheryl voltou! — gritou ela, entrando em casa com duas malas e *dreadlocks*.

Já fazia uma semana desde que Brooks tinha me mandado de volta para casa e tinha ido para a cabana sem mim. Todos tentaram convencê-lo a não ir sozinho, mas ele nem deu bola. Havia enfermeiras que cuidavam dele todos os dias, mas, fora isso, estava sozinho lá em Messa.

Meus pais e eu estávamos jantando quando Cheryl chegou em casa, sem aviso prévio. A última notícia que tive dela era de que estava em uma ilha com o namorado.

— Cheryl! — exclamou minha mãe, surpresa, mas feliz por ver sua viajante. — O que está fazendo aqui?

— Por quê? Uma garota não pode visitar a família? — Ela puxou uma cadeira ao meu lado e se sentou.

— Sempre — respondeu meu pai. — Mas a última notícia que tivemos foi que você estava apaixonada por um cara chamado Jason e que ia fazer *dreadlocks* em alguma praia.

— Verdade, isso aconteceu.

— Onde está o Jason? — perguntou minha mãe.

— Bem, é uma história engraçada. A mulher que trançou os *dreads* acabou traçando o meu namorado. — Todo mundo fez cara de triste, e Cheryl sorriu. — Ah, vamos lá. Nada de tristeza. Vocês sabem o que eu sempre digo: quando a vida te dá limões, encontre uma vodca. — Ela pegou a minha mão e a apertou. — E faça uma visita à família.

Mamãe se mexeu na cadeira e dirigiu um olhar de tristeza ao meu pai. Eles conversaram ali, mesmo sem dizer uma palavra, até que seus lábios finalmente se abriram.

— Meninas, agora que vocês duas estão aqui, acho que é o melhor momento para dar uma notícia a vocês.

Eu me empertiguei na cadeira, e Cheryl fez o mesmo.

— O que está acontecendo? — perguntou ela.

— A mãe de vocês e eu... nós vamos... — Meu pai engoliu em seco e me deu um sorriso triste. — Nós vamos nos separar.

O quê?

Não.

— Do que vocês estão falando? — indagou Cheryl, confusa. Ela deu uma risada nervosa. — Fala sério. Vocês não vão se separar. Isso é ridículo.

— Bem, esse momento já estava por vir há um tempo — explicou minha mãe com voz trêmula. — E agora que a Maggie conseguiu sair de casa, achamos que chegou a hora.

— É o melhor, na verdade. Para todos nós — mentiu ele.

Eu sabia que ele estava mentindo. Porque, se aquilo fosse verdade, seus olhos não estariam tão tristes.

Depois do jantar, Cheryl foi ao meu quarto, onde eu estava deitada ouvindo música no iPhone. Ela se deitou ao meu lado e pegou um dos fones para poder ouvir também.

— Tenho vinte e sete anos e, de alguma forma, sinto que quero me tornar uma adolescente rebelde de novo, me encolher no armário e ouvir o *Autobiography*, da Ashlee Simpson, várias vezes, só porque meus pais estão se separando.

Tenho vinte e oito e me sinto da mesma forma.

— E o Brooks? Como está? — perguntou, virando-se para mim.
Dei de ombros.
Ele disse que precisava de um tempo, de ficar sozinho.
— Entendi. Quando você pediu a ele um tempo, ele se afastou... Então entendo porque você tem a sensação de que precisa fazer a mesma coisa por ele.

Continuamos ouvindo música, e Cheryl riu.

— Você se lembra de que quando éramos mais novas, eu disse que não sabia o que queria da vida ou algo assim? — Ela começou a rir. — Dez anos depois, essas palavras continuam verdadeiras.

Mesmo que o pensamento fosse deprimente, não conseguimos parar de rir. Às vezes, tudo que uma pessoa precisa para relaxar a mente perturbada é da própria irmã e de algumas risadas.

Em segundos, estávamos ouvindo "Pieces of Me", da Ashlee Simpson, e balançando nossas cabeças. Ouvimos todas as músicas do álbum, até nossas lembranças se voltarem para a nossa infância.

Sempre que a música "LaLa" começava a tocar, a gente se levantava e dançava. Mesmo estando orgulhosa por Cheryl ter viajado pelo mundo, eu estaria mentindo se dissesse que não estava feliz por ela ter voltado para casa.

***

Mesmo que Brooks tivesse pedido um tempo, eu precisava lembrá-lo de que ele não estava sozinho, do mesmo jeito que ele sempre fez comigo. Então, eu enviava uma mensagem de texto todas as manhãs.

Maggie: Você está bem hoje, Brooks?
Brooks: Estou bem, Maggie May.

E uma mensagem de texto todas as noites.

Maggie: Você está bem hoje à noite, Brooks?
Brooks: Estou bem, Maggie May.

Mesmo que isso não fosse o suficiente para acabar com a minha preocupação, era o suficiente para me ajudar a dormir, às vezes.

Capítulo 33

Brooks

Messa era uma cidadezinha pequena. O lago ocupava a maior parte dela. Não havia muitas construções, a não ser a mercearia, uma escola, o posto de gasolina e uma biblioteca, os quais ficavam lado a lado, na margem do lago. Mas ficavam do lado oposto à cabana da Sra. Boone, o que era ainda melhor. Isso fazia com que eu me sentisse ainda mais sozinho. Eu só ia até a cidade para comprar comida e, então, voltava para a cabana.

O único lugar que eu considerava digno de uma visita ficava na periferia da cidade — um bar.

Era uma espelunca.

Ninguém sabia que ele existia, o que o tornava perfeito para mim. Tinha uísque, dor e solidão emanando de suas paredes tranquilas.

Eu não tinha parado de ler os fóruns on-line a meu respeito. Nem de ver os fãs se voltarem contra mim, me taxando de viciado, me chamando de mentiroso e traidor. Eles acreditaram no que os tabloides noticiaram e me viraram as costas, como se eu não tivesse dado a eles o melhor de mim nos últimos dez anos.

Como se eu realmente fosse tudo de ruim que escreveram sobre mim.

Eu sabia que deveria parar de ler, mas não conseguia largar o celular nem o uísque. Os comentários daqueles que um dia disseram me amar magoavam mais do que deveriam.

Só substituam o drogado. Isso já foi feito antes!

Meu irmão morreu de alcoolismo. O fato de Brooks ser tão descuidado é preocupante. Espero que encontre ajuda em um centro de reabilitação.

Ele é uma desgraça para a música. Milhões teriam matado para ter a vida que ele tinha, e ele simplesmente a jogou fora.

Celebridade de merda. Mais uma história de fama subindo à cabeça.

Tipo, essa é a quinta vez que ele vai para a reabilitação. Talvez tenha chegado a hora de começarem a perceber que nada vai mudar.

Ele não vai nem chegar aos trinta anos, assim como todos os outros "grandes" artistas viciados.

Estiquei a mão para pegar mais uísque, as palavras se gravando na minha memória. Havia comentários de apoio também, mas, por algum motivo, eles pareciam falsos. Por que os comentários negativos de estranhos sempre magoavam mais?

— Acho que você já tomou o suficiente — censurou o garçom, com voz firme e um tom grave, ao tirar a garrafa do meu alcance.

Ele usava um bigode grosso e grisalho cheio de segredos, mentiras e migalhas de batata chips. Sempre que falava, o bigodão dançava sobre os lábios, e as palavras saíam pelo canto esquerdo da boca. O cabelo cacheado, comprido e também grisalho estava preso em um coque. O coque de um velho. Um cara que devia ter mais de setenta anos e, de alguma forma, parecia não ter problemas para manter a calma e a tranquilidade.

O completo oposto de mim.

Todas as manhãs e todas as noites, eu mentia para Maggie quando ela me enviava mensagens de texto.

Fechei os olhos e me esforcei para me lembrar do nome do garçom, nome esse que ele já havia me dito centenas de vezes durante as minhas bebedeiras.

Connor rima com "dor".

Ultimamente, Connor era a coisa mais próxima que eu tinha de um amigo. Eu me lembrei de quando o conheci, duas semanas antes, quando entrei neste bar. Eu estava um desastre. A primeira vez que ele me viu, sentei-me à mesa do canto do bar vazio com os ombros caídos. Meus braços estavam cruzados sobre a mesa, a testa, apoiada nos antebraços, enquanto eu tentava impedir que as lembranças voltassem à minha mente. Ele não me fez perguntas. Simplesmente me trouxe uma garrafa de uísque e um copo com gelo naquela noite — e nas seguintes.

— Só mais um — murmurei, mas ele franziu o cenho e negou com a cabeça.

— Já é uma da manhã, cara. Você não acha que talvez devesse voltar para casa?

— Casa? — Bufei, tentando pegar a garrafa, mas ele se recusou a me entregar. Olhei direto nos seus olhos azuis e senti um aperto no coração. *Casa.* — Por favor? — implorei. Implorei por bebida. Que patético. — Por favor, Connor?

— Denvor — corrigiu ele, com um sorriso que mais parecia uma careta.

Droga.

Connor rima com "dor", que rima com Denvor, que é o nome dele.

— Foi o que eu disse.

— Não, não foi, mas provavelmente foi o que quis dizer.

— Sim, sim. Foi o que eu quis dizer, Denvor. Denvor. Denvor.

Quantas vezes eu conseguiria repetir o nome dele antes de me esquecer de novo?

Ele se sentou diante de mim na mesa e brincou com os cantos do bigode.

— O que você está querendo esquecer com a bebida? — perguntou.

Engoli em seco e não disse nada.

— É tão ruim assim?

Não respondi, mas empurrei o copo vazio para ele. Quando fui à mercearia mais cedo, meu rosto estava estampado nas capas das revistas. As matérias falavam de um colapso mental que eu não sabia que estava tendo. Além disso, aparentemente eu era viciado em heroína e abandonei a The Crooks por causa do vício.

Então, cometi o erro de entrar na internet e ler mais coisas a meu respeito. Fiquei estupefato quando vi quantos dos meus fãs estavam acreditando nas mentiras.

Percebi que era mais fácil encher a cara e permanecer bêbado.

Denvor empurrou o copo de volta para mim.

— Que merda — resmunguei.

Antes que ele conseguisse responder, um grupo de garotas bêbadas entrou no bar. Estavam mais do que de porre, eram barulhentas e usavam rosa dos pés à cabeça. A não ser por uma, que estava de branco. Despedida de solteira. *Ótimo*. Denvor foi até o balcão para atendê-las.

— Minha nossa! Esse lugar é adorável. — Uma delas deu um risinho.

— Não acredito que você encontrou esse bar! — gritou outra.

Elas pareciam estar numa caça ao tesouro, e um dos itens da lista era encontrar uma espelunca. Perfeito.

Eu me encolhi na minha mesa, sem querer ser incomodado.

Todas correram até o balcão, rindo.

— O que posso servir para as senhoritas? — perguntou Denvor.

Todas responderam juntas, jogando as mãos para o alto.

— FIREBALL!

Meus olhos se fecharam, e voltei ao barco.

— Isso só porque a linda Maggie May não fala. Se falasse, diria alguma merda superpoética, aposto. — Rudolph parou e arregalou os olhos. — FALTA! Mencionei uma garota. Preciso de uma dose. FIREBALL!

Ele se jogou na direção da garrafa de bebida e, ao fazer isso, a embarcação balançou. Seu corpo se curvou na beirada, e precisei me segurar. Agarrei Rudolph com força e o puxei de volta ao meio do barco. Joguei-o em um lugar seguro, mas a tempestade nos sacudiu, me fazendo tropeçar.

Meneei a cabeça. *Pare.* Quando me levantei da mesa com a intenção de ir embora pelos fundos, uma das garotas me viu.

— Ai. Meu. Deus — disse.

Baixei a cabeça e tentei agir normalmente.

— Tiffany! Olhe. Aquele não é...?

A loura se virou na minha direção.

— Minha nossa! É Brooks Griffin! — gritou.

Todas as garotas começaram a gritar e correram para a minha mesa. Pensei que fossem apenas algumas no início, mas a minha visão desfocada me deixava mais confuso do que o normal. Elas começaram a enfiar câmeras na minha cara, e tentei afastá-las. Então vieram as perguntas e os comentários.

— Minha nossa, Brooks. Sinto muito pelo acidente.

— Uau! Você perdeu os dedos?

— Isso significa que não vai mais poder tocar violão?

— Vai continuar trabalhando com música?

— A gente pode pagar uma bebida para você?

— Podemos tirar uma foto?

— Eu te amo tanto!

— É verdade o que estão dizendo sobre as drogas?

— Não! Ele não faria isso... faria? Não vou julgar.

— Eu fumo maconha.

— Meu primo era viciado em remédios tarja preta.

— O Brian?

— Não, o West.

— O que aconteceu com a Sasha?

— Ela traiu você?

— Você a traiu? Li uma matéria sobre você e a Heidi Klum...

— Vocês não me conhecem! — explodi, cerrando os punhos. — Por que diabos todo mundo age como se me conhecesse? Nos noticiários, na internet, nos tabloides? — gritei, minha garganta ardendo enquanto eu berrava com aquelas meninas que não estavam sequer me ofendendo. — Ninguém sabe como é ser eu. Ninguém sabe o que é não ser capaz de fazer o que se ama. A minha vida era a música e agora eu mal posso falar. Eu não posso... Ninguém sabe... — Eu não conseguia mais falar. Estava bêbado, e a garganta estava doendo. Muitas palavras, muitas emoções. As meninas ficaram quietas, sem saber o que fazer, sem saber o que falar. — Sinto muito — murmurei. — Eu não quis...

— Tudo bem — disse uma delas, com o olhar cheio de culpa. — Sentimos muito.

Elas me deixaram sozinho depois disso e saíram do bar.

Denvor ficou ao meu lado, olhando para mim, sem dizer nada. A cabeça dele virou para a direita e depois para a esquerda e, então, em segundos, ele se sentou de volta diante de mim novamente. Colocou a mão em cima da minha e deu um apertão leve, um apertão que me fez lembrar Maggie, porque tudo no mundo fazia com que eu me lembrasse dela.

Denvor pegou a garrafa de uísque e me serviu mais uma dose.

Ele não pediu desculpas, não disse palavras de consolo para afastar o sofrimento.

Em vez disso, me serviu uma bebida que descia queimando na garganta. A queimação me lembrava dos rumores, das mentiras, do acidente, das cicatrizes. Fazia com que eu me lembrasse de todas as dores que viviam em meu peito, até finalmente silenciar meus pensamentos.

***

Eu acordava todas as manhãs por puro hábito. Escovava os dentes, tomava banho e me vestia por causa de uma rotina que segui a vida toda, mas isso era tudo. Eu acordava, lia mentiras, bebia e ia dormir.

A banda se esforçou para me convencer a deixar que eles viessem ficar comigo, mas recusei. O que aconteceu não foi culpa deles, foi minha. Eu obriguei todo mundo a sair de barco quando todos queriam ficar em casa relaxando.

A cabana da Sra. Boone era o melhor lugar para fugir do mundo. Não havia câmeras na minha cara o tempo todo tentando descobrir o meu futuro. Eu conseguia ficar sozinho.

A minha rotina só mudava quando chovia.

Nos dias de chuva, eu ia até o meio do lago e ficava sentado em uma pequena canoa.

Ficava ali, sentindo as gotas de chuva caírem em mim. Quando o céu esbravejava, eu sempre ficava quieto.

Mesmo que eu tivesse vindo para a cabana para me encontrar, cada dia eu me perdia mais. Conseguia sentir isso, a mudança em mim. Eu estava ficando mais frio. Estava me tornando um estranno para mim mesmo.

Estava seguindo por uma estrada que nunca me levaria de volta para casa.

Capítulo 34

Maggie

— Isso vai ser o suficiente — afirmou meu pai, trazendo a última caixa do caminhão.

De alguma forma, havíamos voltado no tempo para quando éramos só nós dois em um apartamento pequeno, sonhando com um mundo maior. Só que, dessa vez, havia uma irmã com *dreadlocks* que não saía do nosso lado.

Naquela noite, Cheryl voltou para casa para ficar com a nossa mãe, e eu dormi em um colchão inflável em um dos quartos. Meu pai dormiu no outro quarto, em um colchão igual. Por volta das três da manhã, acordei com um barulho. Eu me levantei, fui nas pontinhas dos pés até a cozinha e encontrei meu pai acordado, preparando um bule de café. Quando ele se virou, teve um sobressalto.

— Minha nossa, Maggie! Você me assustou!

Dei um sorriso de desculpas e peguei o quadro branco antes de me sentar na bancada.

— Não está conseguindo dormir? — perguntou.

Ouvi você andando pela casa. Está tudo bem?

Ele fez uma careta.

— Achei que fosse para sempre, sabe? — Ele serviu café em duas xícaras e me entregou uma. — Logo que conheci a Katie, ela era um raio de sol. Tinha uma energia que emanava dela, sabe? Não sei o que aconteceu com o passar dos anos, mas ela começou a mudar. Se tornou mais fria... Fico me perguntando se foi alguma coisa que eu fiz ou algo que eu disse, mas perdi minha mulher há muito tempo. Droga, eu também mudei.

— Eu me convenci de que ela só estava passando por momentos difíceis, que o que aconteceu com você, de alguma forma, aconteceu com ela também. Não diretamente, só uma coisa de causa e efeito. Mas foi piorando a cada dia. A mulher que eu conhecia foi desaparecendo bem diante dos meus olhos. E o homem que eu sabia que eu era também não existe mais.

Você sente falta dela?

Ele passou os dedos na testa.

— Sinto falta de sentir falta dela. A verdade é que parei de sentir saudade da sua mãe até mesmo quando ela estava por perto. Com o tempo, desejei ir embora, mas não queria te apressar. Eu não poderia forçá-la a sair de casa quando você ainda não estava pronta.

Meu coração quase saiu pela boca. Ele só ficou em casa por mim. Ele preferiu se sentir infeliz para me manter em segurança.

Sinto muito por ter feito você ficar.

Ele meneou a cabeça.

— Eu faria tudo de novo em um estalar de dedos.

Nós nos sentamos e tomamos o café fortíssimo em silêncio. Éramos muito bons em ficar assim, quietos, um do lado do outro. Parecia certo. Um pouco antes de eu me levantar para voltar para a cama, ele disse:

— Um professor pediu ao aluno que citasse dois pronomes. O que o aluno respondeu?

Sorri ao ouvir a charada e respondi: *quem, eu?*

Ele deu uma risadinha.

— Isso mesmo.

Enquanto seguia para o quarto, ele se virou para mim e disse a verdade que não queria assumir para si mesmo:

— Sinto falta dela.

Apesar das brigas — e do sofrimento —, ele ainda a amava. Esse era o problema do amor. Ele não ia embora porque você o mandava ir. Ele simplesmente ficava quietinho, sangrando, rezando para que você não o deixasse partir.

* * *

— Ele ainda não desfez as malas — comentou Cheryl na sala.

Meu pai estava na cozinha tomando outra xícara de café. Já fazia uma semana que havíamos nos mudado para o apartamento novo, mas o quarto dele ainda estava cheio de caixas.

— Por que você acha que ele ainda não arrumou as coisas?

Está esperando que ela peça a ele que volte para casa.

Os olhos de Cheryl ficaram embotados, e ela franziu o cenho, pensativa.

— Ela não está muito melhor. Não estou julgando, mas considerando a oleosidade do cabelo e as moscas em volta dela, acho que nem está tomando banho.

Ri para a minha irmã dramática.

— O amor é difícil, não é?

Sim.

— É por isso que vou ter um gato. Eles não precisam de nada, a não ser comida e um lugar para cagar. É isso que quero nos meus relacionamentos. Que alguém me dê *tacos* e um banheiro para eu usar depois de comê-los, e vou viver feliz para sempre. *Definitivamente*, vou arranjar um gato. E talvez *tacos* para o jantar. Você limpa a caixinha de areia?

Não. Provavelmente, não.

— Tudo bem, então. *Definitivamente* não vou ter um gato.

Eu ri. Meu celular começou a tocar e atendi usando o FaceTime.

— Oi, mana! — Calvin estava sorrindo na tela.

Acenei, e Cheryl se aproximou para aparecer também.

— Ei, mano! — gritou ela, acenando para ele.

— Ah, duas pelo preço de uma. Gostei dos *dreads*, mana. Estou em Los Angeles para algumas reuniões e coisas assim, e tenho alguns minutos antes que a próxima comece. Mas estou ligando para pedir a sua ajuda, Maggie. Liguei para o Brooks, e ele parecia bêbado quando atendeu. Não quis conversar muito comigo, mas acho que está mal. Sei que ele disse que precisava de um tempo e que você só está fazendo isso porque ele fez o mesmo por você no passado, mas isso é diferente. Entendo que ele precise de um tempo para espairecer, mas acho que não é isso que ele está fazendo. Na verdade, acho que ele está fazendo justamente o contrário, e queria saber se você poderia ir vê-lo.

A resposta foi sim. Se Brooks estava perdido, eu estaria lá para ajudá-lo. Em um estalar de dedos. Às vezes, quando as pessoas achavam que precisavam de um tempo, elas, na verdade, precisavam de alguém.

Você me leva até lá?, pedi à minha irmã.

— É claro. — Ela esfregou a barriga. — Mas podemos parar no caminho para comer *tacos*? Porque, vamos combinar, *tacos* é tudo de bom.

* * *

A chuva caía na cidadezinha de Messa quando Cheryl parou diante da cabana. Tiramos as minhas malas do carro e fomos até a varanda da frente. Bati na porta algumas vezes, mas não houve nenhuma resposta de Brooks. Senti um aperto no peito, tomada pelos piores pensamentos. Senti-me aliviada por ter uma chave, dada pela Sra. Boone quando soube que eu ia passar um tempo com Brooks.

Virei a maçaneta, e a porta da frente se abriu. Brooks não estava em nenhum lugar lá dentro, o que era estranho, porque o seu carro estava estacionado bem na frente da cabana.

Talvez ele tivesse ido a pé até a cidade.

Peguei o quadro. **Pode ir, Cheryl.**

— Tem certeza? Não quero que você fique aqui sozinha, já que não o encontramos ainda.

Vou ficar bem. Juro. Ligo se precisar de alguma coisa.

Ela ainda hesitou em ir embora, mas depois de mais um pouco de insistência, eu a convenci, e ela finalmente partiu. Esperei por Brooks sentada no sofá da sala, mas ele não voltou. Depois de um tempo, peguei um guarda-chuva e caminhei até a cidade, enquanto as gotas de chuva continuavam caindo. Quando cheguei à biblioteca local, entrei, levando o quadro branco comigo.

O lugar era enorme, considerando que a cidade era minúscula, e tive a sensação de estar de volta ao meu quarto, cercada pelas minhas histórias favoritas. Quando entrei, uma mulher sentada no balcão da recepção sorriu para mim. Ela tinha um ar doce, com olhos cor de chocolate e cabelo grisalho e curto. No seu crachá estava escrito "Sra. Henderson".

— Oi, posso ajudá-la?

Comecei a escrever. *Estou procurando uma pessoa e não sei se ele foi visto ultimamente.*

Ela abafou o riso.

— Querida, sei que estamos numa biblioteca, mas você não precisa ser tão silenciosa assim.

Dei um sorriso torto, apontei para o pescoço e fiz que não com a cabeça.

Ela franziu o cenho.

— Minha nossa, você não fala? Sinto muito. Tudo bem, quem você está procurando?

Brooks Griffin.

Ela semicerrou os olhos.

— Não venha para essa cidade fazer joguinhos para perseguir aquele pobre rapaz. Ele já passou por muita coisa. A última coisa de que ele precisa é que alguém venha aqui para importuná-lo com um pedido de autógrafo ou algo assim.

Sou amiga dele.

— Prove.

Enfiei a mão no bolso, peguei o celular e mostrei as fotos em que estávamos abraçados.

Ela sorriu.

— Parece que vocês são amigos bem próximos. Certo, está chovendo, então só tem um lugar onde ele pode estar. Venha. Vou mostrar a você. Mas se essas fotos forem montagem no Photoshop, vou ligar para o Lucas. Ele não é só o policial da cidade, é meu marido também.

Ela pegou um guarda-chuva, saímos da biblioteca e atravessamos a rua até a margem do lago Messa.

— Consegue vê-lo? — perguntou.

Fiz que não com a cabeça.

— Lá. — Ela apontou para a água. — Aquele pontinho lá longe é ele. Ele e sua pequena canoa — disse a Sra. Henderson, olhando para a mesma direção que eu. Brooks estava sentado sozinho na canoa, no meio do lago. A chuva caía sobre ele, mas não parecia incomodá-lo. — Ele só vai para o lago quando está chovendo, nunca nos dias ensolarados.

Virei a cabeça para a Sra. Henderson, surpresa, e ela deu de ombros antes de voltar a falar:

— Muita gente da cidade acha que ele vai até lá durante as tempestades para tentar se afogar.

Mas eu sabia que não era isso. Sabia que o melhor lugar do mundo para tentar respirar era embaixo da água.

Capítulo 35

Brooks

Quando a chuva começou a diminuir, passei a remar em direção à cabana. Já era tarde, por volta das onze da noite, quando as nuvens carregadas decidiram seguir para a próxima cidade. Amarrei a canoa na doca e passei a mão pelo cabelo encharcado, tirando um pouco do excesso de água.

— Merda — resmunguei, com frio.

Tudo que eu queria era andar até a cabana, trocar de roupa e deitar na cama. Mas, ao me aproximar dela, senti um aperto no peito. Havia alguém deitado no balanço da varanda, dormindo. *Os paparazzi eram foda.* Não era a primeira vez que tentavam acampar do lado de fora da cabana para conseguir informações minhas, mas normalmente o xerife da cidade, Lucas, conseguia mantê-los afastados.

Depois de horas de solidão na água, eu não ia conseguir lidar com um estranho do lado de fora da cabana tirando fotos minhas.

Caminhei até a varanda e bufei.

— Seu merdinha, você não tem nada melhor para fazer do que tirar fotos de... — Minha voz falhou quando me deparei com Maggie, que começava a despertar, alerta e assustada. Ela se sobressaltou um pouco, surpresa, a mão no pescoço. Quando seus olhos encontraram os meus, ela relaxou.

— Maggie? — chamei, quase duvidando da minha voz. O aperto no peito se tornou ainda maior. — O que você está fazendo aqui? —

perguntei de forma bruta e confusa, com um pouco de raiva, mas feliz. Principalmente feliz.

Muito feliz em vê-la.

Ela procurou algo atrás de si e, ao se levantar, me mostrou o quadro. Comecei a ler a minha própria letra.

Um dia, você vai acordar e sair de casa, Magnet, e vai descobrir o mundo. Vai ver o mundo todo, Maggie May, e, nesse dia, quando você sair e respirar pela primeira vez fora dessa casa, quero que me procure. Não importa o que aconteça, você tem que vir me encontrar, porque eu vou te mostrar o mundo. Vou te ajudar a riscar as coisas da sua lista.

Ela se levantou, e suas roupas estavam encharcadas, como se também tivesse ficado embaixo de chuva a noite toda. Espirrou e começou a tremer de frio.

Maggie ficou ali, olhando para mim, esperando que eu dissesse alguma coisa, qualquer coisa. Muitos pensamentos passaram pela minha cabeça quando nossos olhares se encontraram, mas não eram do tipo que eu merecia ter. Eu achava que não merecia sentir saudades dela, abraçá-la ou amá-la.

Tudo que eu fazia era beber e mergulhar em autocomiseração.

Maggie merecia mais do que a minha tristeza. Como eu poderia mostrar o mundo a ela quando me esforçava ao máximo para evitá-lo?

— Vamos entrar para nos secarmos — sugeri. Vi uma sombra de tristeza passar por ela. Era quase como se ela esperasse que eu fosse arrumar as malas e me juntar a ela para concluir a sua lista de coisas a fazer.

Foi a primeira vez que senti que realmente a deixei na mão.

Entramos na cabana e notei as malas na sala.

— Suas?

Ela assentiu.

— Eu já volto. — Entrei no quarto, segui direto para o banheiro e joguei água no rosto. — Meu Deus, Brooks, controle-se.

Ver Maggie me deixou balançado. Ser lembrado de algo tão lindo quando só tenho tido sentimentos horríveis foi difícil para mim. Vê-la me fez querer respirar, quando tudo que fiz nas últimas semanas foi tentar prender a respiração.

— Como você veio para cá? — perguntei ao voltar e encontrá-la enxugando o cabelo com uma toalha e procurando o pijama na mala.

Ela escreveu: *Cheryl*.

Suspirei.

— Já é tarde e estou um pouco bêbado, então não posso levá-la de volta para casa até amanhã. Você pode ficar por uma noite, mas terá que ir embora. Você vai ficar em um dos quartos.

Eu a conduzi até o quarto europeu.

— Vou te levar para casa assim que acordar, Maggie. Tem uma pizza de ontem na geladeira e refrigerante, se você quiser. Boa noite.

Fui breve. Não queria ter nenhum tipo de conversa com ela naquela noite, porque ela conseguia tornar as coisas melhores. Eu não queria me sentir melhor.

Não queria sentir nada.

Estava prestes a sair quando senti os dedos dela no meu antebraço. Fechei os olhos.

— Maggie — sussurrei e hesitei, mas ela me puxou para si. Olhei para seus olhos azuis, e ela me deu aquele sorriso perfeito. — Não posso fazer isso agora — eu disse, mas ela não me soltou. Puxei o braço. — Não consigo. Sinto muito. Não consigo fazer isso.

Saí antes de me virar para ver sua reação. Fui para o meu quarto, bati a porta, peguei uma garrafa de Jack Daniel's e tentei esquecer como era sentir algo de novo.

***

— Por que você está preparando algo pra comer? Temos que ir — gritei com Maggie na manhã seguinte quando a vi na cozinha fazendo panquecas. Eu não entendia. Já havíamos decidido tudo na noite anterior. Eu tinha deixado claro que íamos sair bem cedo.

Ela não se virou para me olhar e continuou cozinhando.

— Maggie! — gritei.

Mesmo assim, ela não respondeu.

Revirei os olhos, fui até a geladeira para pegar uma cerveja. Mas não havia nenhuma.

— Mas que m... — *Tudo bem*. Fui até o armário de bebidas e o abri, mas estava vazio. — Você está a fim de me sacanear? — resmunguei. — Maggie, cadê as bebidas?

Ela não respondeu.

— Droga, Maggie. Você é muda. Não surda!

Ela se virou para mim e me lançou um olhar fulminante, que, de alguma forma, me obrigou a me desculpar.

— Sério. Onde estão as minhas coisas?

Ela apontou para as garrafas vazias na pia. Senti um aperto no estômago e respirei fundo.

— Você precisa voltar para casa, Maggie. Precisa pegar as malas e ir embora agora!

Ela veio até mim e pousou a mão no meu rosto com um toque reconfortante. Seus dedos percorreram a cicatriz do pescoço. Fechei os olhos. Era demais. O toque dela era reconfortante demais.

— Você não deveria estar aqui — protestei, minha mão cobrindo a dela. Pigarreei. — Pedi um tempo... — Engoli em seco.

Ela pousou os lábios nos meus e ergueu a mão direita. *Cinco minutos*. Fechei os olhos.

— Não consigo.

Maggie me puxou para mais perto de si, pousando a mão no meu peito. Quando abri os olhos, ela estava olhando para mim, esperançosa.

— Tudo bem. — Afastei os pés e peguei as mãos dela. — Cinco minutos.

No primeiro minuto, foi muito difícil ficar olhando para Maggie. Ela me fazia lembrar de tudo que eu sempre quis e do que já tinha perdido. No segundo minuto, ela me fez lembrar dos melhores dias da minha vida. No terceiro, pensei na música. Maggie sempre me fazia lembrar da música. Ela era a minha música.

Ela se aproximou, e eu me afastei, soltando as nossas mãos.

— Não. Você não pode me confortar. Sinto muito. Não posso ficar perto de você. Sinto muito, Maggie. Vou passar o dia na cidade e, quando eu voltar, esteja pronta para partir. — Eu me virei para ir embora, constrangido com a minha grosseria. Quando meus pés chegaram à porta, falei a verdade: — Você não pode me consertar, Maggie. Você tem que me deixar afundar.

Capítulo 36

Maggie

Eu não ia embora, e isso o deixou enfurecido.

A cada dia que passava, eu recebia duas versões diferentes de Brooks Tyler Griffin. A primeira era silenciosa, passava por mim sem dizer nada. Ao longo de todos esses anos, ele nunca tinha feito com que eu me sentisse invisível, até eu vir para a cabana.

A segunda versão era o Brooks bêbado, grosseiro e idiota. Era um lado dele que eu não sabia que existia. Muitas vezes ele chegava em casa cambaleando de tão bêbado e me dizia o quanto eu era patética, que eu deveria seguir em frente, porque a gente nunca ia ficar junto. A gente nunca ia ter um futuro juntos.

— Olha para você. Está sentada aqui, esperando por mim. Qual é o seu problema? — zombou ele, as palavras engroladas, depois de cambalear até a minha porta às três da manhã. — Pare de se constranger, Magnet. Isso não vai acontecer. Você não tem uma lista para se dedicar? — Ele abafou o riso e bateu com as costas na parede. — Ou está com medinho de fazer as coisas sozinha?

Eram nessas noites que eu mais sentia vontade de ir embora. Que eu sentia vontade de jogar a toalha e deixar Brooks sozinho com o seu sofrimento.

Mas, então, eu segurava o pingente de âncora e me lembrava de todas as vezes que ele continuou ao meu lado.

À noite, eu tomava banho, afundava na água e me forçava a lembrar: *esse não é ele. Esse não é ele. Esse não é o meu amor...*

Se eu me afastasse dele quando as coisas ficassem difíceis, o que isso diria a meu respeito? Como eu poderia me perdoar se a mente dele ficasse tão sombria a ponto de ele procurar uma fuga? Nos dias que mais precisei, ele sempre ficou ao meu lado, e eu devia o mesmo a ele.

Amar alguém não significava estar junto só nos dias ensolarados. Significava permanecer ao lado da pessoa durante as noites de tempestade também.

Ele não amava mais a pessoa que via no espelho. Não enxergava mais a pessoa divertida, charmosa e engraçada que ele era. Brooks não ria mais, e eu me esforçava para me lembrar da última vez que ele sorriu.

O meu trabalho era fazer ele se lembrar disso.

Era ser a sua âncora.

Eu precisava ficar e amá-lo.

***

Quando Brooks estava em seus piores dias, eu precisava me afastar. Ia à cidade e explorava as lojinhas, mesmo assim, não sabia o quanto isso seria difícil para mim. A minha mente estava sempre atenta, me alertando sobre os perigos do mundo. A ideia de não saber o que poderia estar na próxima esquina me aterrorizava.

Quando um homem esbarrou em mim sem querer, tropecei e cai no chão, encolhida de medo. Ele se desculpou diversas vezes e tentou me ajudar a levantar, mas eu estava constrangida demais para deixá-lo fazer isso.

Como eu não podia voltar para a cabana, ia para o lugar que me lembrava de casa: a biblioteca. Eu ia lá todos os dias e me sentava em um canto para ler e afastar a mente do mundo. A Sra. Henderson sempre vinha me ver e me dava um chocolate, além de uma piscadela.

— Não é permitido comer na biblioteca, mas já que você é tão boa em se camuflar, acho que posso deixar passar.

Obrigada, escrevi.

— De nada. — Ela puxou outra cadeira e parou. — Você gostaria de um pouco de companhia hoje?

Fiz um gesto para que ela se sentasse. Qualquer pessoa que me desse chocolate todos os dias podia se sentar comigo.

— O que está lendo? — perguntou.

Mostrei a capa para ela.

— Ah, *Persuasão*, de Jane Austen. Um dos meus favoritos. Só perde para *A abadia de Northanger*.

Assenti, apreciando a sábia opinião da Sra. Henderson em relação aos livros de Jane Austen.

Ela enfiou a mão no bolso, pegou um pedaço de chocolate e o enfiou na boca.

— Acho que *Persuasão* é uma mistura perfeita de reflexões profundas e pitadas de entretenimento.

Essa mulher sabia o que tornava uma história maravilhosa.

— Então, contei a você que o meu marido é o xerife aqui, não?

Sim.

Ela sorriu.

— Se você conhecesse o meu Lucas, ia achar que ele nasceu da barra de chocolate mais doce. A voz dele é tão calma, e sua personalidade tão rica, que todo mundo o ama. Ele tem brilho, sabe? Quando ele chega, a energia muda, e o lugar fica mais brilhante. Ele é o amor da minha vida, e dá para perceber que o Brooks é o amor da sua, não é?

É.

Ela colocou mais um pedaço de chocolate na boca.

— Noventa e cinco por cento do meu casamento foi cheio de alegrias. Me casar com o Lucas foi a melhor escolha que fiz na vida, mas houve um momento na nossa história em que os outros cinco por cento apareceram. Vivíamos em uma cidade do interior, e Lucas estava trabalhando no turno da noite como policial. Ele raramente falava sobre as coisas que via, mas eu sabia que elas o afetavam de alguma forma. Ele começou a sorrir menos, na verdade, quase nunca ria, e tudo que eu fazia parecia errado para ele. Ele gritava comigo e brigava pelas coisas mais idiotas. A lavadora de louça que estava vazando, o entregador que jogava o jornal no lugar errado. Esse tipo de coisa o deixava louco da vida, e ele gritava comigo sempre. Eu absorvia a raiva dele, colocava-a como um fardo nos meus ombros, dizendo a mim mesma que ele havia tido um dia difícil. Meu doce Lucas tinha um trabalho difícil. No trabalho dele, a morte era mais comum que a vida. Ele entrava nas casas das pessoas e, às vezes, via crianças que perderam a vida por estarem no meio da briga dos pais. Ele estava cansado, então eu absorvi sua exaustão. Disse a mim mesma que era a sua rocha e, por isso, tinha que aguentar firme por nós dois.

Ouvi atentamente as palavras dela, quase sem piscar.

— Mas a questão em relação às rochas é que, mesmo que sejam fortes, elas não são invencíveis. Alguém pode acertar um martelo em uma delas, sem esperar que ela comece a rachar no instante seguinte. Foi necessário muito esforço, mas conseguimos ultrapassar essa fase quando lembrei a Lucas que eu era sua companheira, não seu saco de pancadas. — A Sra. Henderson se aproximou mais e colocou um pedaço de chocolate na minha mão. — Vejo em seus olhos, doce menina. O modo como você está guardando a dor dele no seu peito. O modo como está se machucando enquanto tenta parecer forte. Li alguns artigos sobre o Brooks que foram muito duros. Ele tem uma alma gentil. Deve ser por isso que a imprensa está sendo tão dura com ele. As almas gentis se ferem mais quando o mundo dá as costas a elas. É por isso que você tem um papel tão importante a desempenhar. Você é a verdade da vida dele. Então, ajude-o, mas defenda o seu espaço. Não seja um saco de pancadas, Maggie. Ame-o, mas se ame também. Só porque ele está sofrendo, isso não significa que pode te magoar. Promete que vai se cuidar?

Prometo.
— Ótimo. — Ela sorriu, e começamos a conversar sobre assuntos mais alegres. — Acho que nunca perguntei o que você vai fazer da vida. Que carreira escolheu? — perguntou ela.
Na verdade, estou fazendo mestrado em biblioteconomia.
A Sra. Henderson enfiou o último pedaço de chocolate na boca e me deu um sorriso travesso.
— Bem, querida, peço que reconsidere. Vou ser bem franca com você, acho que você fala demais para ser bibliotecária. Já pensou em seguir a carreira política? Eles falam o dia todo mesmo sem ter nada a dizer.
Sorri. O mundo precisava de mais mulheres como ela. Precisava de mais gente que fosse como *Persuasão:* uma mistura perfeita de reflexões profundas com pitadas de entretenimento.

* * *

Na sexta-feira seguinte, Brooks só voltou para casa às duas da manhã. Estava chovendo muito, e eu não conseguia dormir com o barulho da tempestade lá fora. Eu me sentei na sala e comecei a ouvir as músicas do jukebox da Sra. Boone enquanto esperava a porta se abrir.
Quando ela finalmente se abriu, ofeguei. Em seguida, ouvi-a bater com força.
A versão número dois de Brooks entrou pela porta, completamente encharcado e bêbado pelo tempo que passou no lago.
— Mas que porra é essa? — sibilou ele, olhando para o jukebox. Com cinco passos, ele foi até a máquina e a tirou da tomada. — Não quero ouvir isso.
Mal-humorado.
Sempre que eu ouvia música perto dele, ele me obrigava a parar.
Fui até lá e a liguei de novo.
Eu *queria* ouvir.

Ele se empertigou e estufou o peito.

— Você não pode fazer isso, Maggie. Não pode vir aqui e colocar essa merda para tocar. — Ele desligou de novo, e eu a liguei. — Mas que droga, por que você não vai embora logo? Não quero você aqui. Que parte você ainda não entendeu? Eu não quero você aqui! Você está me enlouquecendo. Estou farto dessa merda toda. Estou cansado de você tentar se intrometer na minha vida, de tentar me fazer sentir melhor, de me forçar a fazer uma coisa que não estou pronto para fazer. Por que está me desafiando assim? — perguntou ele, bêbado e magoado. — Durante vinte anos, deixei que você fosse do jeito que quisesse ser para passar pelo que quer que precisasse passar. Nunca te pressionei, nunca insisti, mas agora você está fazendo tudo isso comigo. Quando me pediu que eu fosse embora anos atrás, eu fui. Eu te dei um tempo. Por que não pode fazer o mesmo? Você está me sufocando. Será que não vê? Não preciso que você me salve. Não quero ser salvo. Estou acabado. Só quero que você vá para casa. Por que você não consegue me deixar sozinho, porra?

Meu corpo estremeceu diante das palavras dele. Pareceram um tapa na cara.

Ele se virou de costas, passando os dedos pelo cabelo, irritado e furioso.

Quanto mais zangado ele ficava, mais irritada eu me sentia. Ele desligou o jukebox de novo, e eu liguei.

Cada vez que eu me aproximava dele, sentia o hálito de uísque. Com um puxão final, Brooks empurrou o jukebox com a mão direita.

— Chega! Por quê? Por que você não dá o fora e me deixa sozinho como fiz tantos anos atrás? Foda-se a sua música, foda-se a sua esperança e a sua lista de coisas a fazer. Se está esperando por mim, isso não vai acontecer, Maggie. — Cada palavra era um soco, e cada uma delas me derrubava. — Você só está perdendo o seu tempo, então, dê o fora da...

— VOCÊ PROMETEU! — gritei, minha voz falhando quando as palavras saíram da minha boca. Levei as mãos aos lábios, e senti um aperto no estômago. Eu tinha falado aquilo? Aquelas palavras saíram de mim? Aquela era a minha voz? O meu som? As minhas palavras?

Seus olhos castanhos estavam perplexos, confusos pelo som, pela minha voz. Tão confuso quanto eu. Ele baixou o olhar para os meus lábios e se aproximou.

— Diga de novo — implorou ele.

— Você prometeu. — Cheguei mais perto dele, sem conseguir disfarçar o fato de eu estar tremendo. Baixei os olhos antes de voltar a encará-lo. — Você prometeu que seria a minha âncora, e sempre prometi a mim mesma ser a sua se um dia você precisasse de mim. Estou aqui por causa das promessas que fizemos, mas agora, eu nem sei mais quem você é. O garoto que eu conhecia nunca gritaria comigo Jamais. O garoto que eu conhecia não faria isso consigo mesmo.

— Maggie.

— Brooks.

Ele fechou os olhos ao me ouvir dizer o seu nome.

— De novo?

— Brooks — murmurei.

Quando ele abriu os olhos, eu me aproximei. Meus dedos pousaram em seu peito.

— Brooks... Por favor, não faça isso. Não continue me mandando embora. Quero ajudar você, mas sua raiva e seu sofrimento me dão uma surra todos os dias, e eu não consigo mais. Não posso continuar a ser o seu saco de pancadas. Não faça isso — implorei.
— Não permita que você se afunde. É demais, e sei disso melhor do que ninguém. Estou me afundando há anos. Você está aqui, se matando um pouco a cada dia, como se estivesse sozinho, mas não está. — Peguei a mão dele e a levei ao meu peito. — Estou aqui. Estou aqui por você. Você tem que parar de me agredir com as suas palavras. Precisa parar de agir como se eu fosse sua inimiga nisso tudo.

Soltei suas mãos, e ele continuou me olhando. Surpreso com a minha voz, talvez? Ou talvez com as palavras que a minha boca pronunciava.

— Vai ser difícil. Vai ser muito difícil. Não vou desistir, Brooks. Mas não vou deixar você me tratar dessa forma. Você não pode se transformar numa coisa que não é. Você não é um monstro. É gentil, bom, engraçado e o meu melhor amigo. Você sabe disso. Então, não vou sair daqui enquanto você não encontrar...

— Encontrar o quê?

Dei um beijo gentil no seu rosto e sussurrei:

— A sua voz.

Capítulo 37

Brooks

Você prometeu.

A voz dela. Suas primeiras palavras em muitos anos foram ditas para mim, motivadas por sua frustração. A verdade por trás daquelas palavras me mantiveram acordado a noite inteira. Juntamente com o som da sua voz. Eu odiava o fato de a voz dela ter finalmente voltado quando ela estava com raiva e sofrendo. Odiava ter sido a pessoa a fazê-la chegar àquele ponto.

No que eu me transformei?

— Maggie — sussurrei às cinco da manhã. Cutuquei seu ombro de leve enquanto ela dormia na cama. — Maggie, acorde.

Ela se mexeu antes de bocejar e esfregar os olhos. Pareceu intrigada.

— Sei que é cedo, mas posso te mostrar uma coisa?

Ela assentiu, e fiquei pensando se eu havia imaginado o som da sua voz. Ela se levantou, e eu a levei até a doca, onde me sentei. Ela se juntou a mim, acomodando-se ao meu lado.

Inclinando a cabeça, ela semicerrou os olhos, confusa.

— Número sessenta e sete da sua lista de coisas para fazer. Assistir ao nascer do sol sobre a água.

Um pequeno suspiro escapou dos seus lábios, e ela olhou para o céu escuro que estava começando a despertar para um novo dia.

— Você se revira muito durante o sono — comentou ela.

— É, eu sei.

— Você também acorda suando frio? Às vezes, você se sente como se estivesse se afogando e, mesmo sabendo que não é verdade, parece que está lá, vivendo tudo aquilo de novo?

— Sim, sim. É exatamente isso. É difícil descrever o que está se passando na minha cabeça. Todo mundo fica me dizendo que vou me reerguer, mas as lembranças, as vozes...

— Elas são reais. As vozes. Os flashes. Tudo isso é real, Brooks, e não importa o quanto tente descrevê-los para uma pessoa que nunca passou por um trauma, ela nunca vai entender. O que aconteceu com você deve ter sido horrível. Sei muito bem como é se revirar durante o sono. Sei o que é suar frio. Sei qual é a sensação de achar que tudo está acontecendo de novo, a cada instante do dia, todos os dias.

Baixei a cabeça.

— É assim com você desde que tinha dez anos?

— É. E é por isso que eu não podia te deixar sozinho. Sei como é ter medo de começar de novo.

— Eu me sinto um idiota por ter agido como agi... fui egoísta. Você está lidando com isso tudo a vida inteira e nunca foi fria. Você nunca se voltou contra ninguém. E eu fui um babaca com você, Magnet. Sinto muito.

Ela deu de ombros.

— Cada pessoa lida com o trauma de uma forma diferente. Só porque reagi aos meus problemas de um jeito, isso não significa que você tenha que reagir da mesma forma. O que aconteceu com você foi traumático, e entendo perfeitamente o fato de você ficar com medo da música por causa disso. Você se sente traído. É a coisa que mais ama e que ainda não pode ter. Mas você vai chegar lá, Brooks. Vai encontrar o seu caminho.

— Peguei o violão outro dia. Ele estava lá, no canto do quarto, e, por hábito, eu o peguei. Então, me lembrei de que não conseguia mais tocá-lo. Em vez de ficar triste, fiquei com raiva. Enchi a cara para acabar com o sofrimento. Mas depois que a bebedeira passou, o sofrimento ainda estava lá.

— O sofrimento vai continuar. É doloroso, difícil, dói muito mesmo. Dói por tanto tempo que, às vezes, você acha que a dor nunca vai passar. Mas essa é a beleza do sofrimento.

— Qual?

— A força que você encontra para continuar de pé. Mesmo quando você acorda de manhã pensando que não vai conseguir seguir em frente, ao anoitecer, você percebe que conseguiu, sim. Essa é a melhor coisa da vida, na minha opinião. Não importa o que aconteça, você tem que continuar.

— E qual é a pior? — perguntei.

Ela baixou a cabeça por um minuto, pensando, e olhou de novo para o céu.

— Não importa o que aconteça, você tem que continuar.

Minha mão estava apoiada na doca e, quando os dedos dela encontraram os meus, nós os entrelaçamos e voltamos a olhar para o céu que começava a se iluminar.

— Sinto muito. — Pigarreei, me sentindo tolo. — Sinto muito por ter te tratado com tanta frieza e grosseria, Maggie. Você não merecia nada disso. Só queria que fosse embora para que eu me destruísse. Não queria que você estivesse por perto enquanto isso acontecia. Eu já estava com a água até o pescoço, prestes a me afogar. Então, a sua voz me trouxe de volta. A sua voz me salvou. Ainda estou muito mal, mas eu te fiz uma promessa. Prometi que um dia ia te mostrar o mundo, e é isso que vou fazer. Não posso jurar que não terei dias ruins, mas prometo que vou lutar pelos bons. Vou lutar por você, Magnet. Do mesmo jeito que você lutou por mim.

— Você está ao meu lado há vinte anos, Brooks. Acho que consigo lidar com alguns dias difíceis. — Ela riu, e eu me apaixonei pelo som de sua risada. — Além disso, você já viu o meu lado mais sombrio. É justo que eu possa ver o seu também.

— A sua voz, Maggie... acho que você não entende o que ela faz comigo.

Ela riu novamente, e eu me apaixonei ainda mais por ela.

— Sempre quis saber como seria a minha voz quando adulta. Você gostou?

— Se gostei? Eu amei.

— Ela não é... — ela se mexeu e enrugou o nariz — ...aguda demais? Infantil? — Ela baixou o tom de voz, deixando-a mais rouca e artificial. — Ontem eu fiquei na frente do espelho treinando a minha voz sedutora. Você gosta?

Eu não conseguia parar de rir.

— Você gostou, não gostou? — perguntou Maggie, com uma voz grave e estranha. — Acha que essa voz é sexy e quer transar comigo.

— Tipo, eu quero, mas pode esquecer essa voz. Parece que você fuma cinquenta maços de cigarro por dia.

Ela riu e cutucou o meu braço. Nós rimos e conversamos como se sempre tivéssemos feito isso sem a ajuda de um quadro. Como se fosse normal para nós. Foi fácil. Para dizer a verdade, se eu pudesse ficar sentado, em silêncio, só ouvindo a voz dela pelo resto da vida, eu ficaria feliz.

Ela se aproximou mais de mim quando o sol começou a nascer.

— Você está bem hoje, Brooks? — sussurrou ela, provocando arrepios no meu corpo ao fazer a pergunta que fiz a ela quase todos os dias.

Apertei a mão dela duas vezes. *Sim.*

Não falamos mais nada.

Cinco minutos antes de ela se sentar ao meu lado, eu estava completamente perdido.

Cinco minutos depois de ter me sentado ao lado dela, comecei a me lembrar do caminho de volta para casa.

* * *

Maggie também se revirava na cama à noite. Não tanto quanto antes, mas, ainda assim, ela tinha noites sombrias. Numa delas estávamos dormindo juntos quando acordei com o som do seu medo. Ela sussurrava algo para si mesma, e seu corpo estava coberto de suor. Não a acordei porque eu sabia que não havia nada pior do que ser arrancado de um pesadelo antes de ele estar pronto para ir embora. Esperei até que ela voltasse para mim.

Quando voltou, arfou, abrindo os olhos, e eu estava bem ao seu lado para confortá-la. Por um momento, suas mãos foram até o pescoço, mas ela soltou um longo suspiro para relaxar. Parecia que, com o passar dos anos, ela se tornava melhor em superar seus ataques de pânico.

— Está tudo bem — prometi. — Estou aqui.

Maggie se sentou na cama e colocou uma mecha do cabelo atrás da orelha.

— Em uma escala de um a dez, o quanto foi ruim? — perguntei.

— Oito.

Dei um beijo na testa dela.

— Eu te acordei? — perguntou ela.

— Não.

Ela sorriu.

— Mentiroso. — Ela se virou e se encolheu, os joelhos junto ao peito, retorcendo as mãos sem parar. Percebi que parte da sua mente ainda revivia o pesadelo.

— Me diga do que precisa — pedi. — Diga o que devo fazer.

— Só me abrace — respondeu, fechando os olhos.

Eu me aproximei e a envolvi com os meus braços, encaixando o queixo no topo da sua cabeça.

Dei um beijo leve em sua testa. Meus lábios desceram até as suas lágrimas, secando-as gentilmente. Então minha boca desceu até os lábios dela enquanto eu a observava inspirar e expirar. Meus olhos se fecharam, meus lábios roçaram nos dela. A respiração de Maggie se confundiu com a minha, e a minha, com a dela.

— Está tudo bem — prometi. E se não estivesse, tudo ficaria bem pela manhã. Eu não sairia do seu lado.

Ela pressionou os lábios contra os meus. Minha língua passou por seu lábio inferior antes que eu o mordiscasse de leve.

— Também tive um pesadelo — contei. — Sonhei que estava me afogando de novo.

— Quer conversar sobre isso? — sussurrou ela.

Fechei os olhos e vi a água. Eu a senti. Parecia tão real, tão fria e próxima. Então, Maggie me beijou e me lembrou de que eu não precisava me afogar sozinho.

— Quero — respondi.

— Então me conte como foi — pediu ela, sua voz repleta de carinho. — Conte como você se sentiu na água.

— Apavorado. Tudo aconteceu muito rápido, mas, na minha cabeça, parecia que tudo estava em câmera lenta. Minha mente girava enquanto eu tentava voltar para o barco.

Os lábios de Maggie tocaram a cicatriz no meu pescoço, e ela a beijou com gentileza antes de deslizar os lábios até o meu ombro.

— Quando o motor me atingiu pela primeira vez, eu tive certeza de que estava tudo acabado. Sabia que ia morrer. Isso parece dramático agora...

Maggie me interrompeu.

— Você não está sendo nem um pouco dramático.

— Agora tenho pesadelos, e parece que está tudo acontecendo de novo. Sinto a água fria. Sinto o motor rasgando a minha pele e acordo esperando ver o sangue. — Ergui o braço e olhei para a minha mão ferida.

Os lábios dela percorreram meu braço esquerdo, e fiquei tenso à medida que ela se aproximava da minha mão.

— Como é? — perguntou, beijando o meu antebraço.

— Ainda sinto aquela sensação que chamam de dor do membro fantasma. Parece que alguém está apertando o dedo com muita força e ateando fogo nele. Mas é uma dor que vai e vem. Quando estou com frio, a mão fica arroxeada. Odeio as cicatrizes. Elas me lembram constantemente do que aconteceu.

— Todo mundo tem cicatrizes. Algumas só são mais fáceis de serem escondidas.

Sorri e beijei sua testa.

— Mas, para ser sincero, acho que a ansiedade e os flashbacks são a pior parte.

Os olhos dela ficaram pesados.

— É, eu sei o que você quer dizer. — Ela se sentou na cama e mordeu o lábio inferior. — Tudo bem se eu falar das minhas cicatrizes também?

— É claro.

A voz de Maggie era tímida. Vi o medo em seus olhos diante da ideia de falar sobre o que havia acontecido na floresta tantos anos atrás. Eu sabia que ia ser difícil para ela, mas, mesmo com a voz trêmula, ela começou:

— O nome dela era Julia. Às vezes, a minha memória tentava me convencer de que era Julie, mas não era. Definitivamente era Julia.

— Quem?

— A mulher que morreu na floresta.

Eu me sentei mais ereto, mais alerta.

— O nome dela era Julia, e ela ia deixar o marido.

Ela me contou todos os detalhes do que aconteceu. Descreveu a aparência dele, a cor do cabelo de Julia, contou sobre o pânico e os gritos da mulher. Ela se lembrou do cheiro, do toque, da voz. Por quase vinte anos, Maggie reviveu aquele horror repetidas vezes, sem nunca se esquecer de nenhuma parte. Enquanto continuava o relato, seu corpo começou a tremer, mas ela não parou. Continuou me contando a história do dia que mudou a sua vida. Eu a ouvi; fiquei zangado, com medo e triste por ela. Não conseguia imaginar ver as coisas que ela havia visto quando criança. Não conseguia imaginar superar o fato de ter assistido a um assassinato diante dos meus olhos.

— Achei que fosse morrer também, Brooks. Do mesmo jeito que você achou que sua vida tinha chegado ao fim. Foi o que senti. Eu poderia facilmente ter morrido ali. Se você tivesse caído para a frente, o motor teria te matado. Se eu não tivesse fugido, aquele homem teria me matado.

— Como você escapou?
Ela piscou várias vezes, agitando os cílios, e seus olhos brilharam.
— Você gritou o meu nome e o assustou. Você salvou a minha vida.
— Bem, então acho que estamos quites, porque você salvou a minha também.

Ficamos acordados até o sol nascer, conversando sobre nossos traumas, falando sobre todas as nossas mágoas e os medos que tivemos que enfrentar. Mesmo sendo difícil, nós dois precisávamos daquilo. Era libertador colocar para fora os nossos problemas. Aquela noite foi difícil, e, às vezes, tivemos que parar por cinco minutos para nos lembrarmos de respirar. Mesmo assim, fiquei aliviado com tudo aquilo, com os momentos de silêncio, os instantes dolorosos. Senti-me grato por Maggie me deixar sofrer ao lado dela. Senti-me grato por ela sofrer por mim.

— Me beije — ordenou.

Obedeci.

Éramos duas almas que imploravam para ser resgatadas; mesmo assim, a cada beijo que dávamos, submergíamos ainda mais. Maggie mordiscou o meu lábio inferior, e eu gemi. Ela passou os braços pelo meu corpo, e eu a abracei. Pressionou o quadril contra o meu, como se estivesse tentando se segurar ainda mais a mim. Minha mão direita acariciou seu peito antes que minha boca beijasse seu pescoço, mordiscando-o, necessitando dela. Maggie afundou os dedos nas minhas costas, quase como se estivesse se agarrando a toda a minha existência.

Ela se afastou um pouco de mim e fixou o olhar no meu. Aqueles lindos olhos azuis e tristes.

Meu Deus, como eu odiava a tristeza nos seus olhos.

Meu Deus, como eu amava a tristeza no seu olhar.

Isso me lembrava de que não estava sozinho.

Será que ela enxergava a minha tristeza também?

Será que ela conseguia sentir a minha tristeza ao me beijar?

— Deite-se.

Ela obedeceu.

Ela tirou minha cueca. Eu tirei o top que ela usava e o joguei do outro lado do quarto. Minha língua dançou ao redor do seu mamilo, e ela ofegou. O som me fez parar por um segundo, mas quando ela afundou a mão no meu cabelo, eu soube que precisava provar cada parte dela. Precisava absorver toda a sua existência, ajudar a fazer a dor desaparecer da sua vida por um tempo.

Afogando.

Estávamos nos afogando. Nós nos afogávamos na tristeza, sufocávamos com a dor. A cada toque, as ondas estouravam em nós. Meus dedos puxaram a calcinha, fazendo-a deslizar pelas lindas coxas. Beijei sua barriga e ouvi seu gemido mais uma vez. Ergui o olhar, e ela me fitava. Dava para perceber que ela queria fechar os olhos, mas não conseguia. Ela precisava me observar, me analisar.

Sim? Perguntei na minha mente, encarando aqueles olhos azuis.

Ela assentiu uma vez. *Sim.*

Minha boca desceu ainda mais, e beijei a parte interna da coxa esquerda. Em seguida, minha língua percorreu lentamente a coxa direita. Então, parei bem no meio e deslizei a língua pela sua umidade, sentindo a tensão dos nossos medos a cada investida, sentindo a água subir até cobrir as nossas cabeças. Nosso barco balançava contra as ondas que quebravam sem parar, e nós nos perdíamos um no outro.

Naquela noite, entendi algumas coisas sobre a vida. Às vezes, a chuva era mais prazerosa que o sol, a dor era mais satisfatória do que a cura e as peças de um quebra-cabeças eram mais bonitas quando estavam espalhadas.

Fizemos amor no escuro. Foi confuso e bruto, nos mostrou um lado nosso que não sabíamos que existia. Nós nos rendemos à escuridão naquela noite, nós nos perdemos, mas, ao mesmo tempo, nós nos sentimos mais perto de casa.

Quando o amanhecer se aproximou, nossos beijos se transformaram em algo mais. A cada beijo, a cada investida e a cada gemido, a maré começou a baixar. Os olhos de Maggie se mantiveram fixos nos meus enquanto eu mergulhava cada vez mais fundo nela. Eu amava a sensação de estar dentro dela, amava seus sussurros. Adorava o quanto ela me amava e o quanto eu a amava também. Nós nos abraçamos e nos tornamos a âncora um do outro, e encontramos o caminho de volta à margem.

Quando os raios de sol atravessaram a cortina e os pássaros começaram a cantar, continuamos nos abraçando e fizemos amor iluminados pela luz do dia.

Capítulo 38

Maggie

Cheryl: Volte para casa se puder. Preciso da sua ajuda.

Eu estava no banheiro, enrolada numa toalha depois do banho, quando vi a mensagem de texto da minha irmã. Estava com muito sono depois da noite em claro com Brooks. Falar sobre o que aconteceu comigo provavelmente foi a coisa mais difícil que fiz na vida — mas, ao mesmo tempo, foi a melhor coisa também. Parecia que as correntes que aprisionavam a minha alma tinham sido soltas.

— Brooks — gritei. — Acho que vamos ter que voltar para casa.

Não tive resposta.

Caminhei pela casa, segurando firme a toalha, e não consegui encontrá-lo em lugar nenhum. Quando saí para a varanda, o sol beijou a minha pele. Meus olhos foram atraídos para o lago, e não só o vi — mas o ouvi também. Brooks estava sentado no meio do lago, cantando. Cantando sob a luz do sol.

Quando ele voltou, eu já tinha me vestido e arrumado as malas.

— Está tudo bem? — perguntou.

— Está. Cheryl disse que meus pais precisam de mim. Você acha que pode me levar de volta? — Fiz uma careta. — Sei que talvez não esteja pronto para voltar, mas preciso ver se está tudo bem.

— Claro. Vou arrumar as minhas coisas também.

— Vai voltar comigo?

— Você está de volta na minha vida, Maggie May Riley, e nunca mais vou deixá-la partir — disse ele, aproximando-se e me abraçando. — Além disso, eu tinha que ter devolvido aquele barco há muitas semanas, e tenho certeza de que estou devendo mais dinheiro do que eu gostaria.

Abafei o riso.

Colocamos as coisas no carro, prendemos o reboque com o barco e pegamos a estrada. Durante toda a viagem, não ligamos o rádio. Sabia que Brooks ainda não estava pronto para mergulhar em nada que envolvesse música. Assim como ele esperou que eu encontrasse a minha voz, eu teria que esperar pacientemente até que ele encontrasse a dele. E ele a encontraria — eu tinha certeza que sim. Vê-lo lá fora no barco, cantando, foi o maior sinal disso. Ainda iria demorar, mas ele certamente estava encontrando o caminho de volta para casa.

— Acho que vou esperar aqui — avisou Brooks, parando na frente da nossa casa. — Não quero interferir.

Eu me inclinei e o beijei no rosto.

— Tem certeza?

— Tenho. Vá ajudar a sua mãe. Estarei aqui.

Assenti e disse que não ia demorar muito. No instante em que saltei do carro, Cheryl veio correndo.

— Meu Deus! Por que demorou tanto? Eu mandei uma mensagem para você há umas seis horas! — resmungou ela.

Ri e caminhei até a minha irmã dramática.

— É uma viagem de quatro horas até aqui.

— Eu sei, mas isso não significa... — Ela parou. Levou as mãos ao peito. — Espere um pouco. Você acabou de... — Ela cruzou os braços e os descruzou, depois levou as mãos à cintura e cruzou os braços de novo. — Você acabou de falar?

Assenti.

— É. É uma coisa nova que estou tentando.

— Meu Deus. — Ela levou as mãos à boca, começou a chorar e deu um tapinha no meu ombro. — Caramba! Minha irmã fala! —

gritou, pegando a minha mão e me fazendo rodopiar antes de me puxar para um abraço. — Meu Deus, a nossa mãe vai pirar. Isso é perfeito! Ela precisa de algo para animá-la.

— O que houve com ela?

— Ah, você sabe, ela chora todas as noites e toma sorvete como se fosse o único alimento que existe.

— Ela está com tanta saudade dele assim?

— Muito mais do que você pode imaginar. E o nosso pai está arrasado também. Pela primeira vez na vida, nós não somos as problemáticas da família. — Ela deu uma piscadinha antes de começar a chorar de novo. — Maggie, você está falando...

Cheryl ficou no jardim me abraçando por muito tempo. Quando nos separamos, ela viu Brooks.

— Ei, sumido, você foi o responsável por fazer a minha irmã falar? Ele gritou pela janela aberta.

— Acho que sim. Ela meio que ficou puta da vida comigo e explodiu.

Cheryl riu.

— Obrigada por emputecer a minha irmã, Brooks.

— Sempre que precisar, estarei às ordens, Cheryl. Sempre que precisar...

Quando entramos em casa, nossa mãe estava no sofá, assistindo à TV.

— Maggie May — disse ela, surpresa. Ela se levantou, veio até mim e me deu um abraço. Seu cabelo estava todo bagunçado, e juro que vi chocolate no seu queixo. — Eu estava com saudade.

— Eu também, mamãe.

Ela quase perdeu o equilíbrio ao ouvir a minha voz. Dei um sorrisinho.

— Eu sei. Parece que essa é a reação que estou despertando nas pessoas hoje.

— Não. O quê? Como? O quê? — Ela começou a ficar ofegante. — Meu Deus, Maggie May. — Ela me abraçou e não me soltava mais.

— Eu não entendo — confessou, pasma. — O que mudou?

— O tempo.

— Minha nossa. — Suas mãos estavam trêmulas. — Temos que contar ao Eric. Temos que ligar para ele. Ele tem que vir para cá. Minha nossa. Ele precisa estar aqui para ver isso. — Ela começou a andar pela casa. — Não acredito que ele esteja perdendo isso.

— A gente deveria fazer uma surpresa para ele — sugeriu Cheryl. — Tipo, convidá-lo para jantar.

Ela deu uma piscadela para mim. Estava matando dois coelhos com uma cajadada só: meu pai viria ouvir a minha voz, e ele e minha mãe ficariam juntos de novo.

— Isso é... — Minha mãe semicerrou os olhos. — Essa ideia é realmente muito boa! Vou pedir comida chinesa! Cheryl! Ligue para o seu pai e diga a ele que venha logo porque você tem uma notícia importante para dar.

— Pode deixar comigo — garantiu ela, saindo para pegar o celular.

— E, Maggie, peça ao Brooks que entre. Ele não deveria ficar tanto tempo sozinho no carro. E... — Ela se aproximou de mim e colocou as mãos no meu rosto. Um suspiro pesado escapou dos seus lábios. — A sua voz é linda, linda mesmo. Sempre foi, e sinto muito por ter ficado tanto tempo sem ouvi-la.

Ela beijou a minha testa antes de sair correndo para pôr a mesa.

Quando meu pai chegou, ficou confuso por ver Brooks e eu em casa, mas feliz. Todos nos sentamos à mesa, e minha mãe estava nervosa demais para olhar para ele, que também mal a olhou. Cheryl foi a que mais falou, algo que fazia muito bem.

— Maggie May, pode me passar os rolinhos primavera? — pediu meu pai.

Minha mãe me fitou e assentiu.

Pigarreei, peguei a bandeja e a entreguei a ele.

— Aqui está, pai.

— Obrigado, minha queri... — Sua voz falhou. Nossos olhares se encontraram. Seu tom era de descrença. — Não.

Assenti e bati na mesa duas vezes.

— Sim.

— Meu... Meu... Deus!

Ele levou a mão ao peito, e as lágrimas brotaram de seus olhos. Ele tirou os óculos e levou as mãos à boca. Minha mãe começou a chorar também. Ele se levantou, e eu fiz o mesmo. Ele veio até mim e colocou o meu cabelo atrás da orelha. Então, pousou as mãos no meu rosto do mesmo jeito que minha mãe tinha feito.

— Diga mais alguma coisa. — Ele deu um riso nervoso. — Qualquer coisa, na verdade. Diga qualquer coisa, diga tudo, diga "nada". *Qualquer coisa*. Só diga mais alguma coisa.

Coloquei a mão no rosto dele, segurando-o como ele segurava o meu, e sussurrei as palavras que sempre quis dizer para o primeiro homem que me amou com toda a sua alma:

— As batidas do seu coração fazem o mundo continuar girando.

***

Minha família ficou ali até tarde, rindo, chorando e pedindo para eu falar todas as palavras do dicionário. Ligamos para o Calvin pelo Skype; ele estava em Nova York a negócios. Quando ele me viu falando e o Brooks sorrindo, também começou a chorar. Houve muitos momentos naquela noite em que meus pais riram juntos, mas não falaram um com o outro. Mas notei o tremor em seus lábios e os olhares roubados. O amor ainda existia em seus corações.

— Bem — disse meu pai, por volta de uma da manhã —, é melhor eu ir embora.

Ele se levantou, e eu olhei para mamãe, implorando em silêncio para que ela dissesse alguma coisa. Ela, porém, não falou nada e apenas ficou olhando o seu amor ir embora de novo.

— O que foi isso? — perguntei. — Você precisa ir atrás dele.

— O quê? Não. Estamos separados. Nós dois sabemos exatamente onde queremos estar.

— Que mentira! — exclamou Cheryl. — Quando você tomou banho pela última vez, mãe?

Minha mãe parou para pensar.

— Eu tomo banho!

— Tá bom. — Minha irmã bufou. — Só se for de sorvete.

— Mas o seu pai está feliz. Ele parece feliz.

Dirigi a ela um olhar que dizia tudo. É claro que ele não estava feliz. Parte do coração dele ainda batia no peito dela. Como alguém poderia ser feliz sem uma parte da própria alma?

— Você deveria ligar para ele.

Os olhos dela ficaram marejados, e ela deu um sorriso amarelo.

— Ah, não. Não posso. Eu... — A voz ficou trêmula, e ela colocou a mão na cintura. — Eu nem saberia o que dizer.

— Você sente saudade dele?

Ela começou a chorar.

— Mais do que posso dizer.

— Então diga isso a ele.

— Não sei como. Eu não sei o que dizer, nem como.

Fui até ela e enxuguei suas lágrimas.

— Vamos lá. Brooks vai nos levar ao apartamento dele. Vou te ajudar a encontrar as palavras certas no caminho. Você consegue.

O corpo dela começou a tremer, e eu a abracei bem apertado. Quando nos aproximamos do vestíbulo, ela ficou paralisada.

— Não consigo.

— Consegue, sim. Vamos fazer o seguinte: vamos sair pela porta. Quando aqueles pensamentos de preocupação e dúvida tomarem a sua mente, você tem que continuar andando. Tudo bem? E quando as dúvidas aumentarem, você corre. Corre, mãe. Corre até estar de volta aos braços dele.

— Por que está me ajudando, Maggie May? Fui horrível com você. Todos esses anos que a mantive longe da sua própria vida. Por que está sendo tão boa? Por que me perdoou?

Mordi o lábio inferior.

— Quando eu era mais nova, uma mulher sempre me disse que a família tinha que se ajudar, não importava o que acontecesse, mesmo nos dias difíceis. *Principalmente* nos dias difíceis.

Ela respirou fundo.

— Você está com medo? — perguntei.

— Estou.

— Tudo bem. Então vamos.

Quando chegamos ao carro, e Brooks a ajudou a se sentar no banco do carona, ela soltou um suspiro.

— Obrigada por me levar, Brooks — agradeceu ela, dando um sorriso.

— Estou às ordens. — Brooks sorriu e pegou a mão dela. — A senhora está bem hoje, Sra. Riley?

Ela apertou a mão dele duas vezes.

Uma resposta silenciosa, mas significativa.

Sim.

Enquanto seguíamos para a casa do meu pai, peguei o quadro branco e comecei a escrever. Quando Brooks entrou no estacionamento e parou o carro, saí com o quadro na mão, e a minha mãe me seguiu.

— Espere, Maggie. Você não me disse o que eu deveria dizer a ele. — Seu corpo estava trêmulo de nervosismo, pânico e preocupação. De alguma forma, o homem que a amava talvez não a amasse mais. — Não sei o que fazer.

Levantei o quadro, e ela parou de tremer. Uma onda de paz a atingiu, e sua respiração ficou mais tranquila.

— Tudo bem — tranquilizou-se. — Tudo bem.

Ela foi até a varanda da frente, tocou a campainha e o esperou descer. Entrei no carro, me sentei no banco do passageiro e fechei a porta. Brooks se inclinou para ver o que ia acontecer. Quando meu pai abriu a porta, consegui ver — o amor chegando sem precisar de orientação.

Ele colocou os óculos na cabeça e não disse nada. Ela também não. Quando chegou a hora, minha mãe mostrou o quadro a ele, e os olhos do meu pai se encheram de lágrimas antes que ele a puxasse para um abraço apertado. O quadro caiu no chão, e eles continuaram se abraçando cada vez mais forte. Seus corpos viraram um. Então, eles se beijaram. O beijo foi desajeitado, engraçado, triste e completo. Muito completo.

Se beijos eram capazes de consertar corações partidos, eu acreditava que o coração dos meus pais estava finalmente ficando inteiro de novo.

— Uau — sussurrou Brooks.

Sim, uau.

— Acho que a gente pode ir embora.

Quando ele ligou o carro, perguntou.

— O que você escreveu no quadro?

Lancei mais um olhar para os dois, que ainda estavam se abraçando e balançando de um lado para o outro. Meus lábios se abriram em um sorriso, feliz com o amor deles.

— Dance comigo.

***

Voltamos para casa para contar as novidades a Cheryl e a vimos suspirar de alívio.

— Que bom. Que bom.

Ela me agradeceu por ter vindo ajudá-la. Brooks e eu fomos para o meu quarto e nos deitamos na cama, com os pés pendurados.

— Eles realmente se amam — comentou ele, olhando para o teto.

— Depois de tudo pelo que passaram, ainda se amam.

— Sim. É lindo.

— Maggie May?

— Sim?

— Você acha que a gente pode ouvir música?
A pergunta era simples, mas o significado era enorme.
— Claro.
Ele se levantou, pegou fones de ouvido na escrivaninha e os colocou no iPhone.
— O que você quer ouvir? — perguntou, deitando novamente.
— Qualquer coisa. Tudo.
Ele apertou o play no modo aleatório e ficamos ouvindo todo tipo de música.
— Hoje eu cantei — disse ele, depois de uma hora, mais ou menos. — Lá no lago. Fui lá para cantar de manhã.
— É mesmo? — perguntei, parecendo surpresa.
— É. Ainda preciso me empenhar muito, mas acho que a minha voz vai ficar boa. Talvez a banda aceite que eu seja só vocalista.
— É claro que eles vão aceitar, Brooks. Você notou a reação do Calvin quando te viu hoje? Tudo que eles querem é que você volte. São os seus melhores amigos. Eles só querem que você fique bem. Você deveria ligar para eles.
Brooks assentiu.
— Vou ligar. Só estou preocupado com os fãs, sabe? Um monte de gente está acreditando nesses boatos. Eles acham que sou um aproveitador.
— Brooks, fala sério. Qualquer um que te conheça, que realmente saiba quem você é, sabe que esses boatos são falsos. Para cada comentário negativo, há milhares de comentários positivos desejando a sua recuperação e a sua volta para a banda. Pode confiar em mim. Eu também estava acompanhando toda a repercussão.
Ele sorriu e me beijou.
— Obrigado.
— Estou feliz por você ter cantado hoje.
— É, mas foi difícil sem o violão. Acho que, quando eu voltar para a banda, eles poderão tocar para mim, e vou me situar melhor.
Eu me sentei e balancei a cabeça.

— Você não precisa esperar. Eu posso fazer isso. — Corri para pegar o violão que estava em um canto. — Tenho tocado junto com vocês desde que você me ensinou.

Tocamos até o sol nascer, e ele deu o seu melhor no canto, o que sempre era suficiente. Quando ficou claro que nenhum de nós conseguiria mais manter os olhos abertos, largamos o violão e deitamos na cama. Apoiei a cabeça no peito dele, e ele me abraçou.

— Eu te amo — sussurrou, quando eu já estava adormecendo. — Eu te amo muito, muito, muito.

Não havia nada mais especial do que poder dizer o mesmo para ele em voz alta.

Capítulo 39

Maggie

Na manhã seguinte, Brooks e eu fomos juntos devolver o barco alugado. Ficamos tentando adivinhar quanto ele teria que pagar por ter ficado com a embarcação mais tempo do que deveria. Nossa estimativa no momento: um montão de dinheiro.

— Sabe, estava pensando. Provavelmente vou ter que me consultar com uma fonoaudióloga para dar início ao meu tratamento. Isso significa que vou ter que ficar em Los Angeles por um tempo. Para me reunir com a banda e começar a reconstruir a minha carreira. Sei que você tem as aulas...

— É a distância — cortei. — Posso assistir às aulas de qualquer lugar e pegar um voo de volta, se for necessário.

— Você vai comigo? — perguntou ele, surpreso.

Segurei sua mão e a apertei duas vezes. Ele deu um suspiro de alívio.

— Isso me deixa muito feliz. Vai ser mais fácil com você ao meu lado, sabe? Tudo fica mais fácil.

Estacionamos diante da James' Boat, e eu não consegui deixar de sorrir para o velho cachorro que latia no portão da frente. Enquanto subíamos os degraus para a entrada, fui até ele e comecei a afagá-lo, até que ele parou de latir. *Bom garoto.*

— Já estive aqui algumas vezes, e nunca o vi tão quietinho — brincou Brooks.

Quando entramos, fomos recebidos por um rapaz que devia ter a nossa idade ou um pouco mais.

— Oi, Brooks, que bom vê-lo de novo — cumprimentou o cara, caminhando até o meu namorado e dando um tapinha nas costas dele. — Mas acho que a gente ainda não se conhece. — Ele estendeu a mão para mim. — Sou o Michael. Administro esse lugar com o meu pai.

Apertei a mão dele.

— Prazer em conhecê-lo. Eu me chamo Maggie.

— Meu pai disse que, se quiser, pode dar uma volta nas docas para ver alguns barcos. Ele está terminando uma ligação agora e vai te encontrar lá trás.

— Tudo bem. Obrigado, Michael — agradeceu Brooks.

— Isso te incomoda? — perguntei. — Estar perto dos barcos? Prefere esperar na frente da loja?

— Não. Isso só me incomoda nos sonhos. Estou bem.

— Tudo bem. — Olhei para as nossas mãos e sorri. — Estranho, não é? Estamos fora de casa, de mãos dadas. Estamos fora de casa juntos.

Ele me puxou para mais perto e roçou o nariz no meu.

— É incrível, não é?

Era mais incrível do que ele poderia imaginar. Sonhei com esse dia durante muito tempo.

A porta da loja se abriu, e um homem mais velho saiu, fumando um cigarro. O cachorro começou a latir de novo.

— Que inferno, cale a boca, Wilson! Shhh! Shhhh! Droga de cachorro.

Meu corpo se retesou. Brooks olhou para mim.

— Você está bem?

Shhh... Shhh.

Assenti.

— Estou. Desculpe. Às vezes, tenho uns flashbacks.

Ele franziu o cenho e ficou me analisando.

Forcei um sorriso.

— Está tudo bem. Sério.

— Tudo bem — respondeu ele, atencioso.

O homem se aproximou de nós. Abracei Brooks pela cintura e o puxei para mais perto de mim.

Quanto mais ele se aproximava, mais eu sentia o aperto no peito. Ele parou no meio do caminho, apagou o cigarro e acenou para nós.

— Oi, sinto muito por deixá-los esperando. Uma longa ligação, sabe? Negócios e tal. Podemos entrar e resolver tudo no meu escritório?

Começamos a caminhar na direção do homem, que estendeu a mão para mim.

— Oi, sou James. Prazer em conhecê-la.

Apertei a mão dele, e o cheiro de cigarro atingiu em cheio o meu nariz. Mais uma vez, o aperto no peito. Ele nos levou até o escritório e fechou a porta. Wilson ainda estava latindo, e James gritou de novo.

— Shhh, Wilson! Calado! — Ele passou a mão pela testa e se desculpou. — Depois de todos esses anos, o cachorro ainda não cala a boca. De qualquer forma... — Ele se sentou na cadeira e deu um sorriso para Brooks. — Gostaria que esse encontro fosse em circunstâncias melhores. Sinto muito pelo acidente. É muito triste que coisas assim aconteçam.

Ele arregaçou as mangas, e meus olhos foram atraídos para o antebraço, para as tatuagens.

O ar no escritório estava ficando mais pesado, e eu poderia jurar que as paredes se fechavam sobre mim. Ele esticou a mão e pegou duas balas de alcaçuz.

Minha mente começou a girar cada vez mais rápido. Senti as mãos dele em mim. Em volta do meu pescoço, seus lábios no meu ouvido, seu corpo sobre o meu.

Empurrei a cadeira para trás e cambaleei.

— Não — murmurei, me afastando da mesa dele. — Não...

James olhou para mim.

— Hum, você está bem? — Seu olhar passou para Brooks. — Ela está bem?

Brooks se levantou e veio até mim.

— Maggie, o que foi? — Quanto mais ele se aproximava, mais o meu corpo tremia. Fechei os olhos e balancei a cabeça de um lado para o outro. *Não. Não.*

Eu não só conseguia vê-lo; eu o sentia também. Seu rosto contra o meu rosto, sua pele na minha, seus lábios nos meus...

— Maggie, está tudo bem — tranquilizou-me Brooks, a voz calma. — Você só está tendo um ataque de pânico. Tudo bem. Vai ficar tudo bem.

— Não! — gritei, abrindo os olhos. — Não, não está nada bem. Não está. É...

Eu estava com frio. Enjoada. Eu ia vomitar. Sabia que ia vomitar.

Em questão de segundos o passado e o presente se chocaram, e eu pisquei.

Outra pessoa, que não estava sozinha. Um homem estava ali com outra pessoa. Uma mulher. Ela ficava dizendo que não, que não poderia mais ficar com ele, e ele não gostou nada daquilo.

— *Temos uma vida juntos, Julia. Temos uma família.*

Pisquei de novo.

Brooks se aproximou mais de mim, os olhos cheios de preocupação.

— Maggie, fale comigo.

James se levantou da cadeira, passou os dedos pelo cabelo, aproximando-se de mim.

Pisquei.

Ele gritava com ela, e sua voz falhava.

— *Sua puta!* — *berrou, dando um tapa na cara da mulher. Ela cambaleou para trás, chorando, com a mão no rosto.* — *Dei tudo para você. A gente tinha uma vida juntos. Acabei de assumir os negócios. Estamos nos reerguendo. E o nosso filho? E a nossa família?* — *Ele bateu nela várias vezes. — A gente tinha uma vida! — Ele a jogou no chão. Seus olhos pareciam saltar do rosto de tão arregalados, como se estivesse louco, perturbado.*

Pisquei.

Wilson começou a uivar, e James gritou novamente para o cachorro ficar quieto.

— Michael, faça a porra do cachorro ficar quieto! — Seus olhos pousaram em mim. Ele não desviava os olhos.

— Não olhe para mim — sussurrei.

Pisquei.

Minhas mãos se entrelaçaram com força, minha mente girou. Cambaleei para trás, quebrando cada galho que meus chinelos de dedo encontravam pelo caminho. Minhas costas bateram no tronco de uma árvore próxima, e os olhos cor de chocolate do diabo percorreram meu corpo.

Pisquei.

Michael entrou no escritório. Parecia confuso. Todos estavam confusos. Eles gritavam. Todos gritavam uns com os outros, tentando descobrir o que estava acontecendo comigo. Eu não sabia o que estava acontecendo.

— Ela está suando frio. Vai desmaiar.

Minha garganta estava fechada. Ele estava me sufocando. O diabo estava a centímetros de distância. Eu conseguia sentir as mãos dele em volta do meu pescoço.

Pisquei.

Ele colocou a mão em volta do meu pescoço, me sufocando, fazendo com que ficasse cada vez mais difícil de respirar. Ele chorava. Muito. Chorava e pedia desculpas. Por estar me machucando, por estar apertando o meu pescoço, dificultando cada vez mais a minha respiração. Ele me disse que a amava, que o amor tinha feito isso com eles. Jurou que nunca ia machucá-la. Prometeu que nunca ia machucar a mulher que ele tinha acabado de matar.

Pisquei.

James estendeu a mão para me tocar, e eu a afastei.

— Não! — Fui até o canto da sala. — Não me toque. — Tapei os ouvidos, e minhas costas deslizaram pela parede. — Você fez aquilo! Você fez! — berrei, minha garganta queimando, meu coração martelando no peito. — Você fez aquilo!

Pisquei

— Você não deveria estar aqui, mas está — disse ele, inclinando o rosto na minha direção. — Sinto muito. Sinto muito. — Ele tinha cheiro de cigarro e alcaçuz, e uma tatuagem grande com duas mãos rezando e o nome de alguém no antebraço. — Como chegou aqui? — perguntou ele.

Shhh...

Shhh...

Eu me senti suja.

Usada.

Presa.

Será que Brooks via aquilo? Será que havia notado a tatuagem? O cheiro de cigarro? Será que tinha notado o alcaçuz?

Pisquei.

Fechei os olhos. Não queria sentir, não queria estar ali. Nem piscar. Mantive os olhos fechados. Não queria ver, mas ainda assim eu o via. Eu o via. Eu o sentia. Ele ainda era parte de mim.

Tudo ficou sombrio.

Tudo virou sombras.

Tudo virou escuridão.

Então, gritei:

— Você a matou! Você a matou! *Você matou a Julia!*

Capítulo 40

Brooks

O silêncio tomou conta da sala. Maggie tremia em um canto e não conseguia parar de chorar. Michael estava olhando para o pai, e os olhos de James estavam fixos em Maggie.

— O que você acabou de dizer? — perguntou Michael, confuso.

Maggie pressionou as mãos nos ouvidos, e eu quase conseguia sentir seu medo. Ela abriu a boca para falar, mas nenhum som saiu.

— Olha só, não sei o que está acontecendo, mas é melhor vocês irem embora — sugeriu James, com um suspiro pesado. Ele foi até Maggie e tentou levantá-la.

Ela começou a tremer ainda mais, encolhendo-se toda.

— Não! Por favor, não! — gritou.

Corri até ela e afastei James.

— Por favor, afaste-se dela.

— O que está acontecendo? — perguntou Michael com o cenho franzido. — Há algum problema com ela? Devo chamar ajuda?

— Não — respondeu James. — Acho que é melhor eles simplesmente irem embora. É óbvio que ela está tendo algum tipo de colapso nervoso.

— Não é um colapso nervoso! — exclamei, irritado. — Ela só está... — Faltaram-me palavras, e voltei a atenção para Maggie. — Maggie, o que está acontecendo?

— Ele a matou. Era ele que estava na floresta.

Eu me virei para James e, em um milésimo de segundo, vi o medo em seus olhos.

— Ele a afogou no lago Harper — continuou ela. — Eu vi. Vi quando você a afogou.

— Não sei do que está falando, garota, então é melhor calar a boca.

— Você matou a sua mulher — afirmou Maggie, levantando-se. — Eu te vi. Eu estava lá.

— Pai? — sussurrou Michael com voz trêmula. — Do que ela está falando?

— Como é que eu vou saber? É óbvio que ela é doida. Precisa de tratamento. Sinto muito, Brooks, mas você tem que ir agora. Não sei o que despertou esse ataque de pânico, mas precisa ir atrás de ajuda para essa garota. Vou cancelar a cobrança pelo barco. Só leve essa garota embora para que ela possa ser tratada.

— Diga a verdade — ordenou Maggie, mais firme a cada segundo. — Conte a verdade. Conte o que fez.

James foi até a mesa e se sentou na cadeira. Ergueu o telefone e o balançou no ar.

— Já chega. Vou chamar a polícia. Isso está fugindo do controle.

Maggie não disse nada. Cruzou os braços e, mesmo trêmula, não cedeu.

— Tudo bem. Ligue para eles. Se não fez o que eu estou dizendo, então, ligue para eles.

A mão de James começou a tremer, e Michael arregalou os olhos, horrorizado.

— Pai, ligue para eles. Disque o número.

James lentamente largou o telefone na mesa. Michael quase caiu no chão.

— Não, não...

James olhou para Maggie, derrotado, surpreso.

— Como? Como você sabe?

— Eu sou aquela garotinha que viu tudo.

— Meu Deus! — James começou a chorar, cobrindo os olhos com as palmas das mãos. — Foi um acidente. Um acidente. Eu não queria que...

— Não. — Michael negou com a cabeça. — Não, a mamãe nos deixou. Lembra? Ela fugiu com um cara. Foi isso que você me contou! Você jurou que foi isso que aconteceu.

— Ela fugiu. Bem, ia fugir. Ela ia nos deixar, Michael. Eu sabia que ela ia embora. Encontrei as ligações de um cara no telefone dela, e ela confirmou. Tivemos uma briga, e ela foi para a floresta. Meu Deus, eu não tive a intenção... Você precisa acreditar em mim, Michael. Eu a amava. Eu a amava muito.

Posicionei-me na frente de Maggie, sem saber o que James poderia fazer com ela. Ele parecia desnorteado; andava de um lado para o outro, passando os dedos pelo cabelo. Ele foi até a mesa, destrancou algumas gavetas e puxou alguns papéis.

— Pai, o que está fazendo? — perguntou Michael, espantado.

— Temos que ir, Michael. Precisamos sumir por um tempo. Você e eu, tá bom? Podemos recomeçar tudo. Cometi um erro, mas lidei com a culpa. Vivi cada dia com a culpa pelo que fiz. Nós temos que ir agora.

— Pai, se acalme.

— Não! — O rosto de James estava vermelho; sua respiração, entrecortada. — Precisamos ir embora, Michael. Temos que... — Sua voz falhou quando ele passou a chorar incontrolavelmente. — Eu a abracei, Michael. Eu a segurei nos meus braços. Eu não queria...

Michael se aproximou do pai com as mãos erguidas.

— Tudo bem, pai. Venha cá. Venha cá. Nós vamos embora. — Ele abraçou o pai e o puxou para si. — Está tudo bem, pai. Você está bem.

James continuou chorando na camisa do filho, falando coisas incompreensíveis.

Quando Michael olhou para mim, fez um gesto para o telefone na mesa e moveu os lábios: "Ligue para a polícia."

Quando James percebeu o que estava acontecendo, já era tarde demais. Seu filho o segurou em um abraço de urso e não o soltou mais. A polícia chegou e, depois de algumas explicações, James foi preso. O tempo todo, Maggie se manteve firme. Falou com os policiais de forma contida e forte. Suas palavras eram claras, e sua voz sequer tremeu.

Quando a viatura levou James embora, ela soltou um grande suspiro.

— Ele foi embora? — perguntou.

— Sim. Ele já foi.

Ela quase desabou no chão, chorando, mas eu a segurei. Eu a abracei, ciente de que suas lágrimas não eram mais de medo.

Eram as lágrimas da liberdade.

Depois desses acontecimentos, a polícia mandou uma equipe de busca para o lago Harper. Levaram cinco dias para encontrar o corpo de Julia. A descoberta teve impacto na vida de muita gente, por todo Harper County. A família de Maggie lidou com a revelação da melhor forma que podia, ou seja, ficando um ao lado do outro. Eu não fiquei muito preocupado com eles — eles se tornavam mais fortes nos dias mais sombrios.

A pessoa de quem senti mais pena foi o filho. Ele havia acreditado que a mãe o tinha abandonado. Ele viveu todos esses anos ao lado de um pai que, em um piscar de olhos, se transformou em um monstro. Michael tinha um longo caminho pela frente, e eu não sabia como ele ia lidar com as verdades que se desdobravam diante dos seus olhos.

Rezei para que ele encontrasse a paz em meio à tempestade.

Capítulo 41

Maggie

Eu tinha que ir ao tribunal, mas os meus pés não se moviam.

Eu usava um vestido preto e sapatilhas amarelas. Meu cabelo tinha algumas ondas, e os cílios estavam curvados, graças a Cheryl.

— Você tem que estar apresentável no tribunal, Maggie. Sempre há câmeras por lá, principalmente na saída. Com uma história tão importante como essa, jornalistas com certeza estarão lá — explicou ela ao enrolar as mechas do meu cabelo.

Depois que Cheryl terminou de me tornar apresentável para as câmeras, fui até o espelho de corpo inteiro e fiquei me olhando. Todos estavam preocupados comigo depois do que tinha acontecido na loja de James. Eles acharam que eu voltaria a ficar com medo, que voltaria ao silêncio — o que era verdade, de certa forma. Não falei muito depois que o homem foi preso. Não disse uma palavra sobre o que eu testemunhei naquela floresta, mas, mesmo assim, eles sabiam o quanto tinha sido horrível ver aquela mulher ser assassinada e acreditar que eu seria a próxima vítima.

Quando fui convocada para ser testemunha de acusação, rapidamente aceitei. Eu sabia como a minha versão da história seria importante. Sabia como seria importante finalmente falar, não apenas por mim, mas por Julia. Por Michael.

Eu estava pronta. Estava pronta para ir ao tribunal. Só havia um problema: meus pés não se moviam.

Brooks apareceu e ficou parado na porta do meu quarto. Estava de terno azul-marinho e gravata xadrez azul-clara. Seu sorriso me fez sorrir também. Ele não disse nada, mas eu sabia o que estava pensando.

— Estou bem — sussurrei, voltando a alisar o vestido.

— Mentirosa — brincou, caminhando em minha direção. Ele ficou atrás de mim e me abraçou. Ficamos nos olhando pelo espelho, e Brooks apoiou o queixo no meu ombro. — Diga, qual é o problema. O que está se passando nessa cabecinha?

— É só que... vou ter que ficar frente a frente com ele hoje. Vou ter que me sentar ali, sabendo o que aquele homem fez, e me esforçar para não reagir. Quando eu o vi na loja, tudo aconteceu muito rápido. Foi um borrão. Mas agora eu realmente vou ter que enfrentá-lo. Foi ele que me deixou daquele jeito. Foi ele que roubou a minha voz. Como posso lidar com isso? Como posso ficar diante do homem que roubou a minha voz há tantos anos, e como eu posso pedir a ele que me devolva?

— Você não precisa pedir. Você pega. Pega tudo que ele te roubou sem pedir permissão. Sem culpa. É seu. A única maneira de conseguir isso é contando a sua história. Você tem voz, Maggie May. Sempre teve. Agora chegou a hora do resto do mundo ouvi-la.

— Podemos ouvir uma música juntos? — pedi, ainda nervosa.

— Sempre. — Ele pegou o celular e me entregou um dos fones de ouvido. — O que quer ouvir?

— Toque alguma coisa que me faça submergir — sussurrei.

Então, ele tocou a nossa música.

* * *

Contei a minha história. Cada detalhe, cada parte, cada cicatriz. Minha família ficou no tribunal, ouvindo. Minha mãe chorou, e meu pai enxugou suas lágrimas. Cheryl e Calvin não desviaram os olhos de mim nem por um segundo. Eu não sabia se teria sido capaz de falar em alto e bom som se não fosse pelo apoio silencioso que eles me deram.

Quando terminei, encontrei a minha família no corredor, e eles disseram que eu era muito forte por ter passado por tudo aquilo. As portas do tribunal se abriram, e Michael saiu. Seus olhos estavam pesados, e eu consegui ver o peso do mundo nos seus ombros. Ele veio na minha direção e me deu um sorriso, que logo se desfez. As mãos estavam enfiadas nos bolsos da calça.

— Oi. Sinto muito. Talvez não devesse falar com você, mas quero que saiba que você foi muito corajosa. Não posso nem imaginar tudo pelo que passou a vida inteira. Sinto muito pelo que aconteceu.

— Não precisa se desculpar. Você não é responsável pelos erros do seu pai — respondi.

Ele assentiu, compreensivo.

— Eu sei. Eu sei. Mesmo assim. Sua vida foi roubada de você. E a minha mãe... — Ele deu um riso nervoso. — Sempre acreditei que ela nos abandonou. Passei a vida toda confuso, odiando-a, porque todas as lembranças que eu tinha dela eram cheias de amor. Eu não conseguia entender, por nada nesse mundo, por que ela tinha ido embora.

— Se ela tivesse tido escolha, jamais teria saído do seu lado — interveio minha mãe. — Pode ter certeza, eu sei.

Michael agradeceu a ela e começou a se afastar, até que me ouviu chamá-lo.

— Ela não sofreu — menti. — Foi rápido e sem dor. Acabou em segundos. Sua mãe não sofreu.

Os ombros dele pareceram menos pesados quando falei isso.

— Obrigado, Maggie. Obrigado.

Depois de anos sem falar, eu compreendia a importância das palavras. Como elas tinham o poder de ferir as pessoas, mas também de curar, se fossem usadas corretamente. Pelo resto da vida, eu tentaria usar as palavras com cuidado.

Elas tinham o poder de mudar vidas.

* * *

No dia seguinte, fui à casa da Sra. Boone levando chá e sanduíche de peito de peru. Ela revirou os olhos quando veio até a porta e me convidou para entrar.

— Vi você no noticiário ontem — disse ela. — Poderia ter usado um pouco mais de maquiagem. Você estava na TV, não em uma festa do pijama.

Eu ri.

— Fica para a próxima.

— Próxima... — Bufou, meneando a cabeça. — Eu até poderia achar que está brincando, mas você e o seu namorado são as pessoas mais dramáticas que já conheci, então eu não duvidaria se houvesse uma próxima vez — continuou, tomando um gole de chá. — E você é péssima para escolher chá. Isso é nojento.

Eu ri.

— Agora você sabe como eu me senti todos esses anos.

Ela olhou para mim, e sua mão começou a tremer.

— Sua voz não é tão feia quanto achei que seria. — Ela sorriu e meneou a cabeça, satisfeita. Era um semielogio da minha aminimiga favorita. Ela pegou o sanduíche e deu uma mordida. — Eu sabia que você ia voltar a falar um dia. Sabia que você ia conseguir.

Conversamos por horas sobre tudo e qualquer coisa que vinha à mente. Rimos juntas, e foi a melhor sensação do mundo. Quando começou a ficar tarde, a Sra. Boone, apoiada em seu andador, me levou até a sala. Sempre que a enfermeira tentava ajudá-la, ela a mandava cair fora. O que, no caso da Sra. Boone, significava "muito obrigada".

— Bem, cuide-se, Maggie May, e dê um tempo de tragédias, está bem? Já chegou a hora de você sair e ir viver a vida que merece com aquele garoto que olha para você com tanto amor. Mas não tema dar uma passadinha aqui sempre que precisar de uma pausa nas aventuras para tomar um pouco de chá. — Seus olhos encontraram os meus, e ela me deu o sorriso mais doce que eu já tinha visto. — Ou então, você sabe, só para conversar com uma velha amiga.

— Pode deixar. — Eu sorri. — Eu te amo, Sra. Boone.
Ela revirou os olhos, enxugou uma lágrima e respondeu:
— Ah, está bem.
O que, no caso da Sra. Boone, significava "também te amo".
Quando atravessei a rua, notei que toda minha família estava sentada no jardim, olhando para a casa.
— O que está acontecendo? — perguntei, indo até eles.
Cheryl estava com a cabeça apoiada no ombro de Calvin, e meus pais estavam abraçados. Eu me sentei ao lado dos meus irmãos e olhei para a casa também.
— Estamos nos despedindo — esclareceu meu pai.
— O quê? Vocês vão vendê-la?
Ele assentiu.
— Nós todos achamos que chegou a hora. Essa casa foi um lugar de novos começos para nós, de riso, de amor.
— Mas também de muito sofrimento — completou minha mãe, me dando um sorriso. — E a gente acha que é hora de recomeçar mais uma vez. De encontrar novos lugares, novas paisagens. É hora de deixarmos o passado e olharmos para o futuro.
Não discuti com eles, porque eu sentia que já tinha passado da hora de isso acontecer, mas, ainda assim, senti uma pontada de tristeza ao pensar em deixar a casa que me salvou de mim mesma.
Ela foi vendida cinquenta e cinco dias depois que a colocamos no mercado. Brooks e a banda foram para Los Angeles para começar a reconstruir a carreira, e eu prometi que os encontraria lá quando tudo estivesse certo com a casa.
No último dia da mudança, o céu estava escuro, e a chuva caiu sobre Harper County. Dois caminhões estavam parados na garagem, e nós os estávamos carregando durante horas. Quando colocamos a última caixa dentro dele, pedi aos meus pais alguns minutos para me despedir.
Meu quarto, que costumava ser cheio, fora esvaziado de toda a minha história. Levei a mão ao coração e ouvi as gotas de chuva

caindo no peitoril da janela. Eu não sabia bem como me despedir. A dor no peito era uma recordação dos momentos vividos entre aquelas paredes. Foi o primeiro lugar onde aprendi o que significava ter uma família; o primeiro lugar em que me apaixonei. Não importava para onde a vida me levasse, aquela casa de tijolos amarelos sempre seria o meu lar.

Estava quase chorando quando ouvi as minhas palavras favoritas:

— Você está bem hoje, Maggie May?

— Você deveria estar em Los Angeles — falei, sorrindo ao ver Brooks parado ali, com as mãos nas costas. O cabelo e as roupas estavam encharcados de chuva, e ele tinha um sorriso enorme no rosto. — O que está fazendo aqui?

— Bem, você não achou que eu ia deixar de me despedir da casa que te trouxe para mim, não é? Além disso... — ele entrou no quarto e pegou o quadro branco com as palavras escritas com caneta permanente — ...fiz uma promessa a uma garota há alguns anos, e acho que é hora de cumpri-la. Quero te mostrar o mundo, Maggie May. Quero levá-la para a maior aventura da sua vida.

Sorri, caminhando até ele. O que Brooks não sabia era que ele era a maior aventura da minha vida. Ele era a minha jornada favorita, a âncora que sempre me levaria para casa. Ele colocou o quadro no chão e pegou as minhas mãos.

— Estou pronta para isso. Para a nossa vida juntos, Brooks. Quero você e só você, pelo resto da minha vida. Estou pronta para deixar esse lugar.

Ele sorriu.

— Tem certeza? — Ele olhou para o espaço vazio.

Ele curvou o corpo e me puxou para si.

Mordi o lábio inferior.

— Talvez mais cinco minutos? — sussurrei.

Ele beijou a minha testa e disse suavemente:

— Que tal dez?

Quando chegou a hora de irmos embora, Brooks pegou o quadro branco e segurou a minha mão. A chuva ainda caía pesadamente, e comecei a correr para o carro, mas Brooks me fez parar.

— Maggie, espere! Esqueci de te dizer qual é o único requisito para eu cumprir a minha promessa de ajudá-la a completar a sua lista de coisas a fazer.

— E qual é?

Ele virou o quadro para mim, e eu li as palavras.

Você quer se casar comigo?

— O quê? — Dei um riso nervoso.

— Quer se casar comigo? — repetiu ele. Gotas de chuva cristalina escorriam pelo seu nariz e deslizavam até o chão.

— Quando? — perguntei.

— Amanhã — respondeu.

— Brooks. — Eu ri, pegando sua mão.

— E depois de amanhã. E depois, depois e depois. Todos os dias, Maggie May. Quero que você se case comigo todos os dias pelo resto das nossas vidas. — Ele me puxou para mais perto, e a chuva fria, de alguma forma, pareceu mais quente naquele momento. Ali, nos tornamos um só. A pele dele na minha, seu coração batendo junto ao meu, nossas almas entrelaçadas. Ele roçou os lábios nos meus e pediu suavemente: — Diga sim.

Apertei sua mão duas vezes.

E nos beijamos sob a chuva.

E foi assim.

Aquele era o grande momento. Aquele era o momento que meu pai sempre disse que aconteceria um dia. Brooks era o momento pelo qual esperei a minha vida toda.

Dessa vez é para sempre.

Epílogo

Maggie

Dez anos depois

— Está muito alto — reclamou Haley na primeira fila da arena.

Ela tinha completado seis anos duas semanas antes, e era a primeira vez que ia ao show da The Crooks. Brooks e a banda estavam comemorando o aniversário de vinte anos de carreira na arena que ficava a quinze minutos da nossa casa, e Haley pediu para ir ao show como presente de aniversário.

— Não está muito alto, você que é uma bebezona — disse Noah, provocando a irmã mais nova.

— Não, está um pouco alto demais mesmo. — Enfiei a mão na bolsa e peguei fones de ouvido cor de rosa à prova de som. Coloquei-os nos ouvidos da minha filha.

— Melhor? — perguntei.

Ela assentiu e sorriu de orelha a orelha.

— Sim.

Quando as luzes se apagaram, Haley e Noah começaram a pular sem parar. Assim que a banda entrou no palco, as crianças pareciam prestes a enlouquecer. Seus olhos estavam arregalados de admiração ao olharem para o pai.

O herói deles. O meu amor.

— Olá, Wisconsin! — cumprimentou Brooks, segurando o microfone com a mão direita. — Se vocês já vieram a algum show da The Crooks, sabem que nunca abrimos shows com discursos, mas essa noite vai ser um pouco diferente. Hoje é o vigésimo aniversário da banda, e estamos de volta ao nosso estado natal para comemorar. Então achamos que seria legal dedicar esse show à pessoa que fez o nosso sonho se tornar realidade há tantos anos. Era uma vez uma garota que gravou e postou alguns vídeos da banda na internet e, por causa disso, a The Crooks foi descoberta. Droga, foi ela quem deu o nome à banda.

— Nós te amamos, Maggie! — gritaram os gêmeos.

— Amo você, mana! — disse Calvin, sorrindo para mim.

— Eles estão falando com você, mamãe — falou Haley, surpresa.

Dei um beijo na testa dela.

— Eu sei, querida. Eles são demais, não são?

Ela suspirou, e seus olhos brilharam.

— Sim, mamãe. O papai é demais.

— Então, a primeira música que vamos tocar hoje não é nossa, mas parece perfeita para homenagear o meu amor, a minha alma e a melhor amiga — prosseguiu Brooks. — Essa é das antigas, mas é maravilhosa, e convido todos vocês a cantarem juntos. Senhoras e senhores, "Maggie May", do incrível Rod Stewart.

Calvin começou a tocar a introdução na guitarra e, em segundos, Brooks envolveu o microfone com as mãos e cantou diretamente para mim. As crianças ficaram pulando e gritando o nome dele sem parar.

— Vou ser um astro do rock, igual ao papai — gritou Noah, pulando.

O show foi maravilhoso como sempre. Depois da última música, Brooks disse:

— Obrigado a todos por terem vindo. Somos a The Crooks e estamos muito felizes por terem nos deixado roubar o coração de vocês esta noite.

***

Brooks

— Papai, achei que você mandou muito bem hoje! — exclamou Haley, bocejando.

Ela tinha os mesmos olhos azuis da mãe e o mesmo sorriso lindo que fazia eu me curvar a tudo que ela queria. Seus braços envolveram o meu pescoço, e eu a carreguei para o quarto. Mesmo tendo feito turnês por todo o mundo e visto muitas coisas, não havia nada melhor do que estar em casa com os meus amores.

— É mesmo? Você gostou?

Ela assentiu.

— Gostei. A mamãe canta melhor que você, mas você ainda é bom.

— Ah é? Você acha que a mamãe canta melhor? — Eu a coloquei na cama e comecei a fazer cócegas nela. — Diga que eu canto melhor. Pode dizer agora mesmo!

— Papai! — Ela riu. — Tudo bem. Tudo bem. Você canta melhor! Você canta melhor!

Eu ri e dei um beijo na testa dela.

— Foi o que achei.

— Papai? — chamou ela.

— O quê?

— Posso contar um segredo?

— Pode.

Ela se aproximou, puxando-me para sussurrar ao meu ouvido.

— Eu menti sobre você cantar melhor.

A guerra de cócegas recomeçou e continuou até nós dois ficarmos sem fôlego. Peguei o gato que estava no quarto e o coloquei aos pés da cama de Haley, onde ele dormia todas as noites.

— Tudo bem, hora de vocês dois dormirem. — Dei um beijinho no nariz da minha filha. — E Haley?

— Sim, papai?

— As batidas do seu coração fazem o mundo continuar girando.

Saí do quarto, deixando o abajur aceso, e vi Maggie saindo do quarto de Noah. Sorrimos um para o outro e descemos juntos.

— O Skippy está com ele? — perguntei.

Ela assentiu.

— E o Jam está com Haley?

— Está.

Quando Maggie entrou na sala, diminuí as luzes. Ela sorriu para mim, mordeu o lábio inferior e foi até o jukebox que a Sra. Boone nos deu de presente de casamento. Escolheu a sua música favorita — a nossa música.

Quando ela começou a tocar, peguei as mãos da minha esposa e a puxei para mim. Nossos lábios se tocaram, e eu lhe dei um beijo leve antes de sussurrar:

— Quer dançar comigo?

Ela sempre dizia sim.

Momentos.

As pessoas sempre se lembram de momentos.

Nós nos lembramos dos passos que nos levaram aonde deveríamos estar. As palavras que nos inspiraram ou que acabaram conosco. Os incidentes que nos deixaram marcas e nos engoliram por inteiro. Tive muitos momentos na vida, momentos que me transformaram, que me desafiaram, alguns que me assustaram e me devoraram. No entanto, nos mais importantes — os mais dolorosos e os mais empolgantes —, em todos eles, ela estava comigo.

Tudo terminou com dois filhos, um cachorro chamado Skippy um gato chamado Jam, e uma mulher que sempre me amou.

Agradecimentos

Foi muito difícil escrever este livro, mas escrever os agradecimentos é ainda mais difícil. Sempre sinto que estou me esquecendo de alguém, e então ficará registrado que eu me esqueci dessa pessoa — o que é aterrorizante.

Mas, vamos lá. Em primeiro lugar, vou agradecer a Danielle Allen — minha irmã do coração. Obrigada por sempre estar ao meu lado. Você me trouxe mais lágrimas de alegria e reconhecimento do que qualquer pessoa que conheço. Obrigada por ser uma amiga leal.

À minha tribo. Vocês sabem quem são, e eu sou uma mulher mais forte depois que o meu caminho cruzou com o de vocês.

Meu muito obrigada a Allison, Alison, Christy, Tammy e Beverly — as melhores "betas" do mundo. Este foi DIFÍCIL. Obrigada pela sinceridade e pelo apoio para tornar esta história o que ela é hoje.

Obrigada às minhas editoras Caitlin, da Editing by C. Marie, Ellie, da Love N Books, e Kiezha por se superarem neste livro. Vocês fazem com que eu pareça melhor do que realmente sou. Devo o mundo a vocês!

Às minhas revisoras, Virginia e Emily — não há palavras para descrever o talento de vocês e a atenção ao detalhe. Obrigada por pegarem os erros de última hora.

Um grande agradecimento à Indie Solutions by Murphy Raw por formatar o romance, a Staci Brillhart pelo lindo layout de capa e a Luke Ditella por ser um fabuloso modelo.

Aos leitores, aos blogueiros, à família e aos amigos, que não apenas apoiam a minha escrita mas conversam sobre ela com outras pessoas sem qualquer vergonha ou constrangimento, obrigada. Obrigada por permitirem que eu viva o meu sonho louco e por me darem razões para sorrir todos os dias. Obrigada por me ouvirem, mesmo quando há um tremor na minha voz. Obrigada por acreditarem em mim mesmo quando eu quero me retrair e me esconder. Obrigada por seu amor. Obrigada por sua energia. Obrigada por serem vocês. As batidas do seu coração fazem o mundo continuar girando.

Este livro foi composto na tipografia Palatino
LT Std, em corpo 11/16, e impresso em
papel off-white no Sistema Cameron da
Divisão Gráfica da Distribuidora Record.
